EL MUNDO SOCIAL DEL «QUIJOTE»

BIBLIOTECA ROMÁNICA HISPÁNICA

DIRIGIDA POR DÁMASO ALONSO

II. ESTUDIOS Y ENSAYOS, 352

JAVIER SALAZAR RINCÓN

EL MUNDO SOCIAL DEL "QUIJOTE"

PREMIO RIVADENEIRA DE LA REAL ACADEMIA ESPAÑOLA

BIBLIOTECA ROMÁNICA HISPÁNICA
EDITORIAL GREDOS
MADRID

EDITORIAL GREDOS, S. A.

Sánchez Pacheco, 81, Madrid. España.

Depósito Legal: M. 26035-1986.

ISBN 84-249-1060-5. Rústica.
ISBN 84-249-1061-3. Guaflex.

Impreso en España. Printed in Spain.
Gráficas Cóndor, S. A., Sánchez Pacheco, 81, Madrid, 1986. — 5891.

A Teresa.
A mis padres.

La primera versión de este trabajo se inició en 1972 y fue originariamente una tesis doctoral, titulada Sociedad e ideología en el «Quijote», *que se leyó en la Universidad Complutense de Madrid el día 30 de junio de 1977. Una reelaboración casi total de aquellos materiales dio lugar a un libro nuevo, que obtuvo el premio Rivadeneira de la Real Academia Española en diciembre de 1984, y que, en versión abreviada y con algunos retoques, ofrecemos hoy a los lectores.*

Naturalmente son varias las personas que han colaborado de una u otra manera en la elaboración de esta obra, y a las que quiero expresar en estas líneas mi agradecimiento. Vaya en primer lugar mi gratitud para Alonso Zamora Vicente, que me animó a emprender este trabajo, siendo yo todavía alumno suyo en la Universidad de Madrid, que dirigió después mi tesis de doctorado, y del que en todo momento he recibido estímulo y ayuda.

Un recuerdo agradecido también para los profesores Carlos Foresti, Per Rosengren y Matilde Westberg, y para los demás colegas y amigos del Departamento de español de la Universidad de Gotemburgo (Suecia), en el que ejercí como lector extranjero entre 1973 y 1978, y en cuyo seminario de doctorado tuve oportunidad de exponer y discutir algunos aspectos de esta obra.

También quiero mencionar algunas instituciones en las que he trabajado e investigado durante estos años, y agradecer al mismo tiempo la colaboración de sus bibliotecarios y empleados: Biblioteca de «La Caixa» (La Seu d'Urgell), Biblioteca de Catalunya (Barcelona), Biblioteca Nacional de Madrid, Biblioteca de la Universidad de Gotemburgo

(Suecia), Instituto Iberoamericano de la Universidad de Gotemburgo, Instituto de Bachillerato «Joan Brudieu» (La Seu d'Urgell).

Una mención muy especial merece mi mujer, Teresa, que ha mecanografiado pacientemente y con esmero los originales en todas sus versiones y fases, y sin cuya ayuda y comprensión hubiera sido imposible concluir esta obra.

La Seu d'Urgell, 12 de junio de 1985.

INTRODUCCIÓN

Intentar decir algo nuevo acerca del *Quijote* [1], sobre el que tantas y tan valiosas páginas se han escrito, parece, a primera vista, un esfuerzo condenado al fracaso. Cervantes ha sido desmenuzado y escudriñado con todo tipo de instrumentos y lentes, y el enorme rimero de libros y artículos dedicados a su obra parece indicar que en este terreno sólo caben la redundancia o la divagación.

Esta idea, que ha acabado por hacer de Cervantes un coto vedado para el investigador novel, nos parece, sin embargo, parcialmente equivocada. Es indudable que quien se adentra en este campo se ve obligado a repetir, corregir o ampliar ideas que alguien ha expuesto ya en alguna ocasión; pero también es cierto que el desarrollo de la bibliografía y los estudios cervantinos es constante, a veces con aportaciones muy valiosas, y ese permanente incremento nos parece la prueba más clara de su inextinguible vitalidad. Los grandes autores y sus obras son siempre una incitación, o un pretexto, para la reflexión y el estudio: cada época trata de verse reflejada o justificada en ellos, y el genio creador, multiplicado en esa inacabable galería de espejos, descubre en cada nueva lectura un perfil insospechado.

---

[1] Para el presente trabajo hemos utilizado las siguientes ediciones de las obras de Cervantes: *Don Quijote de la Mancha,* edición, introducción y notas de Francisco Rodríguez Marín, Madrid, Ed. Espasa-Calpe, col. Clásicos Castellanos, 1967, 8 vols. Para el resto de la obra cervantina hemos seguido los volúmenes 1 y 156 de la *Biblioteca de Autores Españoles* (BAE), editados por Buenaventura Carlos Aribau y Francisco Ynduráin, respectivamente.

Tampoco el tema de este estudio nos parece que esté agotado. Morel-Fatio vio en el *Quijote* «la gran novela social de la España de comienzos del siglo xvii» [2], y esta idea, convertida ya en un lugar común, se ha venido repitiendo desde entonces [3]; pero, a pesar de la evidente trascendencia social de la obra cervantina, el tema ha recibido por parte de la crítica un tratamiento insuficiente, y en ocasiones parcial.

A Morel-Fatio le debemos, precisamente, el primer estudio importante sobre las relaciones entre la obra de Cervantes y la historia social [4]. Su trabajo es una simple recopilación de textos de la novela, destinada a ilustrar el estado social, las categorías profesionales y los rangos estamentales de la época: clérigos, gobernantes, moriscos, nobles, hidalgos, soldados, estudiantes y letrados, médicos, venteros, arrieros, comediantes, etc. La reducida extensión y la índole del estudio, que fue concebido originalmente como materia de una conferencia, hacen que el tratamiento sea obligadamente superficial. El punto de vista del autor, extremadamente simplista, limita además el alcance de las conclusiones: Cervantes es, simplemente, «un très habile conteur et un honnête homme» que, cuando se ha enfrentado a problemas sociales graves, los ha resuelto como cualquier hombre normal de su época [5].

El breve ensayo de Morel-Fatio encierra, sin embargo, intuiciones y juicios muy acertados, difíciles de encontrar en la crítica española de la misma época, con los que el autor se anticipa a la investigación más reciente: la relación que existe entre la condición social del hidalgo y la afición a los libros de caballerías [6]; la manía hidalguista de las gentes de la época, cuya crítica constituye la principal intención del

---

[2] «Le Don Quichotte envisagé peinture et critique de la société espagnole du XVIe et XVIIe siècle», en *Études sur l'Espagne*, París, 1895, 1.ª serie, pág. 307.

[3] Para Ángel Valbuena Prat, «Cervantes deja en su obra un maravilloso documento social» (*La vida española en la Edad de Oro, según sus fuentes literarias*, Barcelona, 1943, pág. 187). Para A. Bonilla y San Martín, Cervantes «se propuso siempre entretener y hacer historia social» (*Cervantes y su obra*, Madrid, 1916, pág. 14). Más recientemente Guillermo Barriga Casalini ha señalado que «*Don Quijote de la Mancha* es el más completo estudio social realizado por Cervantes» (*Los dos mundos del Quijote: realidad y ficción*, Madrid, Ed. Porrúa, 1983, pág. 4).

[4] *Op. cit.*

[5] *Ibíd.*, pág. 305.

[6] *Ibíd.*, págs. 338-339.

libro [7]; y, sobre todo, el énfasis que el autor ha puesto en el contenido social de la novela.

Con motivo del tercer centenario de la publicación del *Quijote,* aparecen varios estudios dedicados a examinar el ambiente social en que se inspiró Cervantes, entre los que merecen destacarse las obras de Salcedo Ruiz y Puyol Alonso [8]. La primera, muy superior, es, a pesar de su brevedad (155 págs.), el estudio más completo escrito sobre el tema en la primera mitad del siglo xx. De manera más amplia y fundamentada que Morel-Fatio, el autor pasa revista a los grandes, los hidalgos, la gente llana, la religión, el Estado, los soldados, la vida jurídica, y apunta además un hecho importante: la obsesiva preocupación nobiliaria de las gentes quedó plasmada en las concepciones religiosas y en el prejuicio de la limpieza de sangre [9].

Los estudios cervantinos están presididos, en los años siguientes, por los esfuerzos de Américo Castro para desterrar al Cervantes esotérico, librepensador o contrarreformista, que habían inventado los eruditos del siglo xix, y por situar su obra dentro de las coordenadas reales en las que surgió: Renacimiento, humanismo, erasmismo, espíritu crítico, modernidad [10]. El resultado será una imagen de Cervantes teñida por las ideas liberales del propio autor, pero apoyada en una investigación filológica e histórica de un rigor inigualable.

La guerra civil y el exilio hicieron que Castro cambiase radicalmente sus puntos de vista sobre la historia española y nos devolviese una imagen inédita de Cervantes [11]: el hombre marginal, silenciado y arrin-

---

[7] Págs. 140 y sigs.

[8] Julio Puyol Alonso, *Estado social que refleja el Quijote,* Madrid, 1905; Ángel Salcedo Ruiz, *Estado social que refleja el Quijote,* Madrid, 1905. Más breves y de escaso interés son: R. Casas Pedrerol, «Breve estudio sobre el estado social que refleja el *Quijote», Nuestro Tiempo,* I, 1906, págs. 240-265; y A. Martínez Olmedilla, «Estado social que refleja el *Quijote»,* EMod, CCXI, 1906, págs. 123-146.

[9] *Op. cit.,* págs. 41 y sigs., y 55 y sigs.

[10] Véase *El pensamiento de Cervantes,* nueva edición ampliada, con notas del autor y de Julio Rodríguez Puértolas, Barcelona, Ed. Noguer, 1972; y los artículos reunidos en el volumen *Hacia Cervantes,* Madrid, Taurus, 1957.

[11] «La motivación inicial de *España en su historia* está en el enorme dolor sentido por mi maestro durante la guerra civil de 1936-1939. O, dicho con palabras suyas: «cómo y por qué llegó a hacerse tan dura y tan áspera la convivencia entre españoles, cuál es el motivo de haberse hecho endémica entre nosotros la necesidad de arrojar del país o de exterminar a quienes disentían de lo creído y querido por los más poderosos». El

conado, cristiano nuevo tal vez, que responde con su obra a un entorno agresivo e incómodo [12]. Sus descubrimientos, discutibles sin duda, constituyen un punto de partida obligado para cualquier estudio sobre el marco histórico de la novela cervantina.

Don Quijote renace en la España de la postguerra vestido con las galas de la cultura oficial: hispanidad, catolicismo, tradicionalismo; símbolo de valores imperecederos [13]. Pero, a pesar de todo, la investigación en torno al ambiente histórico en que vivió Cervantes continúa. José Antonio Maravall [14] sitúa el *Quijote* en el cruce de dos épocas, medievo y modernidad, y lo interpreta como el resultado de un choque entre fuerzas de signo opuesto: de un lado el hidalgo, encarnación del espíritu caballeresco medieval y la utopía arcaizante; de otro, las formas políticas y económicas propias del Estado moderno, a las que el caballero se enfrenta: ejército regular, fuerzas de seguridad, economía dineraria, administración de técnicos.

En estos años se publica también la obra más voluminosa sobre el tema que aquí estudiamos de las aparecidas hasta la fecha: Arco y Garay [15] analiza, a lo largo de casi 800 páginas, numerosos aspectos de la vida española de aquel período; pero, a pesar de su extensión, el trabajo resulta, visto desde nuestra perspectiva actual, insuficiente y parcial: pocas referencias a las difíciles condiciones económicas, demográficas y sociales en que surgió el *Quijote;* un silencio casi absoluto sobre las profundas y dramáticas tensiones que padeció aquella época; pocos datos sobre la vida real de los hidalgos, de los campesinos, de los jornaleros y las gentes pobres del campo. El libro insiste, eso sí, en los aspectos más superficiales y pintorescos de aquella sociedad: pícaros, doncellas, criados, fiestas, bailes, refranes, comidas y vestidos, amor y celos, etc. Hay alusiones a las categorías sociales y a

---

entendimiento del pasado histórico español, era, para Américo Castro, enteramente indispensable para el futuro convivir pacífico de los españoles» (Juan Marichal, «Unamuno, Ortega y Américo Castro: tres grandes náufragos del siglo xx», *Sistema,* n.º 1, enero de 1973, págs. 59-67, la cita en pág. 65).

[12] Véase A. Peña, *Américo Castro y su visión de España y de Cervantes,* Madrid, Edit. Gredos, 1975.

[13] I. Terterian, «Sobre algunas interpretaciones del *Quijote* en la España del siglo xx», *Beiträge zur Romanischen Philologie,* Berlín, 1967, págs. 169-173.

[14] *El humanismo de las armas en Don Quijote,* Madrid, 1948.

[15] *La sociedad española en las obras de Cervantes,* Madrid, C.S.I.C., 1952.

las relaciones entre ellas, pero la obra de Cervantes queda reducida a un simple cuadro de costumbres, y su autor se convierte en un ferviente y obcecado patriota, que nunca cuestionó la grandeza de aquella Monarquía en que le tocó vivir [16].

Entre los estudios cervantinos publicados en los países americanos de habla española, merece algunos comentarios un trabajo que guarda relación estrecha con el tema que aquí estudiamos: *El pensamiento social y político del «Quijote»,* de Ludovik Osterc [17]. La obra realiza aportaciones valiosas, que tendremos en cuenta en las páginas que siguen, pero deja a un lado cuestiones importantes, y contiene, sobre todo, errores que es preciso señalar. Su autor resalta, de acuerdo con sus posiciones marxistas, la relación que existe entre la literatura y la sociedad, pero resuelve este complejo problema con los tópicos del materialismo más tosco [18]; insiste en el influjo de los hechos económicos y sociales sobre la vida cultural, pero utiliza como única fuente de información el conocido manual de Vicens Vives. La relación entre el *Quijote* y los libros de caballerías se resuelve con una fórmula simple y definitiva:

> ...los libros de caballerías sirvieron a Cervantes de pretexto y de cortina de humo para disparar los dardos contra las clases dominantes sin temor de represalias por parte de ellas [19].

Y esta misma receta sirve para explicar la locura del caballero:

> ...un habilísimo recurso literario de Cervantes, mediante el cual se escudó para lanzar impunemente una aguda crítica de la vida social y política de su tiempo. El autor *hizo* parecer a su héroe como loco a fin de obtener

---

[16] Si Cervantes censura en alguna ocasión ciertas actitudes, su crítica va contra la malicia y la flaqueza de los hombres, y no contra las instituciones en que se apoyaba el orden establecido: «No caben tales supuestos en Cervantes —continúa el autor—, tan conforme con su condición, tan confiado en la grandeza de su patria, tan entusiasta de sus glorias y tan seguro de sus altos futuros destinos» (*ibíd.,* pág. 139).

[17] México, Edit. Andrea, 1963.

[18] «El arte es, por consiguiente, como las demás formas de la conciencia social, un reflejo de la vida, de la realidad, una manera especial de conocer ésta. El arte como expresión de determinadas concepciones artísticas de la sociedad y como reflejo de la vida social, forma parte de los fenómenos supraestructurales, engendrados por el régimen económico de la sociedad de que se trata» (*ibíd.,* págs. 17-18).

[19] *Ibíd.,* pág. 23.

el salvoconducto para sus audaces ataques contra la monarquía, la nobleza y el clero [20].

La ideología del autor deforma además en varias ocasiones el contenido de la novela, y convierte a Cervantes en un revolucionario irreconocible [21].

En las obras que acabamos de comentar hay, junto a algunos errores y limitaciones, muchas ideas, sugerencias e intuiciones valiosas. Todas ellas, y otros estudios más breves que aparecen citados en la bibliografía, constituyen en conjunto un material suficiente para efectuar una primera aproximación al tema de este trabajo. El carácter estrecho o anticuado de muchos de sus planteamientos, y la misma dificultad material de acceder a ellas, hacen, no obstante, que estas obras sean hoy de poca utilidad para el lector no especializado, y que el mundo social del *Quijote* sea en este momento, como ha señalado no hace mucho un conocido investigador [22], una de las principales lagunas de la bibliografía cervantina.

Nuestro trabajo pretende poner en manos del universitario, del profesor, o de cualquier lector interesado, un estudio global y puesto al día de este tema apasionante, en un momento en que el enfoque sociológico ha pasado a ocupar un lugar destacado en el estudio de la literatura, y en que incluso los planes de Bachillerato, que dedican un apartado especial al *Quijote,* recaban del alumno, y por supuesto del profesor, una atención especial a los fundamentos sociales e históricos del hecho literario [23].

[20] Pág. 77.
[21] La discusión de la bacía y el yelmo se resuelve, por ejemplo, con la siguiente explicación: «El sentido filosófico-social de este debate, a pesar de su aparente futilidad, consiste justamente en el propósito del autor de mostrar la dependencia que hay entre la ideología de cierta época y sus clases rectoras, dicho en otras palabras, mostrar el interés que estas clases opresoras tienen en engañar a los demás, o bien a las clases inferiores y oprimidas» (págs. 115-116).
[22] «Es de lamentar que no exista todavía un estudio a fondo del complejo mundo social cervantino. No cumplen con lo que a un estudio así pediríamos ni la obra de J. Puyol Alonso, *Estado social que refleja el Quijote...* ni las eruditas anotaciones de la obra de R. del Arco y Garay, *La sociedad española en las obras de Cervantes...*» (J. A. Maravall, *Utopía y contrautopía en el «Quijote»,* Santiago de Compostela. Edit. Pico Sacro, 1976, pág. 80, n. 80).
[23] *Boletín Oficial del Estado,* 18 de abril de 1975, págs. 8054-55.

Este estudio no es, sin embargo, una simple obra de divulgación: intenta aportar datos, volver a plantear temas ya conocidos desde una perspectiva nueva, ayudar a que otros resuelvan con mejor tino problemas que aquí sólo aparecen esbozados. La novedad de algunos de los puntos de vista que aquí exponemos no es, sin embargo, una prueba cierta de su originalidad. La crítica literaria, como ha señalado Juan Ignacio Ferreras, se ve obligada constantemente a «salirse del tema», en busca de materiales que enriquezcan y clarifiquen su propio objeto de estudio [24]; y, si hemos conseguido aportar algo nuevo en estas páginas, se lo debemos precisamente a las numerosas incursiones que hemos realizado en el terreno de la historia social, una disciplina sin cuyo auxilio, y el involuntario de sus especialistas, no hubiera sido posible nuestra labor.

Las páginas que siguen son, por tanto, un intento de comprender la novela de Cervantes desde la sociedad en que surgió. En su ejecución nos hemos servido de textos cervantinos distintos del *Quijote,* y de otras obras de carácter muy diverso, tratando de soslayar en lo posible el principal defecto de este tipo de estudios: la utilización de los materiales literarios como fuente exclusiva de información. Hubiéramos querido concluir este trabajo dando cuenta del objeto esencial que toda sociología de la literatura debe abordar: el complejo mecanismo que relaciona la obra literaria con la conciencia colectiva de determinados grupos sociales. La falta de espacio, y la necesidad íntima de dilucidar determinados problemas y ahondar en otros, nos han hecho prescindir de esta parte de nuestro estudio. Esperamos poder volver sobre ello en mejor ocasión.

---

[24] *Fundamentos de sociología de la literatura,* Madrid, Ed. Cátedra, 1980, pág. 15.

CAPÍTULO I

LA JERARQUÍA NOBILIARIA: GRANDES, TÍTULOS, SEÑORES DE VASALLOS

«UN LUGAR DE LOS MEJORES QUE EL DUQUE TENÍA»

Si exceptuamos algunas ciudades aisladas, puntos minúsculos del mapa, en que la burguesía se adueña del poder o lo comparte con las antiguas clases privilegiadas, la Europa del XVI conserva el aspecto de «un amplio reino semifeudal» [1]: la nobleza, igual que ocurría en los siglos anteriores, posee un sólido poder, disfruta de una considerable fortuna, y monopoliza un variado repertorio de vanidades sociales —trajes lujosos, suntuosas moradas, servidumbre numerosa—, con las que hace patente su privilegiada posición [2].

La supremacía del estamento nobiliario en los Reinos Peninsulares, fundada en la propiedad efectiva del suelo y el dominio jurisdiccional de tierras y vasallos, crece durante la última época de la Reconquista y se consolida definitivamente en el reinado de los Reyes Católicos. Es cierto que los grandes aristócratas castellanos, sometidos desde ahora a la autoridad real, tendrán que renunciar a una parcela importante de su poder político y militar; pero, a cambio de esta merma en sus prerrogativas, gozarán de la protección de la Corona, y del reconocimiento y disfrute indiscutido de unos privilegios arrancados muchas

---

[1] Fernand Braudel, *El Mediterráneo y el mundo mediterráneo en la época de Felipe II,* México, FCE, 1976, 2 vols., vol. II, pág. 71.

[2] *Ibíd.,* pág. 70.

veces por la fuerza. Las alianzas matrimoniales entre las grandes familias de la nobleza, que los monarcas no tratan de evitar, no hacen
más que acentuar el proceso de concentración de la propiedad territorial y el dominio señorial en manos de unos pocos poderosos [3]. No
es extraño, por ello, que la nobleza llegase a ser considerada, según
el cálculo de Lucio Marineo Sículo [4], dueña de un tercio de las riquezas del país en la época de Carlos V, y que sus miembros monopo-
licen la fortuna, el prestigio y la autoridad en el reinado de sus sucesores.

El estado más elevado de la nobleza, los Grandes de España, grupo
minoritario formado por los duques y algunas familias del más alto
rango [5], goza de prerrogativas especiales en su trato con los monarcas y el Estado, domina extensos territorios, posee cuantiosas propiedades y controla los más importantes resortes del poder político. A
este núcleo privilegiado, auténtica clase dirigente en la España de los
Austrias, pertenece el duque Ricardo, padre del seductor de Dorotea
y probable trasunto del Duque de Osuna:

> En esta Andalucía hay un lugar de quien toma título un duque, que le
> hace uno de los que llaman grandes de España (I, 28).

En la misma categoría se encuentran los Duques aragoneses, identifi-
cados por algunos con los de Villahermosa, en cuyos estados son
acogidos, agasajados y burlados don Quijote y Sancho.

Por debajo de los Grandes están los nobles titulados, grupo muy
próximo, por su riqueza y poder, al nivel de la Grandeza. Todavía
en el siglo XVI encontramos algunos casos de concesión de títulos, igual
que ocurría en sus orígenes, por servicios de tipo militar o burocrático
prestados por el beneficiario a la Corona. La situación económica era,

---

[3] John H. Elliott, *La España imperial (1469-1716)*, Barcelona, Ed. Vicens Vives, 1973, pags. 115 y sigs.
[4] «Mas la renta de toda España según mi juyzio y de otros se diuide toda en tres partes casi por ygual. Delas quales es la vna delos Reyes, y la otra delos grandes caualle-ros, y la tercera delos perlados, y sacerdotes» (Lucio Marineo Sículo, *De las cosas memo-rables de España,* Alcalá, 1530, fol. XXV).
[5] Véase Antonio Domínguez Ortiz, *Las clases privilegiadas en la España del Anti-guo Régimen,* Madrid, Edic. Istmo, 1973, págs. 77 y sigs.; Ángel Salcedo Ruiz, *op. cit.,* páginas 17 y sigs.; Arco y Garay, *op. cit.,* págs 341 y sigs.; Ludovic Osterc, *op. cit.,* páginas 90 y sigs.

sin embargo, las más de las veces, el criterio determinante; y la compra, la vía más segura y frecuente para la obtención de tales dignidades. Con este sistema, que nunca dejó de levantar protestas, se venía a reconocer el principio fundamentalmente económico que presidía la jerarquización del estamento nobiliario [6]; ya que, aun en el caso de que el título no se vendiese, el solicitante debía estar en posesión de rentas territoriales, dominios señoriales e ingresos cuantiosos, con los que poder mantener de forma decorosa su rango [7]. De ahí que los caballeros ricos propietarios de señoríos, que componen el sector más próximo a la cúspide del estamento nobiliario, sean los más aptos para la consecución de un título:

> No refiero las dignidades [escribe Fray Benito de Peñalosa a propósito de estos nobles acaudalados], que los muy ricos consiguen de Condes, Marqueses y Duques, illustrando sus apellidos, casas y linages, con vasallos y ricos mayorazgos [8].

Los señores de vasallos no constituían, sin embargo, una categoría especial. Podía comprarse una jurisdicción o una villa sin ser noble; aunque, en la práctica, era impensable que un señor de lugares no fuese al menos hidalgo, y, de hecho, las solicitudes de nuevos señoríos provenían, en la mayoría de los casos, de caballeros ricos ansiosos de elevarse en la escala nobiliaria [9]. A esta esfera superior de la nobleza no titulada pertenece el joven caballero, vecino de don Quijote, enamorado de la morisca Ana Félix:

> ...un mancebo caballero llamado don Gaspar Gregorio, hijo mayorazgo de un caballero que junto a nuestro lugar otro suyo tiene (II, 63).

También es titular de un señorío el padre de don Luis:

> ...caballero natural del reino de Aragón, señor de dos lugares, el cual vivía frontero de la casa de mi padre en la Corte (I, 43).

---

[6] A. Domínguez Ortiz, *ibíd.*, pág. 72.

[7] *Ibíd.*, págs. 73-74.

[8] Fray Benito de Peñalosa, *Libro de las cinco excelencias del español qve despveblan a España para su mayor potencia y dilatación*, Pamplona, 1629, fol. 87.

[9] A. Domínguez Ortiz, *op. cit.*, págs. 57-58.

Y, aunque los motivos de su estancia en la capital no se hagan explícitos, es muy probable que este caballero aragonés confiara en que el volumen y carácter de sus rentas, así como la proximidad de consejeros y ministros, le allanasen el camino para «hacer de título a su hijo» (I, 44).

La riqueza y el poder de la alta nobleza emanan de la posesión y dominio del suelo, y tienen, en consecuencia, una base fundamentalmente agraria. El señor es propietario de tierras de labor cultivadas por jornaleros, o cedidas a los campesinos mediante el pago de una elevada renta anual, y ejerce al mismo tiempo el dominio jurisdiccional sobre la totalidad de las tierras, lugares y vecinos adscritos al señorío [10], de los que percibe, en señal de vasallaje, derechos de asentamiento y tributos de la más variada índole [11]. En *Alcabón* (Toledo), por ejemplo, según se dice en las *Relaciones* confeccionadas en tiempos de Felipe II [12]:

> El señor desta villa es el Duque de Maqueda como tienen dicho, ques señor de Torrijos y de Maqueda y de Alcabón y de otros pueblos... [13].

El duque ejerce en Alcabón derechos administrativos y judiciales sobre sus vasallos y percibe además determinados tributos característicos de la economía feudal, pero sólo es propietario de un tercio, aproximadamente, de las tierras del lugar [14]. Y lo mismo ocurre en *La Cabeza,* lugar del Reino de Toledo en que:

> ...la jurisdición de esta villa es del señor, que es el ilustrísimo señor Conde de Chinchón, no tiene en él otra renta más de las alcabalas, que le valdrán hasta quince mil maravedís [15].

---

[10]   Véase Alfonso M.ª Guilarte, *El régimen señorial en el siglo XVI,* Madrid, Instituto de Estudios Políticos, 1962.

[11]   Noël Salomon, *La vida rural castellana en tiempos de Felipe II,* Barcelona, Editorial Planeta, 1973, págs. 185 y sigs.

[12]   Carmelo Viñas Mey y Ramón Paz, *Relaciones histórico-geográfico-estadísticas de los pueblos de España, ordenadas por Felipe II,* Madrid, C.S.I.C., 1949-1971, 5 vols. Contiene las *Relaciones* de Madrid, Toledo y Ciudad Real.

[13]   *Ibíd., Reino de Toledo,* primera parte, pág. 25.

[14]   Noël Salomon, *op. cit.,* págs. 153 y sigs.

[15]   C. Viñas Mey y Ramón Paz, *Relaciones, Reino de Toledo,* primera parte, página 181.

El señor no detenta, sin embargo, la propiedad directa del suelo, ya que:

> ...tiene en término de esta villa un heredero de la villa de Maqueda docientas fanegas de tierras, que la rentan cada un año ciento e treinta e cinco fanegas de trigo e cebada [16].

En la primera parte del *Quijote,* Cardenio alude a la jurisdicción señorial del padre de don Fernando:

> Este duque Ricardo, como ya vosotros, señores, debéis saber, es un grande de España que tiene *su estado* en lo mejor desta Andalucía (I, 24).

Y en la segunda parte de la obra, la Duquesa, tras conocer la identidad de don Quijote, ruega a Sancho:

> Id, hermano Panza, y decid a vuestro señor que él sea el bien llegado y el bien venido a *mis estados* (II, 30) [17].

En los dominios señoriales de un grande como el duque Ricardo, la propiedad de la tierra que el titular no disfruta directamente, está en manos de caballeros o campesinos acomodados, sometidos, en calidad de súbditos, a la autoridad del señor. Tal es el caso, por ejemplo, de los padres de Dorotea:

> Deste señor son vasallos mis padres, humildes en linaje; pero tan ricos, que si los bienes de su naturaleza igualaran a los de su fortuna, ni ellos tuvieran más que desear ni yo temiera verme en la desdicha en que me veo... (I, 28).

Entre los numerosos vecinos del señorío de los Duques aragoneses hay también, como en el estado del duque Ricardo, labradores ricos unidos al señor por vínculos de vasallaje. Así ocurre con el burlador de la hija de doña Rodríguez:

> ...hijo de un labrador riquísimo que está en una aldea del Duque mi señor, no muy lejos de aquí (II, 48).

---

[16] *Ibíd.,* pág. 179.

[17] Cfr.: «...un caballero, hijo segundo de un titulado que junto a mi lugar el de su estado tenía» (*Los trabajos de Persiles y Sigismunda,* BAE, I, pág. 567). Sobre la visión cervantina de la administración señorial, véase Arco y Garay, *op. cit.,* págs. 290 y sigs.; Morel-Fatio, *op. cit.,* pág. 335.

Además de representar una fuente importante de ingresos para muchas familias nobles, el señorío es una institución de orden jurídico y político por la que el rey cede parte de su potestad a un particular, a una sede episcopal, una congregación religiosa o una orden militar. El señor es, en este sentido, vicario del rey, y ejerce en sus dominios las funciones encomendadas a los representantes del poder civil en las tierras de realengo [18]: promulgar edictos y ordenanzas de gobierno; nombrar alcaldes o confirmar los elegidos por los lugareños; instituir alcaldes mayores con facultad de juzgar en segunda instancia; imponer penas y sanciones pecuniarias; vigilar caminos, calles y mercados [19]. Entre todas estas competencias, la potestad de nombrar a las autoridades municipales y designar a los funcionarios encargados de administrar justicia es, sin duda, una de las más importantes. El ejercicio de este derecho suele ofrecer, no obstante, varias modalidades, incluso dentro de una misma región.

En el 21 por cien [20], aproximadamente, de los lugares de señorío laico de Castilla la Nueva, los alcaldes son elegidos por los vecinos y confirmados por el señor. Tal es el caso, entre otros, de *Daganzo* (Madrid), donde la elección de los alcaldes, que inspiró a Cervantes su famoso entremés, trata de conciliar las libertades municipales y la autoridad señorial [21]:

> ...el dicho señor conde de Coruña como señor de la dicha villa después de haber nombrado en la dicha villa alcalde y regidores y procurador general,

---

[18] A. M. Guilarte, *op. cit.,* págs. 17-18.

[19] Noël Salomon, *op. cit.,* págs. 196 y sigs.

[20] *Ibíd.,* pág. 200.

[21] *Ibíd.,* pág. 198. El propio N. Salomon ha señalado el probable trasfondo histórico de este entremés y de la elección que en él se representa (*Recherches sur le thème paysan dans la «comedia» au temps de Lope de Vega,* Burdeos, 1965, págs. 118-121): el Conde de la Coruña, señor de Daganzo, había intentado sustituir a los alcaldes locales por un alcalde mayor nombrado por él, pero «... la Chancillería de Valladolid condenó al Conde de Coruña, el año passado de ochenta y nueue en vista, y este de nouenta y dos en reuista, a que no pudiesse poner Alcalde mayor en su villa de Daganço, ni que el tal Alcalde mayor conociesse en primera instancia a preuención, por no auer mostrado bastante título, o costumbre dello...» (Jerónimo Castillo de Bovadilla, *Política para corregidores y señores de vassallos, en tiempo de paz y de gverra,* Madrid, 1597, 2 vols., volumen I, pág. 827). Cervantes recordaría esta victoria de los lugareños contra el poder señorial cuando eligió a los alcaldes de Daganzo como protagonistas de su obra.

se le lleva a confirmar y lo confirma y da por bueno el dicho nombramiento, y aquellos que son nombrados y por el dicho señor conde confirmados sirven de sus oficios un año... [22].

En algunas villas —algo más del 20 por cien [23]— la elección se realiza sin intervención alguna del señor, mientras que en el 58 por ciento restante el nombramiento corre a cargo del titular del señorío [24]. En *Barcience* (Toledo), por ejemplo, las *Relaciones* nos explican que:

> ...las justicias de esta dicha villa seglar es un alcalde mayor, y dos ordinarios, y dos rexidores, y un alguacil, y alcaide de la Hermandad; e los pone el Conde de Cifuentes, según que es suyo y lo tiene de costumbre él y sus antecesores... [25].

Para la administración de la justicia, que en sus diligencias más simples está en manos de los alcaldes, el señor puede nombrar funcionarios especiales, a los que cede esta importante parcela de su poder: corregidores, alcaldes mayores ordinarios, oidores, etc. Los vecinos del *Alcabón* (Toledo), por ejemplo, tienen:

> ...un alcalde ordinario que nombra el señor cada año y dos regidores y un procurador y un alguacil, y el señor tiene un corregidor puesto en la villa de Torrijos para justicia mayor para todo su estado... [26].

Los Duques que hospedan a don Quijote y Sancho poseen un palacio servido por numerosos criados, una casa de placer, terrenos baldíos destinados a la caza y varios pueblos sujetos a su jurisdicción. En una de estas villas, bautizada con el nombre de ínsula Barataria, se van a desarrollar varios capítulos de la novela. Se trata de:

> ...un lugar de hasta mil vecinos, que era de los mejores que el Duque tenía (II, 45).

---

[22] C. Viñas Mey y Ramón Paz, *Relaciones, Madrid,* pág. 222.
[23] Noël Salomon, *La vida rural castellana,* pág. 200.
[24] *Ibíd.*
[25] C. Viñas Mey y Ramón Paz, *Relaciones, Reino de Toledo,* primera parte, página 113.
[26] *Ibíd.,* pág. 26.

En esta localidad es el Duque, a lo que parece, quien provee los cargos públicos, y allí es enviado Sancho, como gobernador de una ínsula ficticia, con la misión de ocuparse de algunas de las funciones propias del alcalde o corregidor del lugar.

Cuando Sancho llegó a las puertas de la ínsula Barataria, «salió el regimiento del pueblo a recibirle» (II, 45), le fueron entregadas las llaves de la villa «con algunas ceremonias ridículas», dio gracias a Dios en la iglesia del pueblo, y desde allí «le llevaron a la silla del juzgado y le sentaron en ella». El nuevo gobernador estrenará su cargo en una de las misiones fundamentales que las leyes asignan a los encargados del gobierno en los lugares de señorío o realengo: la vista de pleitos en audiencia pública:

> ...el oficio de juzgar es público [señala Castillo de Bovadilla en su *Política para corregidores*], y los magistrados y jueces son personas públicas, porque públicamente desde la mañana hasta la tarde han de asistir en el tribunal, oyendo pleytos y despachándolos [27].

La vigilancia nocturna de calles y plazas es otra de las tareas que el alcalde y el corregidor deben atender y, a ser posible, ejecutar personalmente:

> Couiene pues, que el corregidor ronde, y sus oficiales no duerman, y que todos velen, y estén en centinela, para ver y sentir quién es el atreuido que quiso hazer y hizo la fuerça, y quién es el ladrón que cometió el hurto, y quién es el desalmado que mató a su próximo, y para que se informen de los que biuen mal y suziamente en su República... [28].

Una vez acabada la cena, con la ligereza y sobriedad que los preceptos del doctor Recio exigen, Sancho y sus oficiales:

> Aderezáronse de ronda, salió con el mayordomo, secretario y maestresala, y el coronista que tenía cuidado de poner en memoria sus hechos, y alguaciles y escribanos, tantos, que podían formar un mediano escuadrón (II, 49).

En una época en que la carestía, las crisis periódicas y la alarmante subida de precios se combinan con una intervención cada vez mayor

---

[27] Castillo de Bovadilla, *op. cit.*, vol. II, pág. 437.
[28] *Ibíd.*, vol. I, pág. 671.

de los poderes públicos en la vida ciudadana, los funcionarios del poder real, o el delegado del titular en las tierras de señorío, han de
visitar a menudo los mercados, inspeccionar los bienes de consumo
y vigilar los precios. Debe frecuentar:

> ...el Corregidor cada mañana los lugares públicos comunes en que se proueen
> los populares de las cosas necessarias para sus bastimentos, como son carni-
> zería, panadería, pescadería, fruteras, tabernas, alhóndiga, candelería, bode-
> gones, mesones, y plaças, y todas aquellas partes donde más suelen frequen-
> tarse los malos recaudos; porque adonde ay más frequencia de gente, allí
> ay más necessidad de su socorro [29].

También debe el corregidor acudir con frecuencia a la cárcel e inte-
resarse por la suerte de los presos:

> En el lugar que ha de ser cárcel pública, deuen hazer los Corregidores
> sus visitas ordinarias, no vna vez al mes, conforme a vnas leyes del Código
> y Partida, sino tres días a lomenos en la semana [30].

Por eso don Quijote recomienda en la carta que dirige al nuevo
gobernador:

> Visita las cárceles, las carnicerías y las plazas; que la presencia del gober-
> nador en lugares tales es de mucha importancia: consuela a los presos, que
> esperan la brevedad de su despacho, es coco a los carniceros, que por enton-
> ces igualan los pesos, y es espantajo a las placeras, por la misma razón (II, 51).

Obediente a los consejos de su señor, Sancho explica:

> Yo visito las plazas, como vuesa merced me lo aconseja, y ayer hallé
> a una tendera que vendía avellanas nuevas, y averigüéle que había mezclado
> con una hanega de avellanas nuevas otra de viejas, vanas y podridas; apli-
> quélas todas para los niños de la Doctrina, que las sabrían bien distinguir,
> y sentenciéla que por quince días no entrase en la plaza. Hanme dicho que
> lo hice valerosamente... (II, 51).

Además de vigilar y perseguir a las placeras, «porque todas son
desvergonzadas, desalmadas y atrevidas», Sancho «ordenó que no hu-

---

[29] *Ibíd.,* vol. II, pág. 117.
[30] *Ibíd.,* vol. II, pág. 498.

biese regatones [31] de los bastimentos en la república», procuró moderar el alza de los precios y de los salarios, «que caminaban a rienda
suelta» (II, 51), y al cabo de una semana se encontró:

> ...no harto de pan ni de vino, sino de juzgar y dar pareceres y de hacer
> estatutos y pragmáticas (II, 53).

En los capítulos dedicados al gobierno de la ínsula Barataria, censura Cervantes, de manera abierta unas veces y velada otras, la forma
en que se regían las tierras de señorío en la España de los Austrias.
Su opinión coincide, en este aspecto, con el sentir popular acuñado
en el refranero y reflejado en los documentos. En el *Vocabulario* de
Gonzalo Correas leemos, por ejemplo:

> *En lugar de señorío no hagas tu nido; i si le haze el padre, no le haga*
> *el hixo.* Porque se sirve dellos el señor, i de sus haziendas; i porque suele
> aver en él poka xustizia i más de tiranía [32].

En las *Relaciones* es frecuente encontrar testigos que achacan la
pobreza y despoblación de villas y lugares a los señores, eclesiásticos
o laicos, qùe perciben la renta de la tierra, o en cuyo señorío está
enclavado el pueblo. La población de *Barcience* (Toledo), por ejemplo:

> ...la causa porque no crece antes parece que ha de desminuir es por ser
> todo él del Conde de Cifuentes, solariego y tributario, que no hay cosa que
> no lo sea [33].

---

[31] *Regatón* es «el que compra del forastero por junto y revende por menudo» (Sebastián de Covarrubias, *Tesoro de la lengua castellana o española* (1611), Madrid, Editorial Turner, 1979, pág. 900). «No se puede imaginar cuán a su salvo doblan éstos su
dinero dos o tres veces... Estos son los domésticos cosarios de la república; los que ocupan poco a poco su sangre, robando con seguridad en el peso falto, en la mala medida»
(Cristóbal Suárez de Figueroa, *El Pasagero. Advertencias utilísimas a la vida humana*
(1617), ed. de Francisco Rodríguez Marín, Madrid, Ed. Renacimiento, 1913, págs. 201-202).
[32] Gonzalo Correas, *Vocabulario de refranes y frases proverbiales (1627),* ed. de
Louis Combet, Institut d'Études Ibériques et Ibéro-Américaines de l'Université de Bordeaux, 1967, pág. 128.
[33] C. Viñas Mey, y Ramón Paz, *Relaciones, Reino de Toledo,* primera parte, página 113.

En *Bugés* (Madrid):

> ...la gente de este pueblo es pobre, porque las tierras en que labran son de señores y capillas y iglesias... [34].

Las voces de protesta que encontramos en los documentos, se traducen a veces en un abandono masivo de los lugares de señorío y en la creación de nuevos pueblos libres en tierras de realengo [35].

Del testimonio de Cervantes se deduce que, para muchos grandes y títulos, la posesión de tierras y vasallos no es más que un motivo de vanidad y ostentación, una fuente importante de ingresos, o una mercancía de cuya venta o arriendo pueden esperarse cómodos y crecidos beneficios:

> ...yo he oído decir [explica Sancho] que hay hombres en el mundo que toman en arrendamiento los estados de los señores, y les dan un tanto cada año, y ellos se tienen cuidado del gobierno, y el señor se está a pierna tendida, gozando de la renta que le dan, sin curarse de otra cosa; y así haré yo... y me gozaré mi renta como un duque, y allá se lo hayan (I, 50).

A lo que el Canónigo responde, con muy acertadas y oportunas razones:

> Eso, hermano Sancho..., entiéndase en cuanto al gozar la renta; empero al administrar justicia, ha de atender el señor del estado, y aquí entra la habilidad y buen juicio, y principalmente la buena intención de acertar (I, 50).

Pocos son los señores de vasallos que cumplen con estos preceptos. En la mayoría de los casos, el señor nombra unos funcionarios fieles, y tal vez ineptos, y se desentiende de la delicada misión de velar por la justicia y el orden en sus tierras; en otros, el titular pone precio a los cargos y los entrega al mejor postor. A Sancho, al tomar posesión del gobierno:

> Diéronle a entender que se llamaba la ínsula Barataria, o ya porque el lugar se llamaba *Baratario,* o ya por el *barato* con que se le había dado el gobierno (II, 45).

---

[34]   *Ibíd., Madrid,* pág. 122.
[35]   Véase Juan Ignacio Gutiérrez Nieto, *Las Comunidades como movimiento antiseñorial,* Barcelona, Edit. Planeta, 1973, págs. 187 y sigs.

Y el propio Duque no tiene empacho en confesar:

> ...vos sabéis que sé yo que no hay ningún género de oficio destos de mayor
> cantía que no se granjee con alguna suerte de cohecho, cuál más, cuál me-
> nos... (II, 41).

El pretendiente que ha tenido que desembolsar una suma importante de dinero para obtener su cargo, espera recuperar con creces la fortuna invertida, mediante exacciones y préstamos arrancados a los súbditos [36]. El caso de Sancho Panza es, también en este aspecto, muy
especial:

> Hasta agora no he tocado derecho ni llevado cohecho, y no puedo pensar
> en qué va esto; porque aquí me han dicho que los gobernadores que a esta
> ínsula suelen venir, antes de entrar en ella, o les han dado o les han prestado
> los del pueblo muchos dineros, y que ésta es ordinaria usanza en los demás
> que van a gobiernos; no solamente en éste (II, 51).

El estado de confusión y abandono en que se encuentra la ínsula
Barataria al hacerse cargo de sus poderes el nuevo gobernador, y las
drásticas medidas con que Sancho corrige abusos y ataja injusticias,
son indicio claro de la situación en que se hallaban muchos pueblos
de la España señorial. En las calles del lugar se encuentra «todo género
de inmundicia y de gente vagamunda, holgazana y mal entretenida»
(II, 49). Hay personajes que no tienen «oficio ni beneficio» y andan
«de nones» en la ínsula; casas de juego, sostenidas a veces por caballe-

---

[36] La venalidad y la corrupción fueron igualmente frecuentes en la administración
del Estado. Castillo de Bovadilla señalaba que el que compra los oficios «necessariamente
los ha de vender» (*op. cit.*, vol. II, pág. 450), y advertía a los corregidores: «... que
no lleuen salarios de sus oficiales, y las leyes dizen, que no haga pacto ni postura con
ellos sobre sus derechos, y que no arrienden sus oficios, y que no los den a trueco de
precio, o dé dádiuas so pena de ser ambos priuados dellos...» (*Ibíd.*, vol. I, pág. 322).
En *Guzmán de Alfarache* se dice que a los escribanos: «... no les dieron de balde los
oficios, que de su dinero han de sacar la renta y pagarse de la ocupación de su persona»
(citamos por la edición de Samuel Gili Gaya, Madrid, CC, 1972, 5 vols., vol. I, página 63). Y en *La Gitanilla* leemos: «Coheche vuesa merced, señor tiniente, coheche y
tendrá dineros, y no haga usos nuevos, que morirá de hambre... que de los oficios se
ha de sacar dineros para pagar las condenaciones de las residencias, y para pretender
otros cargos» (BAE, I, pág. 104). Véase también Arco y Garay, *op. cit.*, págs. 314 y
sigs.; y Ludovik Osterc, *op. cit.*, págs. 200 y sigs.

ros principales y grandes señores *(ibíd.)*; placeras desvergonzadas, desalmadas y atrevidas (II, 51); regatones; y falsos pobres a cuya sombra andan «los brazos ladrones y la salud borracha» *(ibíd.)*. El Duque vive ocupado en fiestas, cacerías y burlas de dudoso gusto, y provoca con su desidia el malestar y las quejas de sus súbditos:

> ...porque pensar que el Duque mi señor me ha de hacer justicia [comenta doña Rodríguez] es pedir peras al olmo... (II, 52).

«CONSERVACIÓN» Y «MUDANZA»

A pesar de las protestas que suscitaba la mala administración de las tierras de señorío, y de las injusticias y atropellos que sus vecinos habían de padecer, el número de tierras y vasallos sometidos a la jurisdicción de los nobles crece de manera constante durante el siglo XVI, y ello constituye uno de los aspectos más destacados del fenómeno histórico que conocemos con el nombre de *reacción señorial* [37]. Este proceso creciente de señorialización de la tierra, que aparece ya reflejado en las *Relaciones* [38], se acentúa desde 1580 y es imposible el frenar al comenzar el siglo XVII. El poder real, abrumado por los problemas financieros, impulsa la venta de lugares, y los validos y los grandes, en cuyas manos queda la mejor parte del botín, serán los principales beneficiarios de la operación. El Duque de Lerma, por ejemplo, aprovechó su ventajosa posición para adquirir once villas entre 1610 y 1612; y en el reinado de Felipe IV se llegó a autorizar, en las Cortes de 1625, la venta de 20.000 vasallos [39].

El incremento que el poder noble experimenta en los primeros siglos de la Edad Moderna, es consecuencia de la revalorización del suelo, y una muestra del interés que los beneficios de la agricultura suscitan entre los grandes propietarios durante los años de la revolución de los precios. La tierra empieza a ser considerada, a la manera burguesa, como instrumento de reproducción del capital y creación de plusvalía [40]. Los propietarios roturan los espacios baldíos de sus he-

---

[37] Fernand Braudel, *op. cit.*, vol. II, págs. 70 y sigs.
[38] Noël Salomon, *La vida rural castellana*, págs. 204 y sigs.
[39] *Ibíd.*, págs. 209-210.
[40] *Ibíd.*, pág. 151.

redades, adquieren nuevas tierras, y se esfuerzan en cambiar las condiciones de explotación de las que ya se encontraban en poder de los cultivadores. En lugar de reservarse, como antes, unos derechos meramente honoríficos, el señor impone a los campesinos que labran sus posesiones un contrato temporal con un rédito efectivo [41], que permite equiparar periódicamente el valor de la renta y el alza de precios. De esta forma, la renta de la tierra, cuyo volumen puede situarse entre un tercio y la mitad de la cosecha [42], además de ser la carga más pesada que ha de soportar el labrador, llegó a convertirse en la principal fuente de ingresos de la clase nobiliaria, y en la causa de la prosperidad relativa que disfrutan muchos nobles en un momento de crisis agrícola y ruina de los pequeños propietarios del campo.

El afán de lucro de los poderosos se vio estimulado durante el siglo XVI por el alza de precios, por las crecientes posibilidades de ampliar y diversificar los negocios, y también por la merma relativa de los ingresos que podía ocasionar la inflación. Todo ello empujó a los nobles a desprenderse de escrúpulos morales, a enriquecerse con el hambre y la carestía [43], apropiarse de los bienes comunales de los lugareños para dedicarlos al cultivo [44], y a emplearse en actividades tradicionalmente incompatibles con la nobleza [45].

La ampliación de los poderes nobiliarios no fue, sin embargo, un proceso sencillo ni exento de violencia. No olvidemos que la reacción señorial es contemporánea de la decadencia, el hambre y la postración de un pueblo que ve en los poderosos a los principales causantes de sus males, y cuyo descontento no logra ser acallado por la represión física ni por los elementos de persuasión y aceptación conformista que difunde la cultura barroca [46]. En las Cortes de 1598, el *Memorial sobre el acrecentamiento de la labranza y crianza* denunciaba:

---

[41]   Jaime Vicens Vives, *Historia económica de España,* Barcelona, Ed. Vicens Vives, 1972, 9.ª ed., pág. 313.

[42]   Noël Salomon, *La vida rural castellana,* págs. 248-249.

[43]   Carmelo Viñas Mey, *El problema de la tierra en la España de los siglos XVI y XVII,* Madrid, C.S.I.C., 1941, págs. 75 y sigs.

[44]   *Ibíd.,* págs. 55 y sigs.; Noël Salomon, *op. cit.,* págs. 119 y sigs.

[45]   Tal es el caso de los nobles que se dedicaban al comercio en Sevilla, Burgos y las ciudades vascas (José Antonio Maravall, *Estado moderno y mentalidad social,* Madrid, Revista de Occidente, 1972, 2 vols., vol. II, pág. 28).

[46]   José Antonio Maravall, *La cultura del Barroco,* Barcelona, Ed. Ariel, 1975, capítulo 1.

...todo ha sido destrucción de los labradores pobres, y aumento de hacienda y de autoridad y mando de los ricos... [47].

Y Cervantes ve en tales diferencias el origen de muchos rencores y enemistades:

...entre los pobres pueden durar las amistades, porque la igualdad de la fortuna sirve de eslabonar los corazones; pero entre los ricos y los pobres no puede haber amistad duradera, por la desigualdad que hay entre la riqueza y la pobreza [48].

Esta enemistad se traduce en los principios de *conservación* y *restauración* que defienden los poderosos, y en el deseo de *novedad* y *mudanza* de los oprimidos. *Novedad* es cambio, alteración, trastorno; equivale, pues, a una amenaza contra el orden establecido. Tal es la razón de que la *novedad* pueda llegar a constituir la ilusión del pueblo, que no se siente solidario del sistema de intereses vigentes y quisiera su transformación [49]. Fray Alonso Castrillo apuntaba:

...como las gentes comunes tienen por la mayor parte tan bajos los pensamientos como el estado, muchas veces son amigos de *novedades,* por probar nueva ventura, deseando mudar su estado por el camino de algún escándalo... [50].

También don Quijote, tras la aventura de los yangüeses, y en vista de la poca destreza de su escudero en el manejo de las armas, le recuerda:

---

[47]   *Actas de las Cortes de Castilla (1563-1627),* Madrid, 1869-1918, 45 vols., vol. XV, página 752.

[48]   *Los trabajos de Persiles y Sigismunda,* BAE, I, pág. 597. Pedro Simón Abril escribía en 1584: «Notaré también aquí el peligro que tiene la república en la cual los unos son mui ricos i los otros pobres en extremo. Que los mui ricos se hazen demasiadamente covardes, por no perder sus haziendas, i los mui pobres demasiadamente atrevidos, como gente que no tiene qué perder» (cit. por J. A. Maravall, «Reformismo socialagrario en la crisis del siglo XVII. Tierra, trabajo y salario, según Pedro de Valencia», en *Utopía y reformismo en la España de los Austrias,* Madrid, Ed. Siglo XXI, 1982, pág. 274).

[49]   J. A. Maravall, *Antiguos y modernos. La idea del progreso en el desarrollo inicial de una sociedad,* Madrid, Sociedad de Estudios y Publicaciones, 1966, pág. 98.

[50]   *Ibíd.,* pág. 95. Pedro de Valencia señalaba que los que «no poseen más que el caudalejo que traen entre manos o el jornal que ganan cada día, no tienen que les duela perder y suelen ser inquietos y desobedientes y sediciosos» (cit. por J. A. Maravall, *Utopía y reformismo,* pág. 274).

...has de saber que en los reinos y provincias nuevamente conquistados nunca están tan quietos los ánimos de sus naturales, ni tan de parte del nuevo señor, que no se tenga temor que han de hacer alguna *novedad* para alterar de nuevo las cosas, y volver, como dicen, a probar ventura; y así, es menester que el nuevo posesor tenga entendimiento para saberse gobernar y valor para ofender y defenderse en cualquier acontecimiento (I, 15).

La decadencia económica y la carestía, el incremento opresivo de las cargas señoriales y de los tributos, la desidia y venalidad de los poderes públicos, actúan desde los últimos años del siglo XVI como acicate de la irritación y los deseos de cambio de las gentes humildes: los pasquines y letreros injuriosos clavados en las puertas de Palacio [51], los libelos y sátiras contra el gobierno, la crítica mordaz con que se aderezar la charla [52], son la expresión ordinaria e incruenta de un descontento popular que, cuando se ve hostigado por el hambre o los agravios, recurre a la violencia, el motín o la insurrección armada [53].

---

[51]   En la carta de un autor inglés que visitó España, fechada en 1608, se lee: «Han sido colocados muchos pasquines en las puertas y en las paredes del palacio real criticando al gobierno...» (en Patricia Shaw Fairman, *España vista por los ingleses del siglo XVII,* Madrid; SGEL, 1981, pág. 250). A mediados del siglo, otro viajero inglés, diplomático en este caso, escribía: «Sobre las paredes mismas de Palacio, el jueves pasado escribieron, a la luz del día y en letras tan grandes que hasta uno que pasaba corriendo pudo leerlas: *Si el Rey no muere, el Reyno muere» (Ibíd.,* pág. 150). Barrionuevo informa que el 19 de febrero de 1657: «amanecieron en todas las partes públicas otros pasquines pintados, graciosos... Lo cierto es que eran muy agudos, picantes y por extremo pintados y coloridos» (*Avisos de don Jerónimo de Barrionuevo,* BAE, CCXXII, pág. 59). Más datos en J. A. Maravall, *La cultura del Barroco,* págs. 103 y sigs.

[52]   Cuando el Cura y el Barbero visitaron a don Quijote, «en el discurso de su plática vinieron a tratar en esto que llaman razón de estado y modos de gobierno, enmendando este abuso y condenando aquél, reformando una costumbre y desterrando otra, haciéndose cada uno de los tres un nuevo legislador, un Licurgo moderno, o un Solón flamante» (II, 1). Jean Herauld observó en España que los hombres, «en los días buenos del invierno en muchos sitios se ponen una gran cantidad de ellos a lo largo de una pared para calentarse al sol; dicen que allí hablan mucho de política» (José García Mercadal, *Viajes de extranjeros por España y Portugal,* Madrid, Ed. Aguilar, 1952, 3 vols., volumen II, pág. 738). Mme. d'Aulnoy señala que el artesano «va a sentarse al sol (que llaman el fuego de los españoles) con una multitud de holgazanes como él, y allí, con una autoridad soberana, deciden de las cuestiones del Estado y arreglan todos los intereses de los príncipes» (*Ibíd.,* pág. 1067).

[53]   Véase Henry Kamen, *El Siglo de Hierro. Cambio social en Europa (1550-1660),*

La miseria y el descontento, origen de levantamientos y motines, daban también lugar a la delincuencia y el bandolerismo, auténticas plagas de algunas comarcas europeas durante los siglos XVI y XVII. El bandolero, reclutado entre vagabundos y gentes abatidas, suele ser un producto inevitable de la crisis social, el desorden económico, la penuria y el resentimiento [54]. Y, aunque no faltaron cuadrillas de bandoleros en otras zonas de la Península [55], Cataluña fue, dentro de la

---

Madrid, Alianza Edit., 1977, págs. 391 y sigs. Según Saavedra Fajardo: «... la invidia y la necesidad toman las armas contra los ricos, y causan sediciones; las cuales también nacen de la mala administración de la justicia, de los alojamientos, y de otros pesos que cargan sobre las rentas y bienes de los vasallos...» (*Idea de un príncipe político-cristiano, representada en cien empresas*, BAE, XXV, pag. 167). También Mateo López Bravo señalaba que la miseria de muchos y la opulencia de unos pocos provocan la sedición o la despoblación (*Del Rey y de la razón de governar* ed. de Henry Mechoulan, Madrid, Editora Nacional, 1977, pág. 285). Y Quevedo advertía a los poderosos: «... no sabe pueblo ayuno temer muerte, / armas quedan al pueblo despojado» (*Poesía original completa*, ed. de José Manuel Blecua, Barcelona, col. Clásicos Universales Planeta, 1981, pág. 48). Un motivo frecuente de este tipo de revueltas era el enojo de los campesinos contra los abusos y violencias cometidas por las tropas que se alojaban en los pueblos. Recordemos los sucesos que precedieron en Cataluña al *Corpus de Sangre*: «Los soldados, gente por su naturaleza licenciosa, fortalecidos en la permisión, no había insulto que no hallasen lícito: discurrían libremente por la campaña sin diferenciarla del país contrario, desperdiciando los frutos, robando los ganados, oprimiendo los lugares» (Francisco Manuel de Melo, *Historia de los movimientos, separación y guerra de Cataluña*, Madrid, Real Academia Española, 1912, págs. 21-22. Véase John H. Elliott, *La rebelión de los catalanes. Un estudio sobre la decadencia de España (1598-1640)*, Madrid, Ed. Siglo XXI, 1977). Cervantes, buen conocedor de la vida militar, describe por boca de Berganza los incidentes que provocaban las compañías de soldados a su paso por villas y poblados: «... iba la compañía llena de rufianes churrulleros, los cuales hacían algunas insolencias por los lugares do pasábamos, que redundaban en maldecir a quien no lo merecía: ¡infelicidad del buen príncipe!, ser culpado de sus súbditos por la culpa de sus súbditos, a causa que los unos son verdugos de los otros, sin culpa del señor, pues aunque quiera y lo procure, no puede remediar estos daños, porque todas o las más cosas de la guerra traen consigo aspereza, riguridad y desconveniencia» (*El coloquio de los perros*, BAE, I, pág. 236). Y en el *Persiles* se explica que Diego Villaseñor, hidalgo de Quintanar de la Orden y padre de Antonio, acude con su familia a socorrer al Conde: «... herido de una bala por las espaldas, que en una revuelta que dos compañías de soldados, que estaban en el pueblo alojadas, habían tenido con los del lugar, le habían pasado por las espaldas el pecho» (*Ibíd.*, pág. 640).

[54] Fernand Braudel, *op. cit.*, vol. II, págs. 110 y sigs.

[55] «Todos los caminos están llenos de ladrones —escribe Barrionuevo en 1655—, particularmente el de Andalucía, donde andan de 20 en 20, de 30 en 30 y de 40 en

Monarquía Española, la zona óptima para el desarrollo de esta forma
de criminalidad [56]: los bandoleros encuentran en el Principado seguridad en la larga frontera montañosa, de difícil acceso para la justicia,
tentadores cargamentos de oro y ricos viajeros que cruzan la tierra
camino de Barcelona, apoyo de algunas familias nobles enfrentadas
por largas enemistades, y una población que, agotada por el hambre
y la escasez de recursos, se une gustosa a las bandas de salteadores [57].
La actividad de algunas de estas partidas llegó a ser tan intensa en
los reinados de Felipe II y su hijo, que su aparición en los caminos,
o la presencia de bandoleros ahorcados en los árboles por los agentes
de la justicia, servían al viajero como señales ciertas de la proximidad
de Barcelona. James Howell, escritor de origen galés que visitó España
en 1620, escribía desde esta ciudad:

> Me costó mucho trabajo llegar hasta aquí... pues estas zonas de los Piri-
> neos que están junto al Mediterráneo nunca carecen de ladrones en tierra
> (llamados bandoleros) y de piratas en el mar... El modo más seguro de pasar
> es el de vestirse de peregrino, pues hay abundancia de esta gente que cumple
> sus promesas a Nuestra Señora de Montserrat, uno de los principales centros
> de peregrinación en la Cristiandad [58].

Sancho se echa a temblar en las proximidades de Barcelona cuando, de noche, topa con pies humanos que penden de los árboles; pero
don Quijote le infunde tranquilidad diciendo:

> No tienes de qué tener miedo, porque estos pies y piernas que tientas
> y no vees sin duda son de algunos forajidos y bandoleros que en estos árbo-
> les están ahorcados; que por aquí los suele ahorcar la justicia cuando los

---

40 hombres a caballo, llenos de chapas, con seis y siete bocas de fuego...» (*Avisos*, BAE,
CCXXI, pág. 195).

[56] Joan Reglà, *El bandolerisme català del Barroc,* Barcelona, Ed. 62, 1966, páginas
11 y sigs.; y Pierre Vilar, *Catalunya dins l'Espanya moderna,* Barcelona, Ed. 62, 1964,
4 vols., vol. II, págs. 298 y sigs., y 350 y sigs.

[57] Según se explicó en las Cortes del Principado, en 1626: «En Catalunya es crien
molts homes vagabunds i sense ofici, els quals per no tenir ofici amb què guanyar es
posen al servei de cavallers i així vénen a fer coses lletges i prohibides, eixint a robar
i matar» (Josep M.ª Salrach, Eulàlia Duran, *Història dels Països Catalans. Dels orígens
a 1714,* Barcelona, EDHASA, 1982, 2 vols., vol. II, pág. 1092).

[58] Patricia Shaw Fairman, *op. cit.,* pág. 69.

coge, de veinte en veinte y de treinta en treinta; por donde me doy a entender que debo de estar cerca de Barcelona (...)

Al parecer el alba, alzaron los ojos, y vieron los racimos de aquellos árboles, que eran cuerpos de bandoleros. Ya, en esto, amanecía, y si los muertos los habían espantado, no menos los atribularon más de cuarenta bandoleros vivos que de improviso les rodearon, diciéndoles en lengua catalana que estuviesen quedos y se detuviesen, hasta que llegase su capitán (II, 60).

En la novela de *Las dos doncellas,* cuando los protagonistas se encuentran a dos leguas de Igualada y nueve de Barcelona, hallan a un hombre que acaba de escapar de una cuadrilla de bandoleros [59]; y en el entremés de *La cueva de Salamanca,* el estudiante explica a Cristina y Leonarda:

> Yua a Roma con vn tío mío, el qual murió en el camino, en el coraçón de Francia; vine solo; determiné boluerme a mi tierra; robáronme los lacayos o compañeros de Roque Guinardé en Cataluña... [60].

A pesar de su indiscutible historicidad, hay una evidente dosis de idealización en el retrato cervantino de Perot Rocaguinarda [61], conocido bandolero catalán del partido de los *nyerros,* a quien se califica de hombre «cortés y comedido, y además limosnero» [62], que admira a todos con su «nobleza, gallarda disposición y extraño proceder», y cuyas manos «tienen más de compasivas que de rigurosas» (II, 60). Muy distinta debía ser la personalidad real de la mayoría de los bandoleros: «gente rústica y desbaratada» (II, 60), según el propio Cervantes, empujada por el hambre y el descontento a la delincuencia

---

[59] BAE, I, pág. 202.

[60] BAE, CLVI, pág. 545.

[61] Véase Lluis M.ª Soler y Terol, *Perot Roca Guinarda. Història d'aquest bandoler. Ilustració als capítols LX y LXI, segona part, del «Quixot»,* Manresa, 1909. Véase también: Luis Manegat, *La Barcelona de Cervantes,* Barcelona, 1964, págs. 131 y sigs.; y Lorenzo Riber, «Al margen de un capítulo de *Don Quijote* (el LX de la segunda parte)», *BRAE,* XXVII, 1947-1948, págs. 79-90.

[62] *La cueva de Salamanca,* BAE, CLVI, pág. 545. Una imagen muy semejante de los bandoleros catalanes la encontramos en un episodio de la *Galatea:* «Sucedió pues que al tiempo que los bandoleros estaban ocupados en quitar a Timbrio lo que llevaba, llegó en aquella sazón el señor y caudillo dellos, y como en fin era caballero, no quiso que delante de sus ojos agravio alguno a Timbrio se hiciese; antes pareciéndole hombre de valor y prendas, le hizo mil corteses ofrecimientos...» (BAE, I, pág. 27).

y el crimen, y procedente, según los documentos, de lo más ínfimo de la escala social:

> ...vagabunds i balitres que van divagant per la terra, jugant i fent lo gallofo... [63].

Las rebeliones populares y las expresiones de descontento logran poca resonancia, porque chocan con el poderoso aparato represivo y los eficaces instrumentos de control que la monarquía absoluta utiliza para defender los intereses de los nobles. La *reacción señorial* no fue, en este sentido, una simple perpetuación de los privilegios de la nobleza, sino que consistió, ante todo, en la progresiva trasformación del estamento nobiliario en una élite de poder que, bajo la soberanía del rey, ejerce un dominio activo de los resortes de mando y conserva intactas sus riquezas y prerrogativas tradicionales [64].

Desde el siglo XVI, el régimen del absolutismo monárquico llegó a ser, en la práctica, la expresión del poder político de los grandes señores, cuyas decisiones e intereses prevalecen a menudo sobre los del monarca y el reino [65], y en cuyas manos se acumulan las prebendas, los cargos públicos y el ejercicio de la autoridad. La administración de la justicia y el gobierno del Estado, desempeñados en la época de los Reyes Católicos por gentes de clase media, caen gradualmente en manos de letrados de linaje noble, o de funcionarios de origen burgués que aspiran a ennoblecerse [66], procedentes en su mayor parte de

---

[63]   Joan Reglà, *op. cit.*, pág. 13.

[64]   José Antonio Maravall, *Poder, honor y élites en el siglo XVII*, Madrid, Siglo XXI, 1979, págs. 173 y sigs.

[65]   Tal es el caso de la desmedida protección que la Corona dispensó a la Mesta, con decisiones que, contra el parecer de las Cortes, tratan de proteger los intereses de los poderosos (J. A. Maravall, *La cultura del Barroco*, pág. 84. Véase también Julius Klein, *La Mesta (1273-1836)*, Madrid, Ed. Revista de Occidente, 1936). El mismo carácter tuvieron las decisiones adoptadas con motivo de la expulsión de los moriscos; con ellas se pretendió favorecer a la nobleza latifundista, en el Reino de Valencia especialmente, en perjuicio de los acreedores de los censos (Joan Reglà, *Estudios sobre los moriscos*, Barcelona, Ed. Ariel, 1974, pág. 151).

[66]   El fenómeno consistió en «una progresiva aristocratización de los puestos del Estado, dominados en su mayor y mejor parte por una nobleza en cierta medida influida de espíritu burgués, aliada a unos burgueses en busca de su ennoblecimiento y de antemano sumisos» (J. A. Maravall, *Poder, honor y élites*, pág. 292; y J. M. Pelorson, *Les*

los Colegios Mayores, instituciones que, aunque originariamente fueron concebidas para acoger a los estudiantes pobres, llegaron a convertirse en la época de los Austrias en un poderoso instrumento de dominio de la nobleza [67].

Una tendencia similar puede observarse en las demás esferas del poder. En la mayoría de las grandes ciudades los caballeros se adueñan del gobierno municipal y, a través de él, de los puestos de procuradores [68]. Los representantes del Reino llegan a proponer, en las Cortes de 1566 y las de 1570, la exclusión de los mercaderes y oficiales mecánicos de los cargos concejiles, y la obligación de que tales oficios sean desempeñados en las ciudades con voto en Cortes por hidalgos de sangre limpia [69]. Al morir Felipe II los puestos de los Consejos son ocupados en su mayor parte por grandes y títulos, y el sucesor cede su autoridad a un valido que gobierna en provecho propio, de su familia y de los aduladores que lo rodean [70].

El mismo proceso de aristocratización sufren otras instituciones, ligadas a la Corona, de las que emana una parte importante de la influencia y riqueza de los poderosos. Las mitras obispales y arzobispales, cuyos titulares eran designados por el rey, recaen por lo general en miembros de la nobleza o en parientes del valido, como don Bernardo de Sandoval y Rojas, arzobispo de Toledo durante la privanza

---

letrados. Juristes castillans sous Philippe III. Recherches sur leur place dans la société, la culture et l'État, Poitiers, 1980, págs. 208 y sigs.).

Según J. Vicens Vives, a lo largo del siglo XVI se desarrolla en el Occidente europeo un proceso de refeudalización, según el cual las clases aristocráticas aprovecharían el mecanismo administrativo establecido por la monarquía autoritaria del siglo XVI, para intentar recuperar la dirección en el seno del Estado («Estructura administrativa estatal en los siglos XVI y XVII», en *Coyuntura económica y reformismo burgués,* Barcelona, Ariel, 1971, pág. 132).

[67] Richard L. Kagan, *Students and Society in Early Modern Spain,* Baltimore-Londres, The Johns Hopkins University Press, 1974, págs. 109 y sigs.

[68] A. Domínguez Ortiz, *Las clases privilegiadas,* págs. 123 y 136, y «Concesiones de votos en Cortes a ciudades castellanas en el siglo XVII», en *Crisis y decadencia en la España de los Austrias,* Barcelona, Ariel, 1971, págs. 97-111.

[69] A. Domínguez Ortiz, *Las clases privilegiadas,* pág. 123. Sobre el control de este tipo de cargos por los «linajes» vallisoletanos, véase Bartolomé Bennassar, *Valladolid en el Siglo de Oro. Una ciudad de Castilla y su entorno agrario en el siglo XVI,* Valladolid, Fundación Municipal de Cultura del Ayuntamiento de Valladolid, 1983, págs. 375 y sigs.

[70] John H. Elliott, *La España imperial,* págs. 326 y sigs.

de Lerma [71]. Las encomiendas de las Órdenes Militares, dependientes de la Corona desde 1523, son disfrutadas de manera casi exclusiva por títulos y grandes, y la concesión de hábitos se convierte en un escalón más de la jerarquía nobiliaria y en un símbolo del honor y la preeminencia estamental [72].

Si el dominio político, que la nobleza ejerce de manera exclusiva, permite sofocar rebeldías, acallar protestas y encauzar dentro de un orden arcaico los cambios sociales, las ansias desmedidas de poder y riqueza que sufren la mayoría de los nobles, sólo pueden explicarse como resultado de la crisis económica y de la conjunción de gastos elevados y rentas proporcionalmente menores. En Inglaterra, según Stone, la posición económica de la nobleza era mucho más débil al terminar el reinado de Isabel I que cuarenta años antes [73], y en España, durante el siglo XVI, los ingresos de las casas ducales apenas se doblan, mientras que los precios, como sabemos, se multiplican por cuatro [74]. No puede, por tanto, extrañarnos que la sensación de ahogo económico

---

[71] A. Domínguez Ortiz, *Las clases privilegiadas*, págs. 221-222.

[72] L. P. Wright, «Las Órdenes Militares en la sociedad española de los siglos XVI y XVII», en J. H. Elliott, *Poder y sociedad en la España de los Austrias*, Barcelona, Ed. Crítica, 1982, págs. 15-56. En la Orden de Calatrava, por ejemplo, la alta nobleza poseía la mitad, aproximadamente, de las encomiendas, y con ellas, el 75 por cien de los ingresos (*ibíd.*, págs. 32-33). La obtención del hábito de una orden llegó a ser un acontecimiento importante, especialmente para los hidalgos y caballeros, ya que ello suponía, implícitamente, una cierta elevación dentro de la escala nobiliaria: entre los títulos con que se adorna don Diego de Carriazo, padre del pretendiente de Constanza en *La ilustre fregona*, figura el de «caballero del hábito de Alcántara» (BAE, I, pág. 186). Y para mostrar ante las gitanas los quilates de su nobleza, el joven noble enamorado de Preciosa exhibe un hábito «de los más calificados que hay en España» (*La Gitanilla*, BAE, I, pág. 104). Todavía el Canónigo alude al pasado militar y religioso de estas instituciones, cuando hace referencia a las Órdenes «... que ahora se usan de Santiago o de Calatrava, que se presupone que los que la profesan han de ser, o deben ser, caballeros valerosos, valientes y bien nacidos...» (I, 49). Sin embargo, en la práctica, el hábito de una orden no es más que un distintivo de nobleza: «... la marca que tanto distingue la gente principal de la plebeya» (*El coloquio de los perros*, BAE, I, pág. 231).

[73] Lawrence Stone, *La crisis de la aristocracia (1558-1641)*, Madrid, Edit. Revista de Occidente, 1976, pág. 86.

[74] J. H. Elliott, *La España imperial*, pág. 340; y Charles Jago, «La crisis de la aristocracia en la Castilla del siglo XVII», en J. H. Elliott, *Poder y sociedad*, págs. 248-286. En un memorial de los jurados de Sevilla, fechado el 13 de julio de 1627, se decía que la gente noble «haviéndose de sustentar de sus rentas, no puede adquirir hoy con todas

empujase a muchos nobles a tratar de dilatar sus fuentes de ingresos, ampliar sus negocios y redoblar las cargas sobre sus empobrecidos súbditos:

> Aquí se me acaba la paciencia [protesta Agustín de Rojas a comienzos del siglo XVII] cuando considero la miseria de nuestros tiempos, que haya caballeros de diez, veinte, cuarenta, ochenta, cien mil ducados de renta y muchos más, y que éstos, con veinte o treinta criados que sustentan, andan siempre alcanzados y empeñados sin tener una blanca ni un maravedí, echando tributos a sus vasallos cada punto [75].

También doña Rodríguez, quejosa de que el Duque desoiga sus ruegos, nos descubre, en la segunda parte de la novela, la penuria en que viven sus señores y la influencia que sobre ellos ejercen algunos de sus vasallos:

> En resolución, desta mi muchacha se enamoró un hijo de un labrador riquísimo que está en una aldea del Duque mi señor, no muy lejos de aquí. En efecto, no sé cómo ni cómo no, ellos se juntaron, y debajo de la palabra de ser su esposo, burló a mi hija, y no se la quiere cumplir; y aunque el Duque mi señor lo sabe, porque yo me he quejado a él, no una, sino muchas veces, y pedídole mande que el tal labrador se case con mi hija, hace orejas de mercader y apenas quiere oírme; y es la causa que como el padre del burlador es tan rico, y le presta dineros, y le sale por fiador de sus trampas por momentos, no le quiere descontentar ni dar pesadumbre en ningún modo (II, 48).

Desde la expulsión de los moriscos, la situación económica de los duques de Villahermosa, a los que parece aludir Cervantes en su obra, era, en efecto, extremadamente apurada: en un memorial de 1613, el Duque exponía los daños sufridos en su estado por el decreto de expulsión; el rey lo indemnizó, dándole una encomienda y varias villas de realengo; pero la situación del ducado no mejoró, a juzgar por las ayudas y mercedes que se concedieron a su titular en el reinado de Felipe IV [76].

---

ellas lo que antes con una cuarta parte» (A. Domínguez Ortiz, *Las clases privilegiadas,* pág. 93).

[75] Agustín de Rojas Villandrando, *El viaje entretenido,* ed. de Jean Pierre Ressot, Madrid, Edit. Castalia, 1972, pág. 419.

[76] A. Domínguez Ortiz, *Las clases privilegiadas,* págs. 92-93.

Las demás casas nobles pasaban por situaciones parecidas: en 1598 el quinto Duque del Infantado reconocía en su testamento las deudas enormes con que el patrimonio familiar se habría de transmitir a los descendientes; y el Ducado de Osuna, cuyo titular parece ser el duque Ricardo de la primera parte del *Quijote,* estuvo en administración durante el siglo XVI, se puso después en arrendamiento y fue finalmente confiado al Conde de Haro, sin que nadie consiguiera alejar y satisfacer a los acreedores [77]. La decisión que adopta don Fernando, hijo segundo del Duque Ricardo, al aceptar la boda con Dorotea, labradora plebeya pero rica, adquiere verosimilitud por la condición de segundón del joven, privado del grueso de la herencia por las leyes del mayorazgo [78], y también, podríamos añadir, por el ruinoso estado del patrimonio ducal y el arduo futuro que esperaba a todos los herederos de su titular.

La irritación producida por la ruina podía arrastrar a los nobles a actitudes desesperadas y a levantarse, como el Conde de Essex en Inglaterra [79] o el Duque de Medina Sidonia en Andalucía [80], contra la autoridad del rey. Lo normal fue, sin embargo, que los grandes, y muchos otros nobles de categoría inferior, se trasladasen a la Corte y tratasen de arrancar a la Corona y sus ministros, mediante la sumisión y la lisonja, cargos, prebendas y mercedes con que restaurar su desfallecida hacienda. Muchos nobles ingleses fijan su residencia en Londres, importunan con sus solicitudes a los reyes [81], y obtienen, entre 1558 y 1641, favores por más de tres millones de libras [82]. Y algo parecido ocurre en España al morir Felipe II: los nobles abandonan sus posesiones, van a residir a la Corte y se convierten en cazadores de empleos y beneficios [83]. Recordemos que el padre de don Luis, en la primera parte del *Quijote,* era «un caballero natural del Reino de

---

[77] *Ibíd.,* págs. 105 y sigs.

[78] Noël Salomon, «Sobre el tipo del ''labrador rico'' en el *Quijote», Beiträge zur Romanischen Philologie,* Berlín, 1967, pág. 112.

[79] L. Stone, *op. cit.,* pág. 222.

[80] A. Domínguez Ortiz, «La conspiración del Duque de Medina Sidonia y el Marqués de Ayamonte», en *Crisis y decadencia en la España de los Austrias,* págs. 113-153.

[81] L. Stone, *op. cit.,* pág. 220.

[82] *Ibíd.,* pág. 218.

[83] Carmelo Viñas Mey, *El problema de la tierra,* pág. 30, y Charles Jago, *op. cit.,* pág. 283.

Aragón, señor de dos lugares», que deseaba hacer de título a su hijo, y que:

> ...vivía [según explica Clara] frontero de la casa de mi padre en la Corte (II, 43).

Y, en un episodio de *La Gitanilla*, don Juan de Cárcamo, el joven caballero enamorado de Preciosa, declara:

> Yo, señoras mías..., soy caballero, como lo puede mostrar el hábito... soy hijo único, y el que espera un razonable mayorazgo: mi padre está aquí en la corte pretendiendo un cargo, y ya está consultado, y tiene casi ciertas esperanzas de salir con él [84].

El empleo que obtiene el padre de don Juan, y que también ostenta don Fernando de Acevedo, caballero de la orden de Calatrava y padre de Preciosa, es el de corregidor, cargo que, como tantos otros de la administración de justicia y del gobierno municipal, había ido cayendo, según vimos, en manos de una nobleza arruinada y pedigüeña.

«MUÉSTRESE GRANDE, LIBERAL Y MAGNÍFICO»

Los nobles del más alto rango que no alcanzaban un cargo lucrativo, o no querían ocuparse en perseguir tales minucias, pudieron subsistir gracias a las mercedes, ayudas de costa, dotes y regalos, que los reyes repartían con generosidad [85]; pero nunca estuvieron dispuestos a renunciar al lujo, el boato y el despilfarro, ni a reconocer que el mantenimiento de un tren de vida carísimo era el origen de la mayoría de sus deudas. Rodrigo Méndez Silva señalaba, a propósito de este problema, que lo propio del:

> ...cauallero liberal, es ostentar quando conuiene, sin limitación, y de pródigo hazer gastos excesivos. O quántos por esta causa padecen intolerables miserias, sus opulentos estados, que fueron admiración, y pasmo de las edades, están en poder de agenos administradores, y sus casas tan celebradas en

---

[84] BAE, I, pág. 104.
[85] A. Domínguez Ortiz, *Las clases privilegiadas*, págs. 108-109.

los passados siglos, se ven en pleitos de acreedores, han gastado todo en profanidades, y faustos del mundo... [86].

El lujo y la ostentación son característicos de una sociedad en que el estamento funciona como una esfera de distribución jerárquica no sólo de la riqueza y el poder, sino también de un variado repertorio de atuendos y ceremonias, que se exhiben como signos externos de la posición que se ocupa y el honor que se posee [87]: el noble, para mantener y hacer ostensible su categoría y dignidad, ha de ser mejor educado, llevar mejores trajes, poseer mansiones lujosas, numerosa servidumbre y una mesa abundante, aunque para ello tenga que dilapidar su hacienda y vivir perpetuamente asediado por los acreedores. Sancho reconoce la importancia de estas muestras externas del rango cuando explica:

> ...que cuando vemos alguna persona bien aderezada y con ricos vestidos compuesta y con pompa de criados, parece que por fuerza nos mueve y convida a que la tengamos respeto (II, 5) [88].

Y, en una obra de Lope, se llega a afirmar que la diferencia entre el noble y el labriego consiste:

---

[86]   Rodrigo Méndez Silva, *Engaños y desengaños del mvndo,* Madrid, 1655, fol. 49. Cfr.: «Digo que murmuran mucho de v. md. de la miseria que tiene en lo secreto de su casa, y de la ostentación que muestra en lo público. Aquélla se estrecha a más que la naturaleza sufre, ésta se alarga más que la vanidad necesita» (Juan Eusebio Nieremberg, *Epistolario,* ed. de Narciso Alonso Cortés, Madrid, CC, 1957, pág. 234). «Titulado he conocido con tesorero y sin un cuarto, sin caballos y con caballerizos, sin recámara y con camareros, con repostero y sin plata; que así no se pueden perder las preeminencias de señor, vinculadas en la exterioridad solamente» (C. Suárez de Figueroa, *El Pasagero,* ed. cit., pág. 221).

[87]   J. A. Maravall, *Poder, honor y élites,* págs. 22-23 y 40. Sobre el gasto suntuario de los aristócratas ingleses, véase Lawrence Stone, *op. cit.,* págs. 249 y sigs. La preocupación por los signos externos del rango entre los nobles franceses ha sido estudiada por Arlette Jouanna, *Ordre social. Mythes et hiérarchies dans la France du XVI*[e] *siècle,* París, Hachette, 1977, págs. 89 y sigs., y 126 y sigs. Para España puede verse también Bartolomé Bennassar, *Los españoles. Actitudes y mentalidad,* Barcelona, Edit. Argos Vergara, 1978, pág. 159.

[88]   Sobre la presencia de estos temas en el *Quijote,* hay algunos datos en R. Arco y Garay, *op. cit.,* págs. 352-353, y L. Osterc, *op. cit.,* págs. 90 y sigs.

En que el uno vista seda
Y el otro una jerga basta,
Que basta para su estado,
Pues ella dice que basta.
La carroza del señor,
Que cuando el techo levanta,
Descubre los arcos de oro
Con las cortinas de grana,
¿No ha de tener diferencia
A un carro con seis estacas...? [89].

La ostentación es la expresión visible y pública de unas diferencias sociales que han de ser preservadas hasta en sus más mínimos detalles. De ahí que un personaje de Lope considere la servidumbre numerosa como «portada del señor» [90], o que Yelgo de Bázquez recomiende a los nobles de alta categoría que tengan en la casa más antigua de su estado una armería abundante y puesta con curiosidad, no para armar escuderos o participar en combates, sino porque:

...la armería tiene tanta grandeza en sí, que es trompeta de la grandeza del señor... [91].

Guzmán de Alfarache, cuando se instala en Madrid para medrar mediante el engaño y la usurpación de un rango que no le corresponde, se procura, ante todo, «vestidos gallardos», «caballo» y «un par de criados» [92]; y, tras su matrimonio, explica:

---

[89] *Los Tellos de Meneses,* BAE, XXIV, pág. 512.
[90] *Quien ama no haga fieros,* ibíd., pág. 439.
[91] Miguel Yelgo de Bázquez, *Estilo de servir a príncipes,* Madrid, 1614, fol. 21. Entre los tratadistas franceses podemos encontrar, por la misma época, opiniones parecidas: según Jean Tapin (*La Police Chretiénne,* 1568, fol. 228), el caballero debe poseer «châteaux, chevaux, armes et habillements répondant à l'état et à la maison d'où il est: et... par ses externes et visibles signes d'honorable prééminence contenir le peuple (qui admire telles choses, et révère ceux qui s'en servent) en obéissance et crainte». Para Jean d'Arrérac (*La Philosophie civile et d'Etat,* Bordeaux, 1592, págs. 516-517), «ces cérémonies rendent la chose invisible comme visible et palpable, et engendrent respect et terreur au coeur du peuple». (Ambas citas en Arlette Jouanna, *op. cit.,* pág. 126.)
[92] Mateo Alemán, *Guzmán de Alfarache,* ed. cit., vol. IV, pág. 205.

...como la ostentación suele ser parte de caudal por lo que al crédito importa, presumía de que mi casa, mi mujer y mi persona siempre anduviésemos
bien tratados... [93].

Durante el pleito en que se vio envuelto Rodrigo de Cervantes en
Valladolid, varios testigos declaran, como prueba evidente de la hidalguía del encausado, que:

> ...al dicho liçençiado Çerbantes e al dicho Rodrigo de Çerbantes e sus her
> manos sienpre los vido en esta dicha villa muy bien tratados e adereçados,
> e con muchas sedas e otros Ricos atavíos, e con buenos caballos, pajes e
> moços despuelas, e con otros serviçios e fantasýas que semejantes hidalgos
> e caballeros suelen e acostunbran tener e traer en esta dicha villa de alcalá [94].

También los personajes cervantinos cuidan en extremo el atavío y
adorno, y prestan una especial atención a los signos externos de su
categoría y dignidad, de forma que el tratamiento de sus personas sea
acorde con la posición social que ocupan. Luscinda, por ejemplo, apareció el día de su boda:

> ...acompañada de su madre y de dos doncellas suyas, tan bien aderezada
> y compuesta como su calidad y hermosura merecían (I, 27).

Y, cuando los protagonistas de *La señora Cornelia,* don Antonio
de Isunza y don Juan de Gamboa, dos «caballeros principales» y «de
ilustre sangre», decidieron concluir en Bolonia los estudios que habían
iniciado en Salamanca:

> Dieron noticia de su intento a sus padres, de que se holgaron infinito,
> y lo mostraron con proveerles magníficamente, y de modo, que mostrasen
> en su tratamiento quiénes eran y qué padres tenían [95].

Aunque el lujo desmesurado y los excesos en la ostentación fueron
corrientes entre todos los aristócratas europeos de aquel período, los
nobles españoles, tal vez por el espejismo del oro americano o por

---

[93] *Ibíd.,* pág. 221.
[94] Francisco Rodríguez Marín, *Nuevos documentos cervantinos hasta ahora inéditos,* Madrid, Real Academia Española, 1914, pág. 142.
[95] BAE, I, pág. 211.

su afición a las ceremonias complicadas, alcanzaron fama con su vida suntuosa y su espíritu derrochador. Ya en 1512, Francesco Guicciardini describía así a los nobles españoles de mayor alcurnia:

> ...los Grandes viven con esplendidez y lujo, no sólo en lo relativo a tapicería y vajilla de plata, que usan aquí hasta las gentes del pueblo que tienen algunos bienes, sino en todo lo demás... Los principales señores sostienen algunos centenares de lanzas o de jinetes, cual más, cual menos, y les dan acostamiento a estilo del país. Tienen gran mesa, y se hacen servir con tales ceremonias y reverencias como si fuesen reyes [96].

Y, según un embajador veneciano de tiempos de Felipe III, entre los numerosos defectos de los Grandes:

> ...lo que es más de admirar en todos ellos es el despilfarro y valentonería con que disipan sus haciendas [97].

Una mesa variada y copiosa, rodeada de invitados insignes y servida con un complejo ceremonial, da claras muestras de la generosidad e ilustre sangre de quien la provee, y sirve para poner de manifiesto la pertenencia del anfitrión a la más alta escala de la jerarquía estamental [98]. En la primera comida que los Duques ofrecen a don Quijote, al atónito hidalgo:

> ...lleno de pompa y majestad le llevaron a otra sala, donde estaba puesta una rica mesa con solos cuatro servicios (II, 31).

Y, durante la montería organizada en tierras de los Duques, los cazadores hicieron un alto para dirigirse:

> ...a unas grandes tiendas de campaña que en la mitad del bosque estaban puestas, donde hallaron las mesas en orden y la comida aderezada, tan sumptuosa y grande, que se echaba bien de ver en ella la grandeza y magnificencia de quien la daba (II, 34).

---

[96] Cit. por A. Salcedo Ruiz, *op.. cit.*, págs. 19-20.

[97] Cit. por Ludwig Pfandl, *Cultura y costumbres del pueblo español de los siglos XVI y XVII. Introducción al estudio del Siglo de Oro*, Barcelona, 1959, págs. 105-106.

[98] José Luis Peset y Manuel Almela, «Mesa y clase en el Siglo de Oro español: la alimentación en el *Quijote*», *Cuadernos de Historia de la Medicina Española*, XIV, 1975, págs. 245-259. Sobre la ostentación y el gasto en el comer, véase José Antonio Maravall, *El mundo social de «La Celestina»*, Madrid, Ed. Gredos, 3.ª ed., 1973, pags. 39 y sigs.

En un banquete de este tipo, los señores podían llegar a excesos inconcebibles: en la casa del arzobispo Juan de Ribera, virrey de Valencia, el patriarca, sus veintiocho invitados y los criados de la casa consumieron el domingo de Pascua de 1575, entre otras cosas, 24 pollos asados, 24 pasteles, un cordero pascual, 24 palominos caseros, tres cabritos asados, cinco gallinas cocidas, carnero cocido, tortas de requesones, y dos quesos [99]. El Conde de Oropesa, con ocasión de las capitulaciones para su boda con la Marquesa de Alcaudete, dio una cena compuesta de «treinta antes, treinta postres y noventa platos» [100]; y Antonio de Torquemada, tras censurar el excesivo gasto de muchos caballeros en comidas y banquetes, asegura [101]:

> ...ya en un banquete no se sufre de dar ochenta a cien platos abajo y aún averiguado es y notorio que ha poco tiempo que en un banquete que hizo un señor eclesiástico se sirvieron setecientos platos, y si no fuera tan público, no osara decirlo por parecer cosa fuera de término [102].

Y es que, además de abundante, la alimentación del noble, sobre todo con ocasión de un banquete, ha de caracterizarse por su dilatada variedad:

> En un buen banquete [escribe Luis Lobera de Ávila] ha de haber muchas frutas de principio, y cosas de leche y queso y mucha diversidad de carnes, ansí como carnero, vaca, ternera, venado, cabrito, lechones y ansarones, etc. Muchas maneras de aves, ansí como faisanes, francolines, codornices, perdi-

---

[99]   Manuel Espadas y José Luis Peset, «Contrastes alimentarios en la España de los Austrias. Estudio de un ámbito nobiliario: la mesa del Arzobispo Juan de Rivera, virrey de Valencia (1568-1611)», en *La Picaresca. Orígenes, textos y estructuras,* bajo la dirección de Manuel Criado de Val, Madrid, Fundación Universitaria Española, 1979, páginas 149-165. Para Inglaterra, véase L. Stone, *op. cit.,* págs. 253 y sigs.

[100] *Relatos diversos de cartas de jesuitas (1634-1648),* selección de José María de Cossío, Buenos Aires, Ed. Espasa Calpe, col. Austral, 1953, pág. 56.

[101] «... y lo que más principalmente convendría es que los caballeros y señores y grandes se moderasen en sus gastos excesivos y que ellos mismos, juntándose, hiciesen entre sí mesmos una ley, o que nuestro emperador lo hiciese, de que ningún banquete ni comida suntuosa se sirviesen sino tantos platos tasados... y todo lo demás es superfluo, que no aprovecha para otra cosa sino para estragar los estómagos y disminuir la salud y las haciendas...» (Antonio de Torquemada, *Coloquios satíricos* (1553), cit. por M. Espadas y J. L. Peset, *op. cit.,* pág. 159).

[102] *Ibíd.,* pág. 160.

ces, esternas, gallinas, pollos, pavos, etc. Liebres, conejos gazapos, etc. Y todo de diversa manera guisado con manteca y vino y vinagre; y todo género de salsas y pasteles, y todo género de pescados. Porque el banquete no se dice agora bueno si no entra en él pescado y carne y para postre muchas maneras de frutas, ansí como de pasta y fritura, y toda especie de vino y toda suerte de cerveza y beber *autant,* que agora dicen [103].

Al gobernador de la ínsula Barataria se le ofrecen, bajo la severa mirada del doctor Recio, manjares variados y selectos, que nos dan una idea de los platos que componen la mesa de un noble: fruta, plato de perdices, conejos guisados, ternera guisada y en adobo, además de «diversidad de platos de diversos manjares» (II, 47). Y, al contrario, un jornalero del campo como Sancho [104], acostumbrado a pasar muchos días con «un pedazo de pan» y «cuatro libras de uvas» o «una cebolla» (II, 47), tiene su estómago hecho a manjares groseros y pobres:

> Mirad, señor doctor: de aquí adelante no os curéis de darme a comer cosas regaladas ni manjares exquisitos, porque será sacar a mi estómago de sus quicios, el cual está acostumbrado a cabra, a vaca, a tocino, a cecina, a nabos y a cebollas, y si acaso le dan otros manjares de palacio, los recibe con melindre, y algunas veces con asco (II, 49).

Incluso cuando, con ocasión de una boda o celebración solemne, el labriego rico prepara una comida de proporciones extraordinarias, las viandas que ofrece a los invitados, aunque abundantes, carecen de la variedad y excelencia que puede encontrarse en las mesas nobles. En las bodas de Camacho, por ejemplo, «el aparato de la boda era rústico; pero tan abundante, que podía sustentar a un ejército»; e incluye pan, queso, vino, frutas de sartén y un novillo asado. El plato fuerte lo constituyen, sin embargo, las seis abundantísimas ollas podridas [105] «que alrededor de la hoguera estaban»:

---

[103]   *Banquete de Nobles Caballeros* (1530), cit. por J. L. Peset y M. Almela, *op. cit.,* pág. 256.

[104]   Véanse, más adelante, las págs. 163 y sigs.

[105]   «Olla podrida, la que es muy grande y contiene en sí varias cosas, como carnero, vaca, gallinas, capones, longaniza, pies de puerco, ajos, cebollas, etc.» (Sebastián de Covarrubias, *Tesoro de la lengua castellana,* ed. cit., pág. 836).

...eran seis medias tinajas, que cada una cabía un rastro de carne: así embe-
bían y encerraban en sí carneros enteros, sin echarse de ver, como si fueran
palominos (II, 20).

Sancho, labriego de paladar y poco exquisito, recuerda con nostalgia aquellas bodas gloriosas, y sólo desea otras tantas ollas con las
que sustentar su persona y pasar alegre los días de su gobierno:

—Aquel platonazo que está más adelante vahando me parece que es olla
podrida, que, por la diversidad de cosas que en las tales ollas podridas hay,
no podré dejar de topar con alguna que me sea de gusto (II, 47). Lo que
el maestresala puede hacer es traerme estas que llaman ollas podridas, que
mientras más podridas son, mejor huelen, y en ellas puede embaular y ence-
rrar todo lo que él quisiere, como sea de comer (II, 49).

A lo que el doctor Recio, encargado de velar por la salud del gobernador y por la calidad de los manjares que se sirven en su mesa,
contesta:

—*Absit...* Vaya lejos de nosotros tan mal pensamiento: no hay cosa en
el mundo de peor mantenimiento que una olla podrida. Allá las ollas podridas para los canónigos, o para los retores de colegios, o para las bodas
labradorescas, y déjennos libres las mesas de los gobernadores, donde ha
de asistir todo primor y toda atildadura (II, 47).

Toda casa noble que pretenda conservar su rango sin menoscabo,
debe atender de manera particular al atavío, vestido y adorno de los
miembros de la familia. Es éste, junto al de la alimentación, uno de
los capítulos fundamentales del gasto suntuario, y la causa de innume-
rables derroches ocasionados por los cambios de modas, la abundancia
de bordados y encajes, y el uso inmoderado de joyas y otros adornos
lujosos [106]. Don Quijote, enamorado de aquella edad pasada en que
el único adorno de un caballero eran la coraza y la espada, lamenta:

Los más de los caballeros que agora se usan, antes les crujen los damascos, los brocados y otras ricas telas que se visten, que la malla con que
se arman (II, 1).

---

[106] L. Stone, *op. cit.,* pág. 256.

El lujo y el adorno del vestido se exageran, sobre todo, en solemnidades y festejos públicos. Con motivo de una de estas celebraciones, Alonso Enríquez de Guzmán nos explica:

> Vestíme en estas postreras fiestas lo mejor que puede de oro, sedas e brocados, porque me vestí este domingo dos veces y el lunes siguiente una, que fueron tres [107].

Cuando don Quijote y Sancho, en la mañana de San Juan, se encontraron ante un hermoso amanecer frente a las murallas de Barcelona, vieron:

> ...infinitos caballeros que de la ciudad sobre hermosos caballos y con vistosas libreas salían (II, 61).

Y durante la cacería celebrada en tierras de los Duques, la señora se presentó ante sus invitados:

> ...sobre un palafrén o hacanea blanquísima, adornada de guarniciones verdes y con un sillón de plata. Venía asimismo la señora vestida de verde, tan bizarra y ricamente, que la misma bizarría venía transformada en ella (II, 30).

Antes que un adorno superfluo o un capricho innecesario, el uso de una indumentaria lujosa era signo de una elevada posición social, e indicio suficiente del rango, educación y calidad de un individuo [108]. El Caballero del Verde Gabán, por ejemplo:

---

[107] *Libro de la vida y costumbres de don Antonio Enríquez de Guzmán,* ed. de H. Keniston, BAE, CXXVI, pág. 192.

[108] En el teatro es frecuente aprovechar el efecto de sorpresa que produce un personaje adornado con las cualidades propias de un noble, pero vestido con ropas plebeyas. En la *Tragicomedia de Don Duardos,* la princesa, al hablar con el protagonista, a quien no ha reconocido por ir disfrazado de labrador, se asombra de sus respuestas y sentimientos, y le amonesta con términos que responden a una concepción netamente estamental de las calidades personales: «Debes hablar como vistes / o vestir como respondes» (J. A. Maravall, *El mundo social de «La Celestina»,* ed. cit., pág. 108). El mismo contraste entre cualidades elevadas e indumentaria tosca es utilizado por Lope en *La moza del cántaro* (BAE, XXIV, págs. 549-565). El traje sirve por sí solo para demostrar la condición noble de la persona: en *Amar sin saber a quién,* de Lope, don Juan explica: «Señores, si probar es necesario / Mi inocencia, y no basta mi vestido, / Mis plumas, mis espuelas y mis botas...» (BAE, XXIV, pág. 443).

...en el traje y apostura daba a entender ser hombre de buenas prendas (II, 16).

El capitán que don Quijote y sus acompañantes encuentran en la venta:

...mostraba en su apostura que si estuviera bien vestido, le juzgaran por persona de calidad y bien nacida (I, 37).

Y, cuando don Luis es sorprendido en la venta, disfrazado de mozo de mulas, por los criados de su padre, lo primero que éstos le censuran es lo impropio de su indumentaria, y el haberse ausentado de su casa en «hábito tan indecente a su calidad»:

—Por cierto, señor don Luis, que responde bien a quien vos sois el hábito que tenéis y que dice bien la cama en que os hallo al regalo con que vuestra madre os crió (I, 44).

En una sociedad que concede tan alto valor al atavío personal, los plebeyos enriquecidos que tratan de ascender a una categoría superior, o los pícaros y granujas que viven de remedar el porte y las maneras del noble, encontrarán en el vestido un medio seguro de disimular su origen y ser admitidos entre los superiores. La emulación, las ropas lujosas de muchos villanos, y el uso indiscriminado de joyas y trajes costosos, adquieren tales proporciones, que dan lugar a pragmáticas y disposiciones restrictivas dictadas por las autoridades [109], y a la aparición de juicios y comentarios en escritos de políticos y moralistas [110].

El cambio de vestido, aunque éste se componga de trapos viejos y retazos, como el del *Buscón,* es el primer paso que ha de dar el pícaro para transformarse en caballero: Guzmán llega a Toledo, y la metamorfosis de su atuendo le lleva a convertirse en el «hijo de algún hombre principal» [111]. Pablos se hace pasar en Madrid, tras mudar su

---

[109] Véase, entre otras, la «Premática para que... no se pueda traer en vestidos, ni traje alguno, bordados, ni recamados, ni escarchados, de oro, ni plata, fino, ni falso, ni de perlas, ni aljofar, ni piedras, ni guarnición alguna de abalorio... En Valladolid. Año 1602» (Faustino Gil Ayuso, *Noticia bibliográfica de textos y disposiciones legales de los Reinos de Castilla impresos en los siglos XVI y XVII,* Madrid, Patronato de la Biblioteca Nacional, 1935, pág. 139).

[110] Véanse, más adelante, las págs. 215-216.

[111] *Guzmán de Alfarache,* ed. cit., vol. II, pág. 118.

vestido y ocultar su sangre, por «don Felipe Tristán, un caballero muy honrado y rico» [112]. También Sancho, si quiere disimular su origen y cumplir dignamente con sus obligaciones de gobernador, debe sustituir sus toscas ropas por otras más acordes con su rango: el Duque le recomienda que vaya vestido «parte de letrado y parte de capitán» (II, 42), Sanchica imagina a su padre con «calzas atacadas» (II, 50), y don Quijote le aconseja:

> Tu vestido será calza entera, ropilla larga, herreruelo un poco más largo; gregüescos, ni por pienso; que no les está bien ni a los caballeros ni a los gobernadores (II, 43) [113].

Sancho aspira, sin embargo, a adornarse con todos los símbolos y aderezos de la clase elevada en que, con la ayuda de su señor y de la buena suerte, piensa situarse:

> Pues ¿qué será cuando me ponga un ropón ducal a cuestas, o me vista de oro y de perlas, a uso de conde extranjero? Para mí tengo que me han de venir a ver de cien leguas (I, 21).

Y Teresa Panza, para que el gobernador tenga en su esposa compañía digna, pide al cura del lugar:

> —Señor Cura, eche cata por ahí si hay alguien que vaya a Madrid, o a Toledo, para que me compre un verdugado redondo, y hecho y derecho, y sea al uso de los mejores que hubiere; que en verdad en verdad que tengo de honrar el gobierno de mi marido (II, 50).

La servidumbre numerosa es otro de los capítulos esenciales del gasto ostensible que caracteriza a la economía señorial [114]. El noble, excluido casi por completo en los siglos modernos de la actividad guerrera, ha de abstenerse de todo ejercicio lucrativo y debe mantener

---

[112] Francisco de Quevedo, *El Buscón,* ed. de Domingo Ynduráin, Madrid, Cátedra, 1980, pág. 242.

[113] Las ropas largas y las calzas enteras, o calzas atacadas, eran propias de hidalgos que vivían a lo antiguo, y de funcionarios de alta jerarquía. Don Quijote recomienda a su escudero, por tanto, un vestido adecuado a su nuevo oficio (F. Rodríguez Marín, ed. del *Quijote* citada, vol. VII, pág. 165, n. 14).

[114] J. A. Maravall, «Relaciones de dependencia e integración social: criados, graciosos y pícaros», *Idéologies & Littérature,* n.° 4, sept.-oct. 1977, págs. 3-32.

además, como prueba palpable de riqueza y poder, una extensa legión
de gentes improductivas, dedicadas a las más inverosímiles atenciones [115]. De otro lado, la crisis de la producción agrícola de los últimos años del siglo XVI desplazó a las ciudades un enjambre de desocupados en busca de señores a quien servir, y acrecentó la ya numerosa
servidumbre de las casas nobles [116]. El Conde-Duque de Olivares llegó a tener, por ejemplo, 198 servidores; el Duque de Osuna, 300; el
de Medinaceli, 700 [117]; y en la pequeña corte de los Duques, el servicio es tan numeroso, que, al llegar Sancho y don Quijote al palacio,
«en un instante se coronaron todos los corredores del patio de criados
y criadas de aquellos señores» (II, 31).

Además de ser abundantísima, la servidumbre de un noble debe
atender a una asombrosa variedad de tareas y servicios. En la casa
de un grande ha de haber, según Yelgo de Bázquez [118], mayordomo,
maestresala, contador, gentilhombre, botiller, veedor, comprador,
sombrerero, repostero, despensero, guardarropa, tesorero, portero, co-
cineros, pajes, camareros, mozos de cámara, caballerizos, cocheros y
mozos de caballos. Sancho tiene en la ínsula Barataria, además del
servicio habitual, médico y secretario (II, 47), y sueña con «tomar un
barbero y tenelle asalariado en casa» (I, 21). Entre los servidores de
los Duques hay dueñas, doncellas, lacayos, mozos y pícaros de cocina,
pajes, mayordomo, maestresala, y un clérigo paniaguado que, alejado
de los servicios eclesiásticos ordinarios, ejerce actividades impropias
de su condición:

> ...un grave eclesiástico destos que gobiernan las casas de los príncipes; destos
> que, como no nacen príncipes, no aciertan a enseñar como lo han de ser
> los que lo son; destos que quieren que la grandeza de los grandes se mida
> por la estrecheza de sus ánimos; destos que, queriendo mostrar a los que
> ellos gobiernan a ser limitados, les hacen ser miserables (II, 31) [119].

---

[115] *Ibíd.,* pág. 13.

[116] Véanse, más adelante, las págs. 181 y sigs.

[117] J. H. Elliott, *La España imperial,* pág. 342; y B. Bennassar, *Los españoles...,*
páginas 98-99. Véase también Carmelo Viñas Mey, «Notas sobre la estructura social-
demográfica del Madrid de los Austrias», *RUM,* IV, 1955, págs. 461-496.

[118] *Estilo de servir a príncipes,* passim.

[119] Cfr.: «La vanidad del mundo ha introducido que los señores, y aun los que no
lo son, y las señoras reciban clérigos en su servicio, y los llamen sus capellanes, y quieran
que los acompañen y se ocupen en ministerios incompatibles con la dignidad sacerdotal»

Los servidores cumplen en la casa de un grande la importante función de evidenciar, mediante gestos rituales y un complicado ceremonial, la superioridad y grandeza del señor y sus huéspedes. Para ir a comer con los Duques, don Quijote:

> ...salió a la gran sala, adonde halló a las doncellas puestas en ala, tantas a una parte como a otra, y todas con aderezo de darle aguamanos; la cual le dieron con muchas reverencias y ceremonias. Luego llegaron doce pajes con el maestresala, para llevarle a comer, que ya los señores le aguardaban. Cogiéronle en medio, y lleno de pompa y majestad le llevaron a otra sala (II, 31).

Al terminar la comida los invitados han de someterse a otro sorprendente y ridículo lavatorio, que para Sancho y don Quijote, poco acostumbrados a tales ceremonias, no es más que uno de los actos normales en la etiqueta de los nobles:

> ...llegaron cuatro doncellas, la una con una fuente de plata, y la otra con un aguamanil, asimismo de plata, y la otra con dos blanquísimas y riquísimas toallas al hombro, y la cuarta descubiertos los brazos hasta la mitad, y en sus blancas manos (que sin duda eran blancas), una redonda pella de jabón napolitano. Llegó la de la fuente, y con gentil donaire y desenvoltura encajó la fuente debajo de la barba de don Quijote; el cual, sin hablar palabra, admirado de semejante ceremonia, creyó que debía ser usanza de aquella tierra, en lugar de las manos, lavar las barbas (II, 32).

La inutilidad de tales rituales es evidente, y, por eso, don Quijote aplaudía a aquella señora que sustituyó las dueñas de carne y hueso por otras de bulto, porque «tanto le servían para la autoridad de la sala aquellas estatuas como las dueñas verdaderas» (II, 48) [120].

(Covarrubias, *op, cit.*, pág. 297). «...que ningún sacerdote pudiese servir a persona secular sin tener para ello licencia firmada de su prelado... con lo cual, y con quitar las licencias de decir misa en los oratorios particulares, se atenuara la muchedumbre de clérigos y se excusara el verlos ocupados en ministerios indecentes...» (Pedro Fernández de Navarrete, *Conservación de monarquías y discursos políticos,* BAE, XXV, pág. 540). «... al religioso que sigue las cortes házele el andar en ella sospechoso, de ambición, de curiosidad y vanidad» (Marco Antonio Camos, *Microcosmia y gouierno vniversal del hombre christiano, para todos los estados y qualquiera dellos,* Madrid, 1595, fol. 150).

[120] La anécdota procede de un cuentecillo tradicional de la época. (Véase Maxime Chevalier, *Cuentecillos tradicionales en la España del Siglo de Oro,* Madrid, Edit. Gredos, 1975, págs. 83-84.)

El ceremonial que rodea la vida del noble se prolonga, con algunas variaciones, cuando el señor sale fuera de su residencia. El caballerizo:

> ...ha de tener cuydado, quando salga el señor fuera de casa a pasear o hazer alguna visita, de yr detrás a cauallo, si el señor va en coche, puede yr a la brida, o a la gineta: pero si fuesse a cauallo el señor, ha de yr el cauallerizo como caualgare el señor [121].

Cuando Sancho visitó la Corte y contempló por las calles el paso ostentoso de los grandes señores y de sus acompañantes, su mirada socarrona retrató esta escena desde un ángulo muy diferente:

> Los años pasados estuve un mes en la corte, y allí vi que, paseándose un señor muy pequeño, que decían que era muy grande, un hombre le seguía a caballo a todas las vueltas que daba, que no parecía sino que era su rabo. Pregunté que cómo aquel hombre no se juntaba con el otro, sino que siempre andaba tras él. Respondiéronme que era su caballerizo, y que era uso de grandes llevar tras sí a los tales (I, 21) [122].

Un señor poderoso acostumbra a poseer otros vehículos que, además de exteriorizar la riqueza y el poder, sirven para levantar barreras entre los nobles y los plebeyos. Cuando un noble ha de salir de su casa, el camarero:

> ...ha de preguntar en qué cauallo quiere salir su Excelencia, si quiere salir en coche, o en litera, que todo esto lleva vn Grande quando sale de su casa, que el lleuarlo es grandeza [123].

Teresa Panza, encumbrada gracias a la buena suerte del cabeza de familia, no quiere ser inferior a las más levantadas señoras, y parece conocer las costumbres de los nobles mejor que el gobernador de Bara-

---

[121] Miguel Yelgo de Bázquez, _op. cit._, fol. 84. Véase Ricardo del Arco y Garay, _op. cit._, pág. 350.

[122] Cfr.: «...andaban en la corte ciertos _pequeños_ que tenían fama de ser _hijos de grandes,_ que aunque pájaros noveles, se abatían al señuelo de cualquier mujer hermosa, de cualquiera calidad que fuese» (_Persiles,_ BAE, I, pág. 638). «Los grandes dicen que son; / y es mentira manifiesta: / que es mayor mueso barbero / que todos, en mi conciencia» (Quevedo, «Labradora haciendo relación en su aldea de todo lo que había visto en la Corte», _Poesía original completa,_ ed. cit., pág. 1080).

[123] M. Yelgo de Bázquez, _op. cit.,_ fol. 20.

taria, a quien los grandes y sus caballerizos dejaron boquiabierto cuando visitó la Corte:

> Las hijas de los gobernadores [recomienda a Sanchica] no han de ir solas por los caminos, sino acompañadas de carrozas y literas y de gran número de sirvientes (II, 50).

El lujo y la ostentación, habituales en la vida del noble, se acrecientan cuando éste tiene que participar en fiestas y celebraciones de carácter público. El séquito numeroso y ricamente vestido con que un grande realza su presencia en tales actos, podía ser tan deslumbrante que eclipsara al cortejo y a los miembros de la familia real: en unas justas organizadas al final del reinado de Felipe III, don Pedro Téllez de Girón, Duque de Osuna, que se había enriquecido escandalosamente en su virreinato de Nápoles, se presentó acompañado de cien lacayos vestidos de azul y oro, y cincuenta oficiales con lujosos trajes guarnecidos de piedras [124].

Detrás de esta vistosa fachada, y de las joyas y adornos de señores y criados, se esconden muchas veces la miseria y la ruindad. El patrimonio de la Casa de Osuna estaba, como ya sabemos, asediado por las deudas hasta tal punto, que el nuevo duque solicitó en 1625, pocos años después de que don Pedro Téllez deslumbrase a la Corte con su grandiosa escolta, permiso para vender algunos lugares de su estado y poner su economía a flote [125]. Cervantes, con su afán de mirar el revés de las cosas para descubrir su basta hilaza, nos revela, por boca de un joven al que encuentran don Quijote y Sancho, la triste verdad que muchos nobles esconden detrás del aderezo y las libreas de sus criados:

> ...yo, desventurado, serví siempre a catarriberas y a gente advenediza, de ración y quitación tan mísera y atenuada, que en pagar el almidonar un cuello se consumía la mitad della; y sería tenido a milagro que un paje aventurero alcanzase alguna siquiera razonable ventura.
>
> —Y dígame por su vida, amigo —preguntó don Quijote—: ¿es posible que en los años que sirvió no ha podido alcanzar alguna librea?

---

[124] Marcellin Defourneaux, *La vie quotidienne en Espagne au Siècle d'Or,* París, Hachette, 1964, págs. 62-63.

[125] A. Domínguez Ortiz, *Las clases privilegiadas,* pág. 105.

—Dos me han dado —respondió el paje—; pero así como el que se sale
de alguna religión antes de profesar le quitan el hábito y le vuelven sus vestidos, así me volvían a mí los míos mis amos, que, acabados los negocios
a que venían a la Corte, se volvían a sus casas y recogían las libreas que
por sola ostentación habían dado (II, 24) [126].

Por eso, uno de los consejos que don Quijote da a Sancho antes
de encaminarlo a su gobierno, reza:

Toma con discreción el pulso a lo que pudiere valer tu oficio, y si sufriere
que des librea a tus criados, dásela honesta y provechosa más que vistosa
y bizarra, y repártela entre tus criados y los pobres: quiero decir que si has
de vestir seis pajes, viste tres y otros tres pobres, y así tendrás pajes para
el cielo y para el suelo; y este nuevo modo de dar librea no le alcanzan
los vanagloriosos (II, 43).

Los pasatiempos y las diversiones con que el noble llena sus innu-
merables horas de ocio, deben diferenciarse también, por su calidad
y distinción, de los que practican el oficial y el labriego. Por eso don
Quijote no entiende el empeño de Sancho:

...en decir, en pensar, en creer y en porfiar que mi señora Dulcinea ahechaba
trigo, siendo eso un menester y ejercicio que va desviado de todo lo que
hacen y deben hacer las personas principales que están constituidas y guarda-
das para otros ejercicios y entretenimientos, que muestran a tiro de ballesta
su principalidad (II, 8).

En el juego y el deporte, el señor tendrá oportunidad de exhibir
públicamente las cualidades propias de su rango —valor, fuerza, des-

---

[126] Cfr.: «He conocido algunos que no se avergüenzan de dejar en cueros a los que
despiden, despojándolos hasta de andrajos inútiles ...Miren primero a quién dan las libreas; mas una vez dadas, tengan ánimo para que las rompan los que se las pusieron,
váyanse o quédense» (Suárez de Figueroa, *op. cit.,* pág. 322). «En el camino preguntó
don Quijote al primo de qué género y calidad eran sus ejercicios, su profesión y estudios;
a lo que él respondió que su profesión era ser humanista; sus ejercicios y estudios, componer libros para dar a la estampa, todos de gran provecho y no menos entretenimiento
para la república; que el uno se intitulaba *el de las libreas,* donde pintaba setecientas
y tres libreas, con sus colores, motes y cifras, de donde podían sacar y tomar las que
quisiesen en tiempos de fiestas y regocijos los caballeros cortesanos, sin andarlas mendi-
gando de nadie, ni lambicando, como dicen, el cerbelo, por sacarlas conformes a sus
deseos e intenciones» (II, 22).

treza, elegancia— en un continuo alarde de gallardía y generosidad [127].
Entre tales ejercicios, la caza, especialmente la caza mayor y de altanería, suele ser considerada como el deporte noble por excelencia:

> ...el ejercicio de la caza de monte es el más conveniente y necesario para
> los reyes y príncipes que otro alguno... y lo mejor que él tiene es que no
> es para todos, como lo es el de los otros géneros de caza, excepto el de
> la volatería, que también es sólo para reyes y grandes señores (II, 34).

Don Fernando, por ejemplo:

> ...los más días iba a caza, ejercicio de que él era muy aficionado (I, 28).

Cuando don Quijote y Sancho cruzan las tierras de Aragón y encuentran a una bella cazadora ricamente ataviada, el ave de presa que
la señora lleva en la mano es prueba evidente de su linaje ilustre:

> En la mano izquierda traía un azor, señal que dio a entender a don Qui-
> jote ser aquélla alguna gran señora, que debía serlo de todos aquellos caza-
> dores, como era la verdad (II, 30).

La condición honrosa y distinguida de este deporte se justifica, a
los ojos de los contemporáneos, por la semejanza entre la caza y el
ejercicio de la guerra, y por la tradicional vinculación de la nobleza
con la profesión militar. Según Sancho de Londoño:

> La caça es vn exercitio muy prouechoso, y conforme a la cosa militar.
> Por esso los antiguos no sólo no la vedaron a la gente de guerra, mas tuuie-
> ron y honrraron por más que hombres a los que se dieron a ella [128].

Baltasar de Castiglione recomendaba al cortesano la práctica de:

> ...muchos otros ejercicios, los cuales, aunque no proceden derechamente de
> las armas, tienen con ellas muy gran deudo y traen consigo una animosa

---

[127] Johan Huizinga, *Homo ludens,* Madrid, Alianza Editorial, 1972, pág. 84. Sobre
deporte y diversiones nobiliarios y reales, véase José Deleito Piñuela, *El rey se divierte.*
Recuerdos de hace tres siglos, Madrid, Espasa Calpe, 3.ª ed., 1964. Otros datos en Arco
y Garay, *op. cit.,* págs. 356 y sigs., y en Ludovic Osterc, *op. cit.,* págs. 91 y sigs.
[128] Sancho de Londoño, *Discvrso sobre la forma de redvzir la disciplina militar a
mejor y antigvo estado,* Bruselas, 1590, pág. 44.

lozanía de hombre. Entre éstos son los principales la caza y la montería, que en ciertas cosas se parecen con la guerra, y sin duda son los pasatiempos que más convienen a señores y a hombres de corte, y los antiguos los usaban mucho [129].

Uno de los personajes del *Persiles* comenta:

...ningún ejercicio corresponde así al de la guerra como el de la caza, a quien es anejo el cansancio, la sed, y la hambre, y aun a veces la muerte [130].

Y con razones semejantes alecciona el Duque a Sancho Panza en el transcurso de una montería:

La caza es una imagen de la guerra: hay en ella estratagemas, astucias, insidias, para vencer a su salvo al enemigo; padécense en ella fríos grandísimos y calores intolerables; menoscábase el ocio y el sueño, corrobóranse las fuerzas, agilítanse los miembros del que la usa, y, en resolución, es ejercicio que se puede hacer sin perjuicio de nadie y con gusto de muchos (II, 34).

Además de endurecer el cuerpo y agilitar los miembros, la caza brinda al noble una excelente oportunidad de manifestar su riqueza, liberalidad y poder. A don Quijote, durante su estancia en el palacio de los Duques:

...le llevaron a caza de montería, con tanto aparato de monteros y cazadores como pudiera llevar un rey coronado (II, 34).

---

[129]   Baltasar de Castiglione, *El Cortesano,* traducción de Juan Boscán, Madrid, Editorial Espasa Calpe, col. Austral, 4.ª ed., 1980, pág. 37.

[130]   BAE, I, pág. 621. Cfr. el *Vergel de los príncipes,* de Rodrigo de Arévalo, tratado segundo: «En que fabla del segundo exercicio e deporte que los ínclitos reys e príncipes e nobles varones se deven exercitar, el qual es el exercicio de la caça, señaladamente de monte, de bestias fieras, e de cómo este noble deporte es decorado e illustrado de doze excellencias e otras singulares prerrogativas» (BAE, CXVI, págs. 324 y sigs.). «Quánto más, que en la caça es cosa certíssima, que particularmente reyna mucho el entendimiento sobre las fuerças del cuerpo. Porque claramente se vee, que vale más que él en ella la astucia, la maña, el ardid, y todas las demás variedades de estratagemas... y assí no anduuo bien Salustio en juntarla con los oficios seruiles, por parecerle que no es arte del ánimo, y que por ella no se gana inmortal fama. Deuiera considerar lo que tenemos dicho, y que en ella se ensayan los hombres para ganarla en las guerras» (Gaspar Gutiérrez de los Ríos, *Noticia general para la estimación de las artes,* Madrid, 1600, pág. 75).

Pero este deporte, que tan favorables opiniones despierta, es causa del absentismo y despreocupación de muchos nobles, y del mal uso de unas tierras, destinadas a la diversión del señor, que podrían dar trabajo y alimento a muchas gentes necesitadas [131]. Fray Tomás de Mercado denuncia a los nobles que:

...ocupan grandes pedazos de tierra en recreación, que pudiera sustentar la villa o ciudad en cuyos términos están, o de leña si son montes, o de hierba y pasto si son cabañas o dehesas, o de trigo y cebada si son para labrar, ¿quién no ve una gran injusticia?, aun mercar uno mucha tierra para labrar y añadir casa a casa y sementera a sementera, lo condena Dios... ¿cómo no condenará el ocupar tanta tierra para sola montería? ¿O cómo no oirá a los que se quejaren de semejantes desafueros? [132].

También Sancho, con su natural y avasallador sentido común, renuncia a tales ejercicios y censura la vanidad ociosa de quienes los practican:

...no querría yo que los príncipes y los reyes se pusiesen en semejantes peligros, a trueco de un gusto que parece que no lo había de ser, pues consiste en matar a un animal que no ha cometido delito alguno... el buen gobernador, la pierna quebrada, y en casa. ¡Bueno sería que viniesen los negociantes a buscarle fatigados, y él estuviese en el monte holgándose! ¡Así enhoramala andaría el gobierno! Mía fe, señor, la caza y los pasatiempos más han de ser para los holgazanes que para los gobernadores (II, 34) [133].

Las justas, torneos, juegos de cañas y corridas de toros son otros tantos pasatiempos con los que el noble llena sus horas de ocio y da esplendor a fiestas y celebraciones. Son deportes típicamente nobiliarios, que constituyen, como la caza, un simulacro de las incidencias y lances del combate [134]: en ellos se acreditan los bríos, se demuestra

---

[131] Carmelo Viñas Mey, *El problema de la tierra,* págs. 65 y sigs.

[132] *Ibíd.,* págs. 66-67.

[133] Cfr.: «Otro día, habiendo visto en muchas alcándaras muchos neblíes y otros pájaros de volatería, dijo que la caza de altanería era digna de príncipes y de grandes señores; pero que advirtiesen, que con ella echaba el gusto censo sobre el provecho a más de dos mil por uno» (*El Licenciado Vidriera,* BAE, I, pág. 162).

[134] Los torneos a pie y a caballo, según Covarrubias «se introduxeron a fin que la cavallería y la infantería se exercitassen en las armas para estar diestros en ellas quando saliessen a pelear con sus enemigos» (*op. cit.,* pág. 968). Sobre el juego de cañas escribe

la valentía de los participantes, y se ofrecen ocasiones para la cortesía, la diversión y la ostentación [135]. Por eso aunque la profesión de caballero andante supera a todas las otras, don Quijote ve con buenos ojos al cortesano que, valeroso y bizarro, muestra su arrojo en la ejecución de tales ejercicios. Él mismo piensa participar, cuando llegue a Zaragoza, en:

> ...unas solemnísimas justas por la fiesta de San Jorge, en las cuales podría ganar fama sobre todos los caballeros aragoneses, que sería ganarla sobre todos los del mundo (II, 4).

Y a don Diego de Miranda le explica:

> Bien parece un gallardo caballero, a los ojos de su rey, en la mitad de una plaza, dar una lanzada con felice suceso a un bravo toro; bien parece un caballero, armado de resplandecientes armas, pasar la tela en alegres justas delante de las damas, y bien parecen todos aquellos caballeros que en ejercicios militares, o que lo parezcan, entretienen y alegran, y, si se puede decir, honran las cortes de sus príncipes (II, 17).

La eterna fusión del galanteo y la guerra, el peligro y el amor, típica por otra parte del mundo medieval [136], aparece muy clara en estos festejos en que, tras los alardes de bravura y heroísmo, el caballero concluye el día, rodeado de damas, en el banquete, el baile o el sarao. Durante su estancia en Barcelona, don Quijote es agasajado espléndidamente por don Antonio Moreno, y al enumerar los festejos con que se honra al pintoresco huésped, el narrador declara:

> Llegó la noche; volviéronse a casa; hubo sarao de damas, porque la mujer de don Antonio, que era una señora principal y alegre, hermosa y discre-

---

Quevedo: «Amagos generosos de la guerra / en esa mano diestra esclarecidos / militan, y estremecen referidos, / y el ademán ejércitos encierra» («Al Rey nuestro señor saliendo a jugar cañas», *Poesía original completa*, ed. cit., pág. 274).

[135] Un personaje cargado de ínfulas nobiliarias, Diego Duque de Estrada, recuerda con orgullo en sus memorias: «Ejercitábamos también armas, justar, tornear, correr lanzas al estafermo, sortija, cañas y toros, en que particularmente arriesgaba yo con mi gusto la vida» (*Comentarios de el desengañado de sí mesmo,* en *Autobiografías de soldados (siglo XVII),* BAE, XC, pág. 263).

[136] Johan Huizinga, *El otoño de la Edad Media,* Madrid, Edit. Revista de Occidente, 1967, págs. 117 y sigs.

ta, convidó a otras sus amigas a que viniesen a honrar a su huésped y a gustar de sus nunca vistas locuras. Vinieron algunas, cenóse espléndidamente y comenzóse el sarao casi a las diez de la noche.

(...)

Los caballeros de la ciudad, por complacer a don Antonio y por agasajar a don Quijote y dar lugar a que descubriese sus sandeces, ordenaron de correr sortija de allí a seis días (II, 62).

En las bodas del Marqués de Camarasa, a las que asistió Alonso Enríquez de Guzmán en 1543, los invitados fueron también obsequiados con:

...buena compaña de cavalleros, damas hermosas y seraos y danças, comidas y çenas, justas y juegos de cañas y toros por tiempo de seis días [137].

Y en Nápoles, según nos explica Diego Duque de Estrada, las diversiones de los caballeros españoles eran muy parecidas a las que don Antonio Moreno Moreno organizó en Barcelona para obsequiar a sus invitados:

Era aquella casa el refugio de la caballería española, paseantes y retirados, porque sólo se trataba de juego (con que se mantenía la casa y dueño), banquetes a costa común, música y ejercicios de armas y bailes [138].

Los festejos forman parte esencial de esa concepción noble de la vida en la que, como hemos señalado, el lujo superfluo, el ocio y el derroche son muestras importantes del rango y la calidad, y en que un torneo o un baile vistosos, igual que el banquete opulento o la servidumbre numerosa, sirven para deslumbrar y enamorar a una dama [139], para elevar la categoría de un caballero a los ojos de los demás, o para ayudarle a alcanzar un lugar más alto en la escala social. Juan Rufo refiere, por ejemplo, la siguiente anécdota:

Contaba un cortesano viejo que en tiempo del Emperador vino a la Corte un señorazo que deseaba ser Grande... solicitaba su honroso fin, asistiendo en la Corte con excesivo gasto, haciendo plato con esplendor y curiosidad

---

[137] *Op. cit.,* pág. 235.

[138] *Op. cit.,* pág. 348.

[139] Enamorado de una dama, Guzmán de Alfarache explica: «Por ella corrí sortijas y toros, jugué cañas, mantuve torneos y justas, ordené saraos y máxcaras» (ed. cit., volumen III, pág. 137).

no vista, empleando su persona en sortijas y torneos, y despertando el gusto
destos ejercicios, que días había estaba prostrado en los caballeros cortesanos [140].

Cuando el cirujano Rodrigo de Cervantes pleiteó en Valladolid para lograr que se le reconociese su «notoria hidalguía», y librarse así
de cumplir pena de prisión por impago de deudas, algunos testigos
declararon, como argumento favorable a la nobleza del litigante:

> ...este testigo los a visto jugar cañas al dicho Rodrigo de Çerbantes que
> litiga, en la dicha villa de alcalá, e a otro su hermano que es muerto, e
> jugar sortija, con caballos buenos e poderosos, como tales caballeros e hijos
> dalgo [141]... juntarse e acompañarse con gente noble en esta villa asý en jue-
> gos de cañas e torneos y en otros exerçiçios de hijos dalgo... [142].

Y don Quijote incluye tales diversiones entre las variadas muestras
de ostentación, riqueza y poder con que un caballero puede sobresalir
en la Corte:

> Todos los caballeros tienen sus particulares ejercicios: sirva a las damas
> el cortesano; autorice la corte de su rey con libreas; sustente los caballeros
> pobres con el espléndido plato de su mesa; concierte justas, mantenga tor-
> neos, y muéstrese grande, liberal y magnífico... (II, 17).

Aunque los nobles vivían rodeados de siervos y aduladores, dispuestos siempre a complacerlos, y tenían dinero suficiente para satisfacer todos los caprichos, cualquier oportunidad era buena para idear
nuevas diversiones y ahuyentar así el aburrimiento que engendra la
inactividad. El éxito que las novelas pastoriles alcanzan entre los nobles y cortesanos de la época de Felipe II, puede explicarse, precisamente, por las variadas sugerencias que tales narraciones ponían a disposición de una clase ociosa, ávida de amor estilizado, fiestas y galan-
teos [143]. Las églogas y las historias de pastores aludían con frecuen-

---

[140] Juan Rufo, *Las seiscientas apotegmas y otras obras en verso,* ed. de Alberto
Blecua, Madrid, CC, 1972, pág. 116.
[141] F. Rodríguez Marín, *Nuevos documentos cervantinos,* pág. 90.
[142] *Ibíd.,* pág. 146.
[143] Francisco López Estrada, *Los libros de pastores en la literatura española,* Madrid, Edit. Gredos, 1974, págs. 490 y sigs.; Maxime Chevalier, «La *Diana* de Montemayor

cia a sucesos reales de la vida cortesana, y los nobles solían reforzar la autenticidad de tales relatos representando en sus fiestas, mediante el disfraz y la ficción teatral, escenas de la vida pastoril. Entre los entretenimientos del Duque de Alba figuraba el disfrazarse de pastor bajo el nombre de Anfriso [144], y en muchas celebraciones aparecen caballeros con vestidos de pastores: en Madrid, en las bodas del Duque de Sessa, celebradas en 1541; en Bayona, en 1565, con motivo de la estancia de Isabel de Valois; en Madrid, en 1590, en un juego de sortija; en Sevilla, en una fiesta de la parroquia de San Salvador, el año 1594 [145]. Sancho y don Quijote pasan, camino de Barcelona, cerca de una aldea en que las gentes nobles suelen dedicar algunos ratos a esta clase de ejercicios:

> En una aldea que está hasta dos leguas de aquí, donde hay mucha gente principal y muchos hidalgos y ricos, entre muchos amigos y parientes se concertó que con sus hijos, mujeres y hijas, vecinos, amigos y parientes nos viniésemos a holgar a este sitio, que es uno de los más agradables de todos estos contornos, formando entre todos una nueva y pastoril Arcadia, vistiéndonos las doncellas de zagalas y los mancebos de pastores. Traemos estudiadas dos églogas, una del famoso poeta Garcilaso, y otra del excelentísimo Camoes, en su misma lengua portuguesa, las cuales hasta agora no hemos representado (II, 58).

«NO ESTABAN LOS DUQUES DOS DEDOS DE PARECER TONTOS»

No todas las diversiones de la gente noble tuvieron la misma apariencia inocente y sublime, y no falta quien señale lo impropio de muchos pasatiempos nobiliarios, ni quien censure la dejación que los señores han hecho de sus funciones tradicionales. Marco Antonio Camos, por ejemplo, escribe:

> ... más alto puso la mira y más pretendió el que instituyó la milicia y el estado de los nobles caualleros y hidalgos, de aquello en que vemos se occu-

---

y su público en la España del siglo XVI», en *Creación y público en la literatura española,* Madrid, Castalia, 1974, págs. 40-55.

[144]   A. Salcedo Ruiz, *op. cit.,* pág. 28.

[145]   M. Chevalier, *op. cit.,* pág. 45.

pan muchos de ellos: que no para passar la vida en ocio, trasnochar y no
madrugar, ni para comer ni beuer en demasía y con sobrado regalo fue halla-
do... no para estar en plaças y corrillos murmurando con pláticas perjudiciales, y hallando tacha en su próximo sin perdonar del cielo abaxo a persona
viviente... no para entretenerse solamente en sus fiestas y juegos... no para
dar bueltas ni para festejar los seraos, ni para baylar, dançar y hazerse
máscaras [146].

Don Quijote lamenta la sustitución de los esforzados caballeros de
antaño por otros más habituados a las sedas, brocados y damascos,
que a los rigores de la cota de malla; y añade:

Cuán provechosos y cuán necesarios fueron al mundo los caballeros andantes en los pasados siglos, y cuán útiles fueran en el presente si se usaran;
pero triunfa ahora, por pecados de las gentes, la pereza, la ociosidad, la
gula y el regalo (II, 18).

La hermosa Antonomasia quedó prendada de un caballero que, además de tocar la guitarra, «era poeta y gran bailarín, y sabía hacer
una jaula de pájaros, que solamente a hacerlas pudiera ganar la vida»
(II, 38). Y Berganza comenta:

...apode el truhán, juegue de manos y voltee el histrión, rebuzne el pícaro,
imite el canto de los pájaros y los diversos gestos y acciones de los animales
y los hombres el hombre bajo que se hubiere dado a ello, y no lo quiera
hacer el hombre principal, a quien ninguna habilidad destas le puede dar
crédito ni nombre honroso... que me pesa infinito cuando veo que un caballero se hace chocarrero y se precia que sabe jugar los cubiletes y las agallas,
y que no hay quien como él sepa bailar la chacona [147].

Entre tantos entretenimientos indecentes, el juego fue uno de los
más extendidos entre los nobles y de los más censurados por los moralistas. Para un caballero inglés, el juego era un apartado más de sus
gastos personales, y el saber manejar las cartas o los dados tenía tanta
importancia como la habilidad para la equitación o el baile [148]. Res-
pecto a la popularidad del juego entre las gentes acomodadas de Espa-

---

[146]   *Op. cit.,* pág. 174.
[147]   *El coloquio de los perros,* BAE, I, pág. 230.
[148]   L. Stone, *op. cit.,* pág. 257.

ña, podrían recogerse numerosos ejemplos. Recordemos que Sancho, durante su ronda por la ínsula Barataria, topó con una riña entre un jugador ganancioso y un hombre principal que pretendía cobrar el «barato», y, tras apaciguar y castigar a los contendientes, tomó esta valiente determinación:

> —Ahora, yo podré poco, o quitaré estas casas de juego; que a mí se me trasluce que son muy perjudiciales (II, 49).

Pero la ejecución de tan saludable propósito choca con un obstáculo que no tarda en señalar un escribano:

> —Ésta, a lo menos —dijo un escribano—, no la podrá vuesa merced quitar, porque la tiene un gran personaje, y más es, sin comparación, lo que él pierde al año que lo que saca de los naipes. Contra otros garitos de menor cantía podrá vuesa merced mostrar su poder, que son los que más daño hacen y más insolencias encubren; que en las casas de los caballeros principales y de los señores no se atreven los famosos fulleros a usar sus tretas; y pues el vicio del juego se ha vuelto en ejercicio común, mejor es que se juegue en las casas principales que no en la de algún oficial, donde cogen a un desdichado de media noche abajo y le desuellan vivo *(Ibid.).*

La ínsula Barataria no es, en este aspecto, ninguna excepción: también Castillo de Bovadilla recomienda a los corregidores la máxima dureza con los tahúres, fulleros y garitos de juego; aunque establece, como el escribano que acompaña a Sancho, una importante salvedad:

> El rigor que auemos dicho en el visitar y castigar los jugadores y casas de juego, no se entiende con algunas casas de caualleros, o personas ciudadanas principales, donde suelen juntarse a jugar, más por vía de entretenimiento y conuersación, que a juegos rezios... [149].

Como el hastío de los nobles suele ser inacabable, muchos palacios señoriales y casas de caballeros, igual que las cortes de los reyes, cuentan con un séquito de bufones, truhanes y juglares, especializado en combatir el tedio del señor y de sus invitados con gracias y desvergüenzas poco adecuadas, en opinión de muchos, para ser dichas ante tales

---

[149] *Op. cit.,* vol. I, pág. 676.

auditorios [150]. Los Duques, hartos de diversiones monótonas y ceremonias insípidas, van a tratar de utilizar a Sancho y don Quijote como
un antídoto contra el aburrimiento, transformándolos por unos días
en dos bufones con un inacabable repertorio de actuaciones a cuestas.
Ya a la puerta del palacio ducal, doña Rodríguez recrimina a Sancho:

> —Hermano, si sois juglar —replicó la dueña—, guardad vuestras gracias
> para donde lo parezcan y se os paguen; que de mí no podréis llevar sino
> una higa (II, 31).

Y don Quijote, como si presintiera el papel que su escudero va
a desempeñar en los siguientes capítulos de la novela, le reprende
diciendo:

> —Dime, truhán moderno y majadero antiguo: ¿parécete bien deshonrar
> y afrentar a una dueña tan veneranda y tan digna de respeto como aque-
> lla?... No, no, Sancho amigo; huye, huye destos inconvenientes; que quien
> tropieza en hablador y en gracioso, al primer puntapié cae y da en truhán
> desgraciado *(Ibíd.).*

Las burlas, entre insípidas y crueles, que los Duques organizan con
sus huéspedes, dicen muy poco en favor del talante moral de quien

---

[150] *Truhán,* según Covarrubias, es: «El chocarrero burlón, hombre sin vergüenza,
sin honra y sin respeto; este tal, con las sobredichas calidades, es admitido en los palacios
de los reyes y en las casas de los grandes señores, y tiene licencia de dezir lo que se
le antojare, aunque es verdad que todas sus libertades las viene a pagar, con que le
maltratan de cien mil maneras y todo lo sufre por su gula y avaricia, que come muy
buenos bocados, y quando le parece se retira con mucha hazienda» *(op. cit.,* pág. 981).
Chocarrero «... es hombre de burlas, y con quien todos se burlan; y también se burla
él de todos, porque con aquella vida tienen libertad y comen y beven y juegan; y a
vezes medran más con los señores que los hombres honrados y virtuosos y personas de
letras. Dizen que los palacios de los príncipes no pueden passar sin éstos» *(ibíd.,* pág. 437).
«... lo que suele mucho vsarse en la corte, y en las casas de los señores: que de ordinario
en la comida y cena acuden truanes y chocarreros, y allí anda la adulación y chocarrería,
la tabaola, y música de guitarras, a cuyo son desplegan coplas desonestas» (Marco Antonio Camos, *op. cit.,* pág. 149); «... se introdujo la asistencia a las mesas de los príncipes
de bufones, de locos y de hombres mal formados. Los errores de la naturaleza y el des-
concierto de los juicios son sus divertimientos. Se alegran de oír alabanzas disformes
que, cuando las excuse la modestia, como dichas de un loco, las aplaude el amor propio,
y hechas las orejas a ellas, dan crédito después a las de los aduladores y lisonjeros»
(Saavedra Fajardo, *op. cit.,* pág. 197).

las inventa y del carácter avieso y servil del que las ejecuta. No sin razón apunta el cura que sirve en casa de los Duques:

> —Por el hábito que tengo, que estoy por decir que es tan sandio vuestra excelencia como estos pecadores. ¡Mirad si no han de ser ellos locos, pues los cuerdos canonizan sus locuras! (II, 32).

A lo que, abundando en la crítica, añade Cide Hamete Benengueli:

> ...que tiene para sí ser tan locos los burladores como los burlados, y que no estaban los Duques dos dedos de parecer tontos, pues tanto ahínco ponían en burlarse de dos tontos (II, 70).

Además de descuidar el gobierno de su estado y desoír las reclamaciones de sus súbditos, los Duques aprovechan de manera egoísta y abusiva sus poderes para burlarse de un labrador de buena fe, al que transforman en gobernador de sus vasallos y en bufón involuntario de una farsa teatral. Estos gestos de hostilidad y burla hacia el labriego son comunes, en aquel momento, a todos los grupos sociales, y frecuentes de manera especial entre la población urbana, a la que agrada contrastar sus propios modales con las toscas maneras del rústico. Fray Benito de Peñalosa señalaba, en este sentido, que:

> ...quando vn Labrador viene a la Ciudad y más quando viene a algún pleyto, quién podrá ponderar las desuenturas que padece, y los engaños que todos le hazen, burlando de su vestido, y lenguage... [151].

Esta actitud de menosprecio hacia los labradores se da también entre los autores dramáticos, que, especialmente en el siglo XVI, utilizan la zafiedad y torpeza del villano para disparar la risa del público [152]. Todavía en 1629, pese a los esfuerzos de Lope y su escuela para restaurar el honor de los labriegos:

> Los menages, y ajuares de sus casas, y bodas son de risa, y entretenimiento a los cortesanos: y estas comedias y entremeses de agora los pintan, y remedan haziéndoles aún más incapaces, contrahaziendo sus toscas acciones por más risa del Pueblo [153].

---

[151] *Op. cit.,* fol. 169.
[152] Noël Salomon, *Recherches sur le thème paysan,* págs. 5 y sigs., y 187 y sigs.
[153] Fray Benito de Peñalosa, *op. cit.,* fol. 169.

El regocijo que el campesino provoca con sus toscos ademanes, se ve multiplicado si, como ocurre en los lugares de pocos vecinos, el gobierno municipal y la administración de la justicia están en manos de pobres lugareños analfabetos. Covarrubias señalaba, a propósito de tales personajes:

> Ay muchas diferencias de alcaldes; los preeminentes son los de Casa y Corte de Su Magestad y los de las Chancillerías, y los ínfimos los de las aldeas, los quales, por ser rústicos, suelen dezir algunas simplicidades en lo que proveen, de que tomaron nombre alcaldadas [154].

Los alcaldes y las *alcaldadas* son aprovechados también por los dramaturgos para acentuar la comicidad de sus comedias y entremeses. En las obras de Lope, el tipo del alcalde aparece desde 1590 aproximadamente, y durante los años siguientes lo encontramos en las de Vélez de Guevara, Castillo Solórzano, Cubillo de Aragón, Cervantes o Quiñones de Benavente [155]. En *Pedro de Urdemalas* Cervantes introduce un alcalde rústico, Crespo, que, a pesar de sus pocas luces, afirma seguro:

> Tan tiestamente pienso hazer justicia,
> como si fuera un sonador romano [156].

En *La elección de los alcaldes de Daganzo,* divertido entremés en que los labriegos compiten para obtener la vara del gobierno municipal, los méritos que alegan los pretendientes al cargo son saber catar vinos, tirar con arco, remendar zapatos, herrar novillos, no saber leer y, sobre todo, ser cristianos viejos «a todo ruedo»; y en *El retablo de las maravillas* vuelven a aparecer en escena las figuras cómicas del alcalde, Benito Repollo, y el regidor, Juan Castrado, labriegos grotescos y engreídos a los que burlan Chanfalla y Chirinos [157].

---

[154]   *Op. cit.,* pág. 72.

[155]   Véase Eugenio Asensio, *Itinerario del entremés. Desde Lope de Rueda a Quiñones de Benavente,* Madrid, Edit. Gredos, 1965, págs. 154 y sigs.; y Noël Salomon, *op. cit.,* págs. 92 y sigs.

[156]   BAE, CLVI, pág. 426.

[157]   El mismo sentido burlesco tiene la historia del rebuzno (II, 27): «... no hace al caso a la verdad de la historia ser los rebuznadores alcaldes o regidores, como ellos una por una hayan rebuznado; porque tan a pique está de rebuznar un alcalde como

También Sancho, como los alcaldes de los entremeses y comedias, carece, en apariencia, de las cualidades que el saber político de la época, y el mismo sentido común, exigen a quien ha de desempeñar un cargo de gobierno. Para Fadrique Furió Ceriol, el consejero de un príncipe ha de ser «de alto y raro ingenio», «que sepa las artes del bien hablar», «que sepa muchas lenguas», «haya visto y leído con muy grande atención y examinado sotilmente las historias antiguas y modernas», y «andado y visto muchas tierras» [158]. Y, según Jerónimo Castillo de Bovadilla, las virtudes que ha de tener un corregidor son:

> ...la primera, sabiduría, porque no se yerre en el gouierno: la segunda, buen linage, porque no se menosprecie lo mandado: y la tercera, poder de virtud para executar [159].

Sancho, en cambio, es analfabeto, apenas ha salido de su aldea, carece de otra ciencia que no sean sus refranes, y hasta en su figura desentona con la importante misión que el Duque le ha encomendado; porque el hombre que ocupa un cargo público, debe ser:

> ...de mediano talle en el altor y grosura; porque cualquier extremo en esta parte paresce mal, y quita de la autoridad perteneciente al consejero... y por la misma causa debe desechar al muy grueso y al muy flaco, porque no hay quien deje de reír viendo a un hombre que es un tonel o un otro que sea como un congrio soleado... [160].

Mientras que, al hacer su entrada en la ínsula Barataria:

> El traje, las barbas, la gordura y pequeñez del nuevo gobernador tenía admirada a toda la gente que el busilis del cuento no sabía, y aun a todos los que lo sabían, que eran muchos (II, 45).

De la ignorancia, ademanes groseros y ridículo porte del nuevo gobernador no pueden esperarse más que tropiezos y despropósitos,

---

un regidor». Cfr.: «Señor Alcalde, yo no he topado en la plaza asnos ningunos, sino a los dos regidores Berrueco y Crespo, que andan en ella paseándose. —Por asnos os envié yo, majadero, que no por regidores» (*Persiles,* BAE, I, pág. 643). La anécdota del rebuzno de los alcaldes es de origen folklórico, y la recoge Correas en uno de sus refranes: «Rrebuznaron en balde el uno i el otro alkalde» (ed. cit., pág. 571).

[158] *El Concejo y consejeros del Príncipe,* BAE, XXXVI, págs. 324-327.
[159] *Op. cit.,* vol. I, pág. 102.
[160] Furió Ceriol, *op. cit.,* pág. 333.

que harán las delicias de los Duques y ofrecerán, para regocijo de todos, una escenificación viva y real de las *alcaldadas* chuscas del entremés. Pero no salen los burladores fácilmente con su intento. Los Duques, cuya única preocupación son las cazas y festejos, tendrían mucho que aprender de los prudentes consejos con que don Quijote alecciona al futuro gobernador de la Barataria [161]; y éste, gracias a su ingenio natural y a las sabias advertencias de su amo, se convierte en juez justo y administrador eficaz de unos vasallos que, habituados a la desidia y las arbitrariedades de los señores, recordarán con nostalgia aquel brevísimo gobierno. La discreción de Sancho al dictar las sentencias, su firmeza en ejecutarlas, las justas disposiciones dictadas durante su mandato, sirven de escarmiento a los burladores y permanecen para siempre en el recuerdo de los súbditos:

> En resolución, él ordenó cosas tan buenas, que hasta hoy se guardan en aquel lugar, y se nombran «Las constituciones del gran gobernador Sancho Panza» (II, 51).

Durante el ejercicio de su cargo, la figura del gobernador adquiere una calidad y un perfil nuevos, se eleva y engrandece ante nuestros ojos, mientras los Duques, señores de vidas y haciendas, quedan muchas varas por debajo del hidalgo loco y el labriego analfabeto:

> ...señor gobernador —dijo el mayordomo—... estoy admirado de ver que un hombre tan sin letras como vuesa merced, que, a lo que creo, no tiene ninguna, diga tales y tantas cosas llenas de sentencias y de avisos, tan fuera de todo aquello que del ingenio de vuesa merced esperaban los que nos enviaron y los que aquí venimos. Cada día se veen cosas nuevas en el mundo: las burlas se vuelven veras y los burladores se hallan burlados (II, 49).

---

[161] «... en acabando de comer don Quijote el día que dio los consejos a Sancho, aquella tarde se los dio escritos, para que él buscase quien se los leyese; pero apenas se los hubo dado, cuando se le cayeron y vinieron a manos del Duque, que los comunicó con la Duquesa, y los dos se admiraron de nuevo de la locura y del ingenio de don Quijote» (II, 44).

«LA VERDADERA NOBLEZA
CONSISTE EN LA VIRTUD»

En la sociedad de estamentos, la distribución escalonada de los individuos en categorías sociales es obra de la providencia divina, y reflejo de la disposición jerárquica que preside el orden celestial [162]: el rey lo es por voluntad de Dios, y, sujetos a esta suprema autoridad, todos los demás estados plasman los designios del Creador en el gobierno de los hombres. Ahora bien, entre las disposiciones celestiales y la sociedad civil existe un eslabón intermedio: *la sangre* [163], que actúa como causa segunda o vehículo por el que el individuo, de acuerdo con los deseos de Dios, queda adscrito a un linaje y vinculado a un estamento. Por eso, cuando Calderón afirma que «la sangre la da el cielo» [164], o cuando otros escritores hablan de la «sangre alta e ilustre» de los nobles o del «vil nacimiento y oscura sangre» del plebeyo, no están empleando metáforas: la sangre es, en efecto, según la doctrina comúnmente aceptada, el medio físico por el que las virtudes y excelencias del noble, la ruindad del villano y la mancha del converso se trasmiten a los descendientes. Para Zabaleta, por ejemplo, «la sangre ruin engendra pensamientos ruines» [165], y ello es debido a que:

Todos engendran su semejante. El hombre engendra hombre; el bueno engendra bueno; no es lo último preciso, pero es ordinario. En el trigo, para

---

[162] Bartolomé Bennassar, *La España del Siglo de Oro,* Barcelona, Edit. Crítica, 1983, págs. 39 y sigs. Cfr.: «Dios crió el mundo con estos grados de superioridad, que en el cielo hay unos ángeles superiores a otros, y en el mundo se van imitando estos mismos grados de personas, para que los inferiores obedezcamos a los superiores» (Vicente Espinel, *Vida del escudero Marcos de Obregón,* ed. de Samuel Gili Gaya, Madrid, CC, 1970, 2 vols., vol. I, pág. 173). «... quiere Dios que haya diferencias de personas y estados: y así, a unos da haciendas de patrimonios, con que coman y vivan con descanso, y con que hagan bien a pobres; y otros quiere que ganen con su sudor la comida» (Cristóbal Pérez de Herrera, *Amparo de pobres,* ed. de Michel Cavillac, Madrid, CC, 1975, pág. 156).
[163] Véase José Antonio Maravall, *Poder, honor y élites,* págs. 41 y sigs.; y Arlette Jouanna, *Ordre social,* págs. 15 y sigs., y passim.
[164] Cit. por J. A. Maravall, *Poder, honor y élites,* pág. 45.
[165] Juan de Zabaleta, *El día de fiesta por la tarde,* ed. de José María Díez Borque, Madrid, Hispánicos Planeta, 1977, pág. 89.

estimarle, se atiende mucho al campo que le produce. En los hombres, para estimarlos, se atiende mucho a la sangre de que descienden [166].

Por eso, la nobleza no suele ser considerada únicamente como un sector privilegiado de la escala social [167], sino, ante todo, como el conjunto de cualidades excelsas que posee desde su nacimiento el individuo de sangre ilustre:

> La causa de auer sido tan estimada en todo el mundo la nobleza, y ser conocida de todas las naciones [afirma Moreno de Vargas]... fue porque en ellos comúnmente se hallan muchas virtudes, y excelencias, como pimpollos de su primera causa y raýz, que fue la misma virtud: porque de ordinario, y por la mayor parte, los nobles Caualleros hijosdalgo tienen todas las virtudes, assí morales, como Teologales [168].

Y según Castillo de Bovadilla:

> Es la nobleza total ocasión de hazer los hombres altiuos, magnánimos, esforçados, liberales, mesurados, sufridos, y leales... Finalmente de los no-

---

[166] Juan de Zabaleta, *Errores celebrados,* ed. de David Hershberg, Madrid, CC, 1972, pág. 24. «Ésta es la presunción de las gentes, que vn hijo de vn traidor y de vn herege puede tener la opinión mala del padre, y su misma inclinación, como sea cierto que por la mayor parte parecen los hijos a sus padres, y dura esta presunción hasta la generación quarta, porque como he dicho se sospecha del hijo que parezca al padre...» (Jerónimo Jiménez de Urrea, *Tratado de la verdadera honrra militar,* Venecia, 1566, fol. 108). Cfr.: Para Louis Le Caron (*Questions diverses et discours,* París, 1579, fol. 83): «Aux Rois, Princes, et grands Seigneurs, lesquels surpassent d'autant plus les plus excellents hommes,... y a une semence naturelle, qui les rend dignes de gouverner: laquelle par succession descend aux enfants, et les fait héritiers de cette même excellence, qui est appelée noblesse». Los plebeyos, en cambio, según Alexandre de Pontaymery (*Livre de la Parfaite Vaillance,* París, 1596, pág. 146), «ne peuvent avoir l'honneur si vivement empreint au front et en l'âme que ceux qui naturellement sont héritiers de je ne sais quelle admirable et sainte vertu qui paraît devantage ès jeunes esprits de la Noblesse qu'en ceux du tiers état, lesquels ont toujours des conceptions faibles et n'élèvent jamais leur pensée si ce n'est au mal, comme à la sédition ou au gain infâme et déshonnête». (Ambas citas en Arlette Jouanna, *op. cit.,* págs. 35-36).

[167] Podrían citarse, sin embargo, multitud de opiniones y escritos opuestos a la nobleza. Véase, sobre este aspecto, Miguel Herrero García, «Ideología española del siglo XVII: la nobleza», *RFE,* XIV, 1927, págs. 33-58 y 161-175; y A. Domínguez Ortiz, *Las clases privilegiadas,* págs. 191 y sigs. Véanse, más adelante, las págs. 77 y sigs.

[168] *Op. cit.,* fols. 52-53.

bles siempre se presume qualquier cosa buena y virtuosa, y por el contrario... no se presume que los nobles hagan trayción alguna [169].

Esta identificación entre el linaje y el talante de las personas, rebasa el campo de la moral y se extiende a los más variados ámbitos del comportamiento humano. El ser individual y el ser social del hombre quedan equiparados, y la configuración de la personalidad llega a depender, de manera casi exclusiva, de la adscripción del individuo a una determinada categoría social. El estamento funciona así —ya lo hemos visto [170]— como la esfera de distribución de un variado repertorio de usos y atribuciones: la sangre es la que determina los modelos de conducta, la compostura externa, la manera de vestirse, las ocupaciones y el ocio, la riqueza y el gasto, e incluso el aspecto físico de las gentes [171]. Y así, el nacimiento ilustre del noble se manifiesta forzosamente en su rostro, palabras y actos, de la misma manera que la grosería y los bajos instintos del villano denuncian de inmediato su ruin linaje. Cuando Guzmán de Alfarache iba a cumplir su condena en las galeras, el Comisario le advierte:

...he reconocido en ti cierta nobleza, que debe proceder de alguna buena sangre [172].

En otro pasaje de la novela, un personaje argumenta:

Debéis de ser mal nacido y tan bajos pensamientos no arguyen menos que humilde linaje [173].

Y en *El mejor alcalde, el rey* [174], de Lope, leemos:

---

[169] *Op. cit.*, vol. I, págs. 92-93.
[170] Véanse antes, las págs. 42 y sigs.
[171] Véase Arlette Jouanna, *op. cit.*, págs. 91 y sigs.
[172] *Ed. cit.*, vol. V, pág. 134.
[173] *Ibíd.*, vol. III, pág. 101. En el prólogo de la primera parte de su novela, Mateo Alemán escribe: «De las cosas que suelen causar más temor a los hombres, no sé cuál sea mayor o pueda compararse con una mala intención; y con mayores veras cuanto más estuviese arraigada en los de oscura sangre, nacimiento humilde y bajos pensamientos: porque suele ser en los tales más eficaz y menos corregida» (*ibíd.*, vol. I, pág. 27).
[174] Sobre la presencia de estos temas en el teatro, véase J. M. Díez Borque, *Sociología de la comedia española del siglo XVII*, Madrid, Cátedra, 1976, págs. 273 y sigs.

> No es posible que no tengas
> Buena sangre, aunque te afligen
> Trabajos, y que de origen
> De nobles personas vengas,
> Como muestra tu buen modo
> De hablar y de proceder [175].

La sangre ilustre tiene tal fuerza, que resplandece en el rostro del noble; igual que al pícaro, aunque se disfrace con las mejores galas, le resulta imposible disimular su origen. En *La moza del cántaro,* de Lope, la belleza y la conducta elevada califican a la protagonista, aunque ésta tenga que vestir paños toscos y dedicarse a los menesteres más humildes [176]; y en el *Buscón,* cuando don Diego Coronel descubre la auténtica identidad del pícaro, que se pretendía hacer pasar por caballero:

> ...las viejas, tía y madre, dijeron que cómo era posible que a un caballero tan principal se pareciese un pícaro tan bajo como aquél [177].

También la afabilidad y la discreción suelen ser, en las creaciones cervantinas, el resultado de un nacimiento ilustre. A un personaje del *Persiles,* por ejemplo:

> ...dieron luego orden de enterralle como mejor pudieron, sirvióle de mortaja su mismo vestido, de tierra la nieve y de cruz la que le hallaron en el pecho en un escapulario, que era la de Cristo, por ser caballero de su hábito; y no fuera menester hallarle esta honrosa señal para enterarse de su nobleza, pues las habían dado bien claras su grave presencia y razonar discreto [178].

Carriazo, el joven noble convertido en pícaro:

> ...mostraba... ser un príncipe en sus obras: a tiro de escopeta en mil señales descubría ser bien nacido, porque era generoso y bien partido con sus camaradas [179].

---

[175] BAE, XXIV, pág. 486.
[176] *Ibíd.,* págs. 549 y sigs.
[177] *Ed. cit.,* pág. 243.
[178] BAE, I, págs. 575-576.
[179] *La ilustre fregona,* BAE, I, pág. 183.

Cardenio, aunque vivía como un salvaje entre los riscos de Sierra Morena:

> ...era un gentil y agraciado mancebo, y en sus corteses y concertadas razones mostraba ser bien nacido... (I, 23).

Mientras que Sancho, por su origen villano, es bellaco, mal mirado, descompuesto y atrevido (I, 46); y su señor no duda en afirmar:

> ...que el hacer bien a villanos es echar agua en la mar (I, 23).

En fin, la sangre tiene un poder tan extraordinario, que las virtudes o tachas de un individuo pueden propagarse a todo su linaje, y a ello alude Sancho burlonamente en uno de los últimos pasajes de la novela:

> Si los escuderos fuéramos hijos de los caballeros a quien servimos, o parientes suyos muy cercanos, no fuera mucho que nos alcanzara la pena de sus culpas, hasta la cuarta generación; pero ¿qué tienen que ver los Panzas con los Quijotes? (II, 68).

Don Quijote acepta estos principios porque sabe que, para realizar sus sueños y alcanzar la honra que tanto anhela, necesita llevar a sus espaldas un linaje intachable: sólo así le será concedida la mano de la princesa, y logrará el trono de un extenso reino:

> ...no sé yo cómo se podía hallar que yo sea de linaje de reyes, o, por lo menos, primo segundo de emperador; porque no me querrá el Rey dar a su hija por mujer, si no está primero muy enterado en esto, aunque más lo merezcan mis famosos hechos; así que, por esta falta, temo perder lo que mi brazo tiene bien merecido. Bien es verdad que yo soy hijodalgo de solar conocido... y podría ser que el sabio que escribiese mi historia deslindase de tal manera mi parentela y decendencia, que me hallase quinto o sexto nieto de rey (I, 21).

Cuando la doncella, que actúa como tercera en los supuestos amores del caballero y la princesa, va a ver a su señora, ésta la recibe con lágrimas:

> ...y le dice que una de las mayores penas que tiene es no saber quién sea su caballero, y si es de linaje de Reyes o no *(ibíd.)*.

Pero, como los hechos virtuosos y el valor sólo pueden ser el resultado de un buen nacimiento, la doncella asegura:

> ...que no puede caber tanta cortesía, gentileza y valentía como la de su caballero sino en sujeto real y grave *(ibíd.)*.

También la sangre ilustre y el linaje noble sirven para realzar las muchas cualidades de Dulcinea, porque:

> ...sobre la buena sangre resplandece y campea la hermosura con más grados de perfección que en las hermosas humildemente nacidas (II, 32).

Y así, Aldonza Lorenzo, una labradora con ciertas puntas de morisca [180], se transforma en Dulcinea del Toboso, señora de linaje y dignidad equiparables a los de su fervoroso enamorado:

> Dulcinea es principal y bien nacida, y de los hidalgos linajes que hay en el Toboso, que son muchos, antiguos y muy buenos, a buen seguro que no le cabe poca parte a la sin par Dulcinea, por quien su lugar será famoso y nombrado en los venideros siglos (II, 32)... su calidad, por lo menos, ha de ser de princesa, pues es reina y señora mía (I, 13).

Y como una reina, dotada de las más altas cualidades, nos la describe don Quijote durante su conversación con los Duques:

---

[180] Américo Castro ha señalado que «Dulcinea era una morisca llamada Aldonza, vecina de una aldea llena de moriscos» (*Cervantes y los casticismos españoles,* Madrid, Alianza Editorial, 1974, pág. 70). Hay algunos datos más que podrían servir para corroborar la opinión de Castro: en las *Relaciones* del Toboso se alude al elevado número de moriscos, procedentes de las Alpujarras, que habitan en el pueblo. Don Quijote identifica a Dulcinea con Jarifa (I, 5). El nombre de Aldonza deriva, según Américo Castro, de *Alaroza,* que en árabe significa 'novia' (*ibíd.,* págs. 81 y sigs.). Podrían añadirse otras bromas de Cervantes a propósito de Dulcinea: la labradora tiene un linaje moderno (I, 13); el morisco que tradujo el manuscrito de Cide Hamete, no puede contener la risa al leer que Dulcinea «tuvo la mejor mano para salar puercos que otra mujer de la Mancha» (I, 9); y don Quijote afirma: «... mi Dulcinea del Toboso osaré yo jurar que no ha visto en todos los días de su vida moro alguno, ansí como él es, en su mismo traje, y que se está hoy como la madre que la parió...» (I, 26). Para una extensa refutación de estas opiniones, véase Bernard Loupias, «En marge d'un recensement des Morisques de la «Villa del Toboso» (1594)», *BHi,* LXXVIII, 1976, págs. 74-96.

...hermosa sin tacha, grave sin soberbia, amorosa con honestidad, agradecida por cortés, cortés por bien criada, y, finalmente, alta por linaje (II, 32) [181].

Los panegíricos y los escritos de alabanza dedicados a la nobleza en general, o a alguna casa ilustre en particular, son numerosísimos en los siglos XVI y XVII; pero, si salimos de este tipo de literatura, y sin entrar en los *Tizones de la nobleza* y otros panfletos antinobiliarios, nos encontramos con numerosos juicios hostiles sobre la conducta de los nobles, y con una imagen claramente desfavorable de esta clase social: en éste, como en muchos otros aspectos, hay un divorcio evidente entre la ideología y la realidad. Según un embajador veneciano acreditado en la corte de Felipe III, los grandes, a los que se supone herederos de virtudes ancestrales, suelen ser:

...crueles y altaneros para con los extraños, y menospreciadores de los que poseen un rango inferior al suyo; pero rastreros y aduladores de los Reyes y favoritos; guardan entre sí una exagerada cortesía, y todo su afán consiste en hacer gala ante todo el mundo de sus ceremoniosas etiquetas y de sus privilegios importantísimos; en su juventud no adquieren ninguna instrucción sólida y, no obstante, al llegar a la edad madura, quieren entender y saber y disputar de todo; sueñan con laureles guerreros; pero particularmente con los laureles de General, pues creen que ellos no han nacido para obedecer, sino solamente para mandar [182].

Moreno de Vargas, recogiendo una opinión de Baldo, escribe:

...que está tan estragada la virtud en los nobles, que por la mayor parte son viciosos de gula, luxuria, soberuia, y arrogancia: y este último vicio, se ha introducido en ellos de tal suerte, que parece serles natural... [183].

El paje que visita a Teresa Panza consideraba a las señoras castellanas, a diferencia de las aragonesas, excesivamente «puntuosas y levantadas» (II, 50). En el *Persiles* se dice que:

---

[181] El Padre Juan de Mariana recomendaba que se escogiesen para esposas de los príncipes «mujeres dotadas de grandes facultades, nobles, hermosas, modestas, y en lo posible ricas... mujeres en que a su belleza física y a las virtudes de sus antepasados correspondiese la grandeza de sus almas...» (*Del rey y de la institución real*, BAE, XXXI, página 501).

[182] Cit. por Ludwig Pfandl, *op, cit.*, pág. 105.

[183] Bernabé Moreno de Vargas, *Discvrsos de la nobleza de España*, Madrid, 1621, folio 47.

Ha de ser anejo a la mujer principal el ser grave, el ser compuesta y recatada, sin que por esto sea soberbia, desabrida y descuidada; tanto ha de parecer más humilde y más grave una mujer, cuanto es más señora [184].

Y don Quijote piensa que el noble sin recursos debe rehuir el pecado de la soberbia, tan extendido entre las gentes de linaje ilustre, porque:

Al caballero pobre no le queda otro camino para mostrar que es caballero sino el de la virtud, siendo afable, bien criado, cortés, y comedido, y oficioso; no soberbio, no arrogante, no murmurador, y, sobre todo, caritativo (II, 6).

La arrogante soberbia del noble es el sentimiento propio de quien se siente, dentro de una sociedad fuertemente jerarquizada, situado en el escalón superior, y acreedor, por tanto, de las mercedes del rey, el respeto de los iguales y la pleitesía y sumisión de los inferiores. Soberbia y rango estamental se hallan íntimamente unidos, hasta el punto de que la soberbia, como ha señalado Johan Huizinga, es el pecado típico del período feudal y jerárquico [185]. Del orgullo y de la soberbia nacen las pautas que orientan la conducta del noble: el sentimiento del honor, el menosprecio hacia los inferiores, el egoísmo enfermizo, la vanidad y la presunción. Mateo Alemán condena a los nobles porque «quieren que por su sola persona se les postre todo viviente» [186]; y Antonio López de Vega escribe:

...sean ignorantes; sean disformes; sean torpes i defectuosos, assí en cuerpo como en Alma; todo les parece queda suplido i disculpado en lo ilustre de su sangre; i que ningún defeto, o disformidad puede hazer igual balança con la vileza del linaje. Este engaño es el principio de su arrogancia, i del menosprecio con que no sólo tratan, mas también miran qualquiera que no acertó a nacer con aquella calidad que ellos tanto estiman [187].

Los prejuicios sociales, el orgullo de casta, el desdén con que el noble mira a las gentes de linaje humilde, impiden o ponen en grave peligro muchas relaciones amorosas de las que podría surgir una unión

---

[184] BAE, I, pág. 599.
[185] Johan Huizinga, *El otoño de la Edad Media,* pág. 43.
[186] *Guzmán de Alfarache,* ed. cit., vol. V, pág. 77.
[187] Antonio López de Vega, *Heráclito i Demócrito de nuestro siglo,* Madrid, 1641, página 70.

profunda y duradera. Recordemos que la principal desdicha de Dorotea, lo que la separa de don Fernando, es el humilde nacimiento de sus padres:

> ...porque quizá nace mi poca ventura de la que no tuvieron ellos en no haber nacido ilustres (I, 28).

Y cuando no encuentra ya medios para resistir el asedio de su enamorado, Dorotea le advierte:

> ...que mirase bien lo que hacía, y que considerase el enojo que su padre había de recebir de verle casado con una villana, vasalla suya... *(ibíd.)*.

También Cardenio, consciente del ultraje que la casa de un Grande de España sufriría al admitir semejante enlace, intentó persuadir a don Fernando de que pusiera fin a sus amores:

> ...pero viendo que no aprovechaba, determiné de decirle el caso al duque Ricardo, su padre; mas don Fernando, como astuto y discreto, se receló y temió desto, por parecerle que estaba yo obligado, en vez de buen criado, a no tener encubierta cosa que tan en perjuicio de la honra de mi señor el Duque venía (I, 24).

Y Clara, la hija del Oidor, ve en los prejuicios nobiliarios del padre de don Luis un obstáculo para el cumplimiento de sus deseos:

> ...¿qué fin se puede esperar, si su padre es tan principal y tan rico, que le parecerá que aun yo no puedo ser criada de su hijo, cuanto más su esposa? (I, 43).

Para la mayoría de los nobles la boda no es más que un contrato entre familias de igual categoría, y el amor, una pasión que discurre por cauces muy alejados de la relación conyugal. El matrimonio puede ser satisfactorio para los cónyuges, pero debe asegurar, ante todo, que la sangre se perpetúe sin mácula ni menoscabo en los sucesores. Emparentar con gentes de linaje inferior, o con grupos sociales infamados y perseguidos, es, según esta concepción aristocrática de la institución matrimonial, manchar con un injerto indigno la genealogía de una familia ilustre. Quien por amor adopta tan heroica decisión, antes de alcanzar sus fines, ha de sufrir la humillación y el desprecio o renunciar a las prerrogativas de su rango. El morisco Ricote nos recuerda, durante su conversación con Sancho, que:

> ...las moriscas pocas o ninguna vez se mezclaron por amores con cristianos viejos (II, 54).

A pesar de esta segregación secular, y de las terribles disposiciones dictadas en 1609 contra los moriscos y sus protectores o cómplices, un joven caballero renuncia a toda su fortuna con tal de alcanzar el amor de Ana Félix, la hija de Ricote;

> ...don Pedro Gregorio, aquel mancebo mayorazgo rico que tú conoces, que dicen que la quería mucho, y después que ella se partió, nunca más él ha parecido en nuestro lugar, y todos pensamos que iba tras ella para robarla (II, 54).

El joven huye de su pueblo, sigue a los moriscos en su destierro, queda cautivo en Argel, y vuelve rescatado a Barcelona para culminar con el matrimonio tan accidentados amores.

Recordemos, por último, los sacrificios que don Juan de Cárcamo ha de imponerse para alcanzar el amor de Preciosa:

> ...desde aquel punto renunciaba la profesión de caballero y la vanagloria de su ilustre linaje, y lo ponía todo debajo del yugo, o por mejor decir, debajo de las leyes con que ellos vivían [188].

Los rasgos de generosidad de estos héroes cervantinos no son regla común entre caballeros mozos. Para la mayoría de los jóvenes nobles, el amor es una necesidad física, o un capricho que puede satisfacerse mediante la traición, la violencia, el soborno o el engaño; y muchos de ellos:

> Si pueden lo que quieren, quieren las más vezes lo peor. I si el poder lícito no se iguala a lo que pide la vanidad de sus deseos, mendigan, i reciben prestado de la injusticia el efeto deseado. I finalmente su gusto a de ser su primera obligación: i cumplan, o no, con las de su estado, aunque nos pese, los avemos de respetar como a señores [189].

---

[188] *La Gitanilla,* BAE, I, pág. 109.
[189] A. López de Vega, *op. cit.,* pág. 30.

Don Quijote explica que los caballeros cortesanos, a diferencia de los andantes, se dedican a requebrar doncellas en las ciudades (II, 17); y según el Padre León, las confesiones de los pícaros son más fáciles que las de los nobles, porque éstos «no dejan cosa enhiesta», y:

> ...de ordinario, andan inquietando a la casada y desasosegando a la doncella e infamándolas. Son jugadores y pendencieros, y nunca se confiesan de ordinario... [190].

El *Infamador* de Juan de la Cueva o el *Burlador* de Tirso responden perfectamente a este tipo del joven noble, antojadizo y voluble, acostumbrado desde niño a ver cumplidos todos sus deseos; y en este número se puede incluir también a Rodolfo, el joven raptor de Leocadia en *La fuerza de la sangre:*

> ...un caballero de aquella ciudad, a quien la riqueza, la sangre ilustre, la inclinación torcida, la libertad demasiada, y las compañías libres le hacían hacer cosas y tener atrevimientos que desdecían de su calidad, y le daban renombre de atrevido [191].

Además de la fuerza, hay otros medios ilícitos para gozar de los encantos de una joven, especialmente si ésta es de linaje inferior. Alfonso de Este, Duque de Ferrara, que se ofreció a Cornelia como esposo y dejó su promesa sin cumplir, se valió de:

> ...mentiras aparentes de verdades, pero falsas y malintencionadas [192].

La promesa de matrimonio puso a Teodosia en brazos de Marco Antonio, joven noble como ella, pero mucho más rico [193]; y Don Fernando, para lograr a Dorotea:

> ...sobornó toda la gente de mi casa; dio y ofreció dádivas y mercedes a mis parientes; los días eran todos de fiesta y de regocijo en mi calle; las noches no dejaban dormir a nadie las músicas; los billetes que, sin saber

---

[190] Pedro de León, *Grandeza y miseria en Andalucía. Testimonio de una encrucijada histórica (1578-1616),* ed. de Pedro Herrera Puga, Granada, Biblioteca Teológica Granadina, 1981, pág. 77.

[191] BAE, I, pág. 166.

[192] *La señora Cornelia,* BAE, I, pág. 216.

[193] *Las dos doncellas,* BAE, I, págs. 200-201.

cómo, a mis manos venían, eran infinitos, llenos de enamoradas razones
y ofrecimientos, con menos letras que promesas y juramentos (I, 28).

Los embustes y traiciones, engaños y bajezas que un joven de linaje
ilustre es capaz de acometer, no parecen muy conformes con las virtudes eminentes de que la nobleza dice estar investida, ni con la ejem-
plaridad que debe caracterizar a la conducta del caballero. Lo que
demuestran don Fernando, Rodolfo o el duque de Ferrara es que el
linaje y la sangre no hacen grande a un hombre si éste no sabe engran-
decerse con obras y méritos propios, y que la nobleza, cuando no va
acompañada de virtudes y superioridad moral, no es más que vano
orgullo y hueca vanagloria [194]: Juan Luis Vives, recogiendo una opinión muy extendida entre los humanistas de la época, escribe:

> La verdadera y firme nobleza nace de la virtud; y es muy gran locura,
> quien es malo y con sus ruines obras oscurece y mengua su ilustre linaje,
> preciarse que viene de buenos [195].

Para Bernabé Moreno de Vargas:

> ...son dignos de afrenta los nobles, que no corresponden en la virtud a sus
> mayores: porque qué importa que se precien ser de generaciones ilustres y
> claras, si ellos con sus obras las ensuzian y obscurecen... [196].

E incluso un defensor del papel dirigente de la nobleza, como fray
Juan Benito Guardiola, considera que:

> ...la perfecta nobleza es la virtud: porque si queremos comparar la virtud
> con la nobleza corporal, será comparar lo viuo con lo muerto, o lo natural
> con lo pintado [197].

Para Cervantes, ningún hombre es más que otro si no hace más
que otro (I, 18), porque «la verdadera nobleza consiste en la virtud»
(I, 36); y, de esta forma, el individuo que demuestra en sus actos un

---

[194] Véanse, más adelante, las págs. 282 y sigs.
[195] *Introducción a la sabiduría*, BAE, LXV, pág. 241.
[196] *Op. cit.,* fol. 47.
[197] *Tratado de la nobleza y de los títulos y ditados que oy tienen los varones claros
y grandes de España,* Madrid, 1595, fol. 5.

valor y unas aptitudes superiores, puede sentirse por encima de aquellos que han heredado rentas, honores y privilegios, y que se llaman nobles sin merecerlo [198]. Lo que percibimos en sus opiniones, y en otras semejantes, es la presencia de un nuevo modelo de ordenación social, el anhelo de anteponer la valía y las virtudes individuales a los valores y las prerrogativas derivados de la adscripción al estamento. Frente a los señores de la Tierra, para los que el hombre vale sólo por lo que representa socialmente [199], Cervantes piensa que es el individuo quien, con sus buenas obras, puede hacerse ilustre o despreciable, y que, pese a la aparente firmeza e inmortalidad de ciertos valores sociales:

> ...es grande la confusión que hay entre los linajes, y que solos aquéllos parecen grandes y ilustres que lo muestran en la virtud, y en la riqueza y liberalidad de sus dueños. Dije virtudes, riquezas y liberalidades, porque el grande que fuere vicioso será vicioso grande, y el rico no liberal será un avaro mendigo (II, 6).

Aunque los grandes piensan que sus poderes, seculares e inamovibles, son el premio otorgado por Dios a sus pretendidos merecimien-

---

[198] Cfr.: «Sin ninguna duda, se debe más estimar aquel que siendo de oscura sangre, abrazándose con la virtud, quiere dar principio a su linaje, con su valor y esfuerzo» (García de Palacio, *Diálogos militares* (1583), Madrid, 1944, pág. 200, cit. por J. A. Maravall, *Poder, honor y élites,* pág. 49). «Engáñase el vulgo en juzgar y tener aquel por noble, que hereda la nobleza de sus antepassados, pues es más honrosa y mejor la que alcançan otros con sus proprias virtudes» (Fray Juan Benito Guardiola, *op, cit.,* fol. 5). «Es de mayor grandeza la jenerosidad y valor en el hijo de umildes padres, que la vituperosa haraganería del que los tuvo nobles y fue dejenerando dellos» (Mateo Alemán, *Ortografía castellana,* cit. por Michel Cavillac, «Mateo Alemán et la modernité», *BHi,* LXXXII, 1980, pág. 390). «Quien nació limpio, dé gracias a Dios por tan singular fauor, y el que no lo es, procure con virtudes propias limpiarse, pues vale más por ellas dar principio a su linage, que con los vicios fin» (Rodrigo Méndez Silva, *op. cit.,* fol. 26). Ya en *La Celestina* se lee: «Y dicen algunos que la nobleza es una alabanza que proviene de los merecimientos y antigüedad de los padres; yo digo que la ajena luz nunca te hará claro si la propia no tienes» (ed. de Bruno Mario Damiani, Madrid, Cátedra, 1981, pág. 92).

[199] «... muy diferentes son los señores de la tierra del Señor del cielo: aquéllos para recebir un criado primero le espulgan el linaje, examinan la habilidad, le marcan la apostura, y aun quieren saber los vestidos que tiene; pero para entrar a servir a Dios, el más pobre es más rico, el más humilde de mejor linaje...» (*El coloquio de los perros,* BAE, I, pág. 230).

tos, la historia, maestra de los humanos y archivo de verdades, nos
enseña cómo los «hombres de baxos principios subieron a grandes estados y señoríos» [200]; y:

> ...si oímos a los sabios, nos dirán que los blasones propios i personales,
> no los agenos, hazen al verdadero Noble. Que nadie vivió para gloria nues-
> tra, ni podemos llamar nuestro a lo que fue antes de nosotros... mayormente
> advirtiendo que no ay Rey, que o cercanos, o remotos, no tenga ascendientes
> plebeyos, ni plebeyo, que en la misma forma no pueda hallar en su origen
> Reyes [201].

O, con palabras de Cervantes:

> Innumerables son aquellos que de baja estirpe nacidos, han subido a la
> suma dignidad pontificia e imperatoria; y desta verdad te pudiera traer tan-
> tos ejemplos, que te cansaran (II, 42)... que de entre los bueyes, arados y
> coyundas sacaron al labrador Wamba para ser rey de España, y de entre
> los brocados, pasatiempos y riquezas sacaron a Rodrigo para ser comido
> de culebras... (II, 33).

El tiempo, «descubridor de todas las cosas» (II, 25), demuestra
que los hombres, sus poderes y sus vanidades, se encuentran abocados
a la destrucción: que nacen y desaparecen, como todo lo creado, y
que ninguno de los linajes humanos, tan firmes en apariencia, ha de
ser duradero:

> Porque te hago saber, Sancho, que hay dos maneras de linajes en el mun-
> do: unos que traen y derivan su decendencia de príncipes y monarcas, a
> quien poco a poco el tiempo ha deshecho, y han acabado en punta, como
> pirámide puesta al revés; otros tuvieron principio de gente baja, y van su-
> biendo de grado en grado, hasta llegar a ser grandes señores; de manera,
> que está la diferencia en que unos fueron, que ya no son, y otros son, que
> ya no fueron (I, 21) [202].

---

[200] Fray Juan Benito Guardiola, *op. cit.,* fol. 5.
[201] A. López de Vega, *op. cit.,* pág. 49.
[202] La misma idea la desarrolla don Quijote en su conversación con el Ama y la
Sobrina: «A cuatro suertes de linajes (y estadme atentas) se pueden reducir todos los
que hay en el mundo, que son éstas: unos, que tuvieron principios humildes, y se fueron
extendiendo y dilatando, hasta llegar a una suma grandeza; otros, que tuvieron principios
grandes, y los fueron conservando, y los conservan y mantienen en el ser que comenza-

ron; otros, que aunque tuvieron principios grandes, acabaron en punta, como pirámide, habiendo diminuido y aniquilado su principio hasta parar en nonada, como lo es la punta de la pirámide, que respeto de su basa o asiento no es nada; otros hay (y éstos son los más) que ni tuvieron principio bueno, ni razonable medio, y así tendrán el fin, sin nombre, como el linaje de la gente plebeya y ordinaria» (II, 6). Cfr.: «Dice Platón que ningún rey hay que no sea venido y haya tenido su principio de muy bajos, y ningún bajo tampoco que no haya descendido de hombres muy altos. Pero la variedad del tiempo lo ha todo mezclado, y la fortuna lo ha abajado y levantado, ¿quién, pues, es el noble? Aquel a quien naturaleza ha hecho para la virtud» (*Flores* de Séneca, trad. de J. M. Cordero, Amberes, 1555, fol. 32, cit. por Américo Castro, *El pensamiento de Cervantes*, página 358).

CAPÍTULO II

LA JERARQUÍA NOBILIARIA: CABALLEROS, HIDALGOS,
ESCUDEROS

«LINAJE» Y «RIQUEZA»

Son varios los materiales literarios de los que Cervantes se valió
al trazar la figura central de su novela. Menéndez Pidal se ha referido
a una fuente remota del *Quijote:* el autor italiano del siglo XIV Sacchet-
ti; y a otra más próxima: el *Entremés de los romances,* escrito hacia
1591, que narra las peripecias de un labrador, Bartolo, empeñado en
imitar las hazañas de los caballeros [1]. El *Quijote* es, además, conti-
nuador de una larga serie de obras caracterizadas por la fusión de
lo cómico y lo heroico, y guarda por ello una estrecha relación con
las creaciones de Boiardo y Ariosto [2]. Las novelas de caballerías, que
Cervantes trata de desterrar, son otra fuente de inspiración nada des-
deñable: González Olmedo ve en la novela cervantina elementos toma-
dos de Amadís [3], y Dámaso Alonso ha señalado el parentesco entre
la figura de don Quijote y la del hidalgo Camilote, que aparece en
un episodio de *Primaleón* (1534) y en la comedia *Don Duardos* de
Gil Vicente [4].

---

[1] «Un aspecto de la elaboración del Quijote», *De Cervantes y Lope de Vega,* Madrid, Edit. Espasa Calpe, col. Austral, 7.ª ed., 1973, págs. 9-60.

[2] *Ibíd.,* págs. 16 y sigs.; y Marco A. Garrone, «El *Orlando Furioso* considerado
como fuente del *Quijote*», *EMod,* CCLXVII, 1911, págs. 111-144.

[3] F. González Olmedo, *El Amadís y el Quijote,* Madrid, 1947.

[4] «El hidalgo Camilote y el hidalgo don Quijote», en *Del Siglo de Oro a este siglo
de siglas,* Madrid, Edit. Gredos, 1968, págs. 20-28.

También se ha prestado notable atención a los posibles modelos vivos de Alonso Quijano. Menéndez Pelayo señaló varios ejemplos de lectores de novelas de caballerías que enloquecieron y trataron de imitar las hazañas de los caballeros andantes [5]. Rodríguez Marín se ha referido a don Martín Quijano, personaje quijotesco que fue proveedor de las galeras del rey en la misma época que Cervantes [6], aunque sus investigaciones, y las de otros autores [7], se han dirigido hacia alguno de los Quijada de Esquivias, hidalgos puntillosos, emparentados con la familia Salazar, que se consideraban descendientes, igual que don Quijote, del caballero Gutierre de Quijada [8].

Agustín Redondo ha indagado las posibles raíces folklóricas y la significación carnavalesca del héroe cervantino, así como las variadas acepciones que se adivinan en los nombres de *Quijote, Quijada, Quesada,* con que Cervantes bautiza al personaje [9]. Los dos protagonistas de la novela representan, según este autor, dos principios opuestos y complementarios, dos formas de cultura: popular y carnavalesca en el caso de Sancho, culta y cuaresmal en el de don Quijote; y, de esta forma, el hidalgo manchego vendría a ser una personificación de la Cuaresma y un símbolo de la abstinencia y la maceración [10].

Pero, aunque pueda ser retrato de un modelo vivo, figura folklórica o tipo diseñado según determinados patrones literarios, don Quijote es ante todo, y así se declara en el título y en las primeras líneas de la novela, un pobre hidalgo que ve en el pasado caballeresco un sueño liberador y una esperanza de redención.

La hidalguía, según explica fray Juan Benito Guardiola:

...es nobleza que viene a los hombres por linage... [11].

---

[5]   «Cultura literaria de Miguel de Cervantes y elaboración del *Quijote*», en *San Isidoro, Cervantes y otros estudios,* Madrid, Edit. Espasa Calpe, col. Austral, 4.ª ed., 1959, páginas 83-126.

[6]   «Los modelos vivos de don Quijote de la Mancha», en *Estudios cervantinos,* Madrid, 1947, págs. 441-452.

[7]   Véase Luis Astrana Marín, *Vida ejemplar y heroica de Miguel de Cervantes Saavedra,* Madrid, Edit. Reus, 1948-1958, 7 vols., vol. IV, págs. 7 y sigs.

[8]   F. Rodríguez Marín, «El modelo más probable de don Quijote», *Estudios cervantinos,* págs. 561-572.

[9]   «El personaje de don Quijote: tradiciones folklórico-literarias, contexto histórico y elaboración cervantina», *NRFH,* XXIX, 1980, págs. 36-59.

[10]   *Ibíd.,* págs. 38-39.

[11]   *Op. cit.,* fol. 61.

Y, por consiguiente, *hidalgo:*

> Equivale a noble, castizo y de antigüedad de linage; y el ser hijo de algo,
> significa aver heredado de sus padres y mayores lo que llama algo, que es
> la nobleza... [12].

Entre los privilegios que disfrutan los nobles en la España de los
Austrias, el más importante es, sin duda, la exención de impuestos:

> Los hijosdalgo son libres, y exemptos de todos los pechos, tributos, pedi-
> dos, monedas martiniegas, y contribuciones, assí Reales, como concejales,
> y de otros repartimientos de qualesquier género que sean [13].

A tales prerrogativas, y a otras que en ningún código están escritas,
alude don Quijote cuando los cuadrilleros de la Santa Hermandad lo
intentan prender:

> ¿Qué caballero andante pagó pecho, alcabala, chapín de la reina, moneda
> forera, portazgo ni barca? ¿Qué sastre le llevó hechura de vestido que le
> hiciese? ¿Qué castellano le acogió en su castillo que le hiciese pagar el esco-
> te? (I, 45).

El término *hidalgo,* como consecuencia del valor que las gentes conceden a la exención de impuestos, suele utilizarse, en el lenguaje de
la época, en oposición a *pechero.* Sancho, tras la batalla con los yangüeses, explica:

> ...que desde aquí para delante de Dios perdono cuantos agravios me han
> hecho y han de hacer, ora me los haya hecho, o haga, o haya de hacer,
> persona alta o baja, rico o pobre, *hidalgo o pechero,* sin eceptar estado ni
> condición alguna (I, 15).

En el mundo rural, donde las diferencias sociales son más claras
y el ocio llega a ser el adorno más característico de la vida noble,
el título de *hidalgo* se opone a la profesión del *labrador.* En las *Relaciones de los pueblos de España,* la pregunta n.º 40 del cuestionario
de 1575 trata de averiguar:

---

[12]   Sebastián de Covarrubias, *Tesoro de la lengua castellana,* pág. 591.
[13]   B. Moreno de Vargas, *op. cit.,* fol. 63.

Si los vecinos son todos *labradores,* o parte de ellos *hidalgos* [14].

Y en el *Quijote,* al encarecer los encantos de Marcela, el narrador explica que:

...así como ella salió en público y su hermosura se vio al descubierto, no os sabré buenamente decir cuántos ricos mancebos, *hidalgos y labradores,* han tomado el traje de Grisóstomo y la andan requebrando por esos campos (I, 12).

La riqueza, que abre a muchos las puertas del estamento nobiliario [15], sirve también para establecer jerarquías dentro de él: levanta a los grandes señores, hasta convertirlos en la auténtica aristocracia del dinero y el poder; permite al caballero comprar lugares y alcanzar un título; y define además, con claridad, las categorías en que se distribuye el grueso de la nobleza: *caballeros* acaudalados, *hidalgos* de escasa hacienda, *escuderos* que sirven a un señor para poder sustentarse. Bernabé Moreno de Vargas reconocía, en este sentido, que:

...los ricos y hazendados tienen vna calidad que les ilustra, y perfecciona sus noblezas, y por las riquezas son más estimados y conocidos: y los hijosdalgo cobran epítetos y renombres más altos, como es de Caualleros, según dize Pedro Mexía: y los pobres apenas son llamados escuderos [16].

«CABALLERO Y MAYORAZGO RICO»

Los caballeros ocupan la esfera más elevada de la nobleza sin título y constituyen una categoría social superior a la de los simples hidalgos [17]. En la aldea de don Quijote, la distinción entre ambos estados parece ser muy nítida y se halla reforzada por rígidos criterios de exclusión. Por eso don Quijote, al preguntar sobre el efecto de sus aventuras entre las gentes del lugar, distingue:

[14] C. Viñas Mey y R. Paz, *Relaciones, Ciudad Real,* pág. XVIII.
[15] Véanse, más adelante, caps. III y V, págs. 216 y sigs. y 288 y sigs.
[16] *Op. cit.,* fol. 48. Cfr. «Tres maneras de nombres tienen los nobles en España, Escuderos, Hijosdalgo y Caualleros» (Fray Benito de Peñalosa, *op. cit.,* fol. 94).
[17] Véase Ludovik Osterc, *op. cit.,* págs. 90 y sigs.; y A. Salcedo, *op. cit.,* páginas 31 y sigs.

¿En qué opinión me tiene el vulgo, en qué los *hidalgos* y en qué los *caballeros?* (II, 2).

Y Sancho responde:

...el vulgo tiene a vuesa merced por grandísimo loco, y a mí por no menos mentecato. Los hidalgos dicen que no conteniéndose vuesa merced en los límites de la hidalguía, se ha puesto don y se ha arremetido a caballero con cuatro cepas y dos yugadas de tierra, y con un trapo atrás y otro adelante. Dicen los caballeros que no querrían que los hidalgos se opusiesen a ellos, especialmente aquellos hidalgos escuderiles que dan humo a los zapatos y toman los puntos de las medias negras con seda verde (II, 2).

La incapacidad de don Quijote para titularse *caballero* y llamarse *don,* deriva precisamente de su escasa hacienda y del carácter escuderil de su nobleza: la caballería no constituye ningún escalón legalmente delimitado dentro del estamento noble, y el caballero es, simplemente, un hidalgo que gracias a sus riquezas ha logrado alzarse por encima de sus iguales:

...llamamos caualleros [escribe fray Benito de Peñalosa], a los Hijosdalgo notorios de casa antigua y apellido conocido, que tienen sus Estados más eminentes y ricos que los otros Hijosdalgo [18].

Y según Lope de Vega:

Y sabe que la nobleza
Está en la limpia hidalguía,
Que lo que es caballería,
Más consiste en la riqueza [19].

Son varios los personajes del *Quijote* que realzan su nobleza con la posesión de un respetable caudal y que merecen, en consecuencia,

---

[18]   *Op. cit.,* fol. 90. Cfr. «... llamamos caualleros a los nobles y principales hijosdalgo que tienen vn estado y lugar eminente sobre todo lo que es común y ciudadano, pero no tan alto que iguale con el de los Príncipes y grandes...» (Fray J . B. Guardiola, *op. cit.,* fol. 81). «Oy día se han alçado con este nombre de ricos los que tienen mucho dinero y hazienda, y éstos son los nobles y los cavalleros, y los condes y duques, porque todo lo sujeta el dinero» (Covarrubias, *op. cit.,* pág. 910).

[19]   *Servir a señor discreto,* BAE, LII, pág. 69.

el título de caballeros: Cardenio, joven de linaje noble y padres acaudalados; Luscinda, doncella tan noble y tan rica como él (I, 28); o don Diego de Miranda [20], hidalgo rural acomodado, propietario de una vivienda «ancha como de aldea», provista de todo:

> ...lo que contiene una casa de un caballero labrador y rico (II, 18).

Caballeros distinguidos y ricos son don Luis, el joven que acompaña vestido de mozo de mulas a la hija del Oidor, y Pedro Gregorio, el vecino de don Quijote enamorado de la morisca Ana Félix: el primero es «hijo de un caballero natural del Reino de Aragón, señor de dos lugares» (I, 43); al segundo se le denomina «caballero» y «mayorazgo rico» (II, 54). Ambos ilustran su linaje con los tributos, derechos jurisdiccionales y poder social que comporta la posesión de un señorío, y se encuentran en condiciones óptimas, como ya vimos, para alcanzar un título [21].

A esta clase ilustre y adinerada pertenecen Anselmo y Lotario, «caballeros ricos y principales» (I, 33), y el noble barcelonés que hospeda a don Quijote:

> Don Antonio Moreno se llamaba el huésped de don Quijote, caballero rico y discreto, y amigo de holgarse a lo honesto y afable (II, 62).

Y, aunque no sean designados directamente con el título de caballeros, hay varios personajes más en el *Quijote* que podrían considerarse miembros de este sector privilegiado de la clase nobiliaria: el vecino de Sancho, descendiente de los Álamos de Medina del Campo, «hidalgo... muy rico y principal», que «convidó a un labrador pobre, pero honrado» (II, 31); don Diego de la Llana, el «hidalgo principal y rico», con cuya hija topa Sancho durante su ronda por la ínsula Barataria (II, 49); o el joven Grisóstomo:

> ...hijodalgo rico, vecino de un lugar que estaba en aquellas sierras (I, 12).

La riqueza de los caballeros, fuente última de su poder y prestigio, proviene por lo general de la tierra, bien sea de fincas propias cultiva-

---

[20] Véase Francisco Márquez Villanueva, «El Caballero del Verde Gabán y su reino de paradoja», en *Personajes y temas del Quijote,* Madrid, Taurus, 1975, págs. 147-227.
[21] Véase antes, cap. I, págs. 19-20.

das por jornaleros o arrendadas a los labradores, del dinero dado a censo sobre bienes raíces, o de la titularidad de un señorío [22]. Grisóstomo, por ejemplo, al morir su padre:

> ...quedó heredado en mucha cantidad de hacienda, ansí en muebles como en raíces, y en no pequeña cantidad de ganado, mayor y menor, y en gran cantidad de dineros (I, 12).

La pervivencia del patrimonio familiar de estos caballeros queda asegurada por las Leyes del Mayorazgo, instrumento eficaz para evitar la dispersión de los bienes de la clase noble y prevenir el posible debilitamiento de su poder. En ellas se establece el derecho del primogénito al disfrute de todos los bienes dejados por el titular, a condición de que se conserven y trasmitan íntegros al sucesor [23]. La condición de mayorazgo se exhibe habitualmente, junto al rango nobiliario, como fuente de reputación y poder: Pedro Gregorio, el vecino de don Quijote enamorado de Ana Félix, era, como hemos visto, «caballero» y «mayorazgo rico» (II, 54); Diego Carriazo nos explica:

> Yo soy un caballero natural de Burgos: si alcanzo de días a mi padre, heredo un mayorazgo de seis mil ducados de renta... [24].

Y el protagonista de *La Gitanilla,* para poder alcanzar la mano de Preciosa, alega:

> ...soy caballero, como lo puede mostrar el hábito; y apartando el herreruelo, descubrió en el pecho uno de los más calificados que hay en España: soy hijo de Fulano (que por buenos respetos aquí no se declara su nombre), estoy debajo de su tutela y amparo: soy hijo único, y el que espera un razonable mayorazgo [25].

Las riquezas territoriales, vinculadas al mayorazgo, proporcionan también al caballero el caudal suficiente para gozar de una existencia

---

[22]   Véase Noël Salomon, *La vida rural castellana,* págs. 147 y sigs.
[23]   Bartolomé Clavero, *Mayorazgo. Propiedad feudal en Castilla (1369-1836),* Madrid, Edit. Siglo XXI, 1974, pág. 211.
[24]   *La ilustre fregona,* BAE, I, pág. 192. Véase R. Arco y Garay, pág. 349.
[25]   BAE, I, pág. 104.

segura y apacible, como la que disfruta don Diego de Miranda, el Caballero del Verde Gabán [26]:

> ....soy un hidalgo natural de un lugar donde iremos a comer hoy, si Dios fuere servido. Soy más que medianamente rico y es mi nombre don Diego de Miranda; paso la vida con mi mujer, y con mis hijos, y con mis amigos; mis ejercicios son el de la caza y pesca; pero no mantengo ni halcón ni galgos, sino algún perdigón manso, o algún hurón atrevido. Tengo hasta seis docenas de libros, cuáles de romance y cuáles de latín, de historia algunos y de devoción otros: los de caballerías aún no han entrado por los umbrales de mis puertas... Alguna vez como con mis vecinos y amigos, y muchas veces los convido; son mis convites limpios y aseados, y no nada escasos; ni gusto de murmurar, ni consiento que delante de mí se murmure; no escudriño las vidas ajenas, ni soy lince de los hechos de los otros; oigo misa cada día; reparto de mis bienes con los pobres, sin hacer alarde de buenas obras... (II, 16) [27].

Frente a la existencia sosegada y monótona de este hidalgo rural, don Antonio Moreno, el caballero barcelonés que hospeda a don Quijote, nos ofrece un buen ejemplo de la actividad permanente y el deseo de novedades con que ameniza su vida la nobleza urbana. Don Antonio exhibe en el balcón de su casa y acompaña por las calles al estrafalario hidalgo manchego, asombra al vulgo y sobresalta a los inquisidores con la cabeza encantada, organiza cenas y saraos, corre sortija con otros caballeros, y participa en un combate que las galeras del rey

---

[26] La importancia de los mayorazgos en el mundo rural aparece muy clara también en la *Relaciones:* en la pregunta n.º 41 del cuestionario de 1575 se pide información sobre «los mayorazgos que hay en el dicho pueblo» (C. Viñas Mey y R. Paz, *Relaciones, Ciudad Real,* pág. XVIII). Las gentes de *Fuenllana* (Ciudad Real) responden que en el lugar «... no hay hacienda más señalada que la de Juan Pérez Canuto que es mayorazgo y se tiene entendido que valdrá su mayorazgo más de sesenta mil ducados» (*ibíd.,* página 261); en *Casalgordo* (Toledo), declaran «... que hay en este pueblo un mayorazgo, que posee don Pedro Carrillo de Toledo...» (*Relaciones, Reino de Toledo,* primera parte, pág. 249); en *Mazambroz* (Toledo), la mayor parte de la población está formada por «... trabajadores del campo, jornaleros del azadón, por razón que en el dicho lugar la mayor parte del término de las heredades son de caballeros y herederos...» (*ibíd.,* segunda parte, pág. 80).

[27] La madre de Costanza «... siendo viuda de un gran caballero, se retiró a una aldea suya, y allí con recato y con honestidad grandísima pasaba con sus criados y vasallos una vida sosegada y quieta» (*La ilustre fregona,* BAE, I, pág. 197).

mantienen con un bajel argelino frente a las costas de Barcelona (II, 61-63) [28].

Las actitudes políticas y las relaciones de don Antonio Moreno, así como el origen de los ingresos en que se sustenta su regalada vida, no están tan claros como su buen humor y sus ganas de diversión. Aunque parece ser amigo íntimo del Virrey y mantiene relaciones con gentes influyentes de la Corte, don Antonio cultiva la amistad de conocidos bandoleros, y no tiene empacho en presentarse ante don Quijote como servidor y gran amigo de Roque Guinart (II, 61). Su conducta no es, sin embargo, un producto de la fantasía novelesca de Cervantes, ni el único testimonio de la protección que algunos nobles dispensan a los delincuentes: en *La Galatea,* por ejemplo, cuando Timbrio salió de Perpiñán:

> ...dieron con él una cantidad de bandoleros, los cuales tenían por señor y cabeza a un valeroso caballero catalán, que por ciertas enemistades andaba en la compañía, como ya es antiguo uso de aquel reino [29].

Ya sabemos que el bandolerismo es el resultado de la miseria y la superpoblación, y que las partidas se reclutan entre gentes pobres

---

[28] El nombre de este caballero podría hacernos pensar que se trata de un noble castellano residente en Barcelona. Mauro Olmeda, por ejemplo, ha tratado de dilucidar las «causas que indujeron a Cervantes a personificar en un noble no catalán la figura de quien allí atendió a don Quijote» (*El ingenio de Cervantes y la locura de don Quijote,* Madrid, Edit. Ayuso, 2.ª ed. 1973, págs. 215 y sigs.). Pero ni las actitudes políticas, ni sus relaciones con los bandoleros, ni el carácter y conducta de don Antonio Moreno, permiten sostener la idea del origen castellano del personaje. El principal biógrafo de Perot Rocaguinarda ha escrito, a propósito de este asunto: «Ab lo fingit nom d'Antonio Moreno va volguèr representar Cervantes a algún personatje barceloní, que'l va rèbre a sa casa, y ab qui va fer amistat» (Soler y Terol, *op. cit.,* pág. 273). Hay algo que confirma lo que venimos diciendo: Don Antonio Moreno es un caballero amable, hospitalario y discreto; y el propio Cervantes nos dice que Barcelona es «amparo de los extranjeros, escuela de la caballería, ejemplo de lealtad», y que «es condición natural y propia de la nobleza catalana saber ser amigos, y favorecer a los extranjeros que dellos tienen necesidad alguna» (*Las dos doncellas,* BAE, I, págs. 206 y 209). En el *Quijote* añade Cervantes: «... Barcelona, archivo de la cortesía, albergue de los extranjeros, hospital de los pobres, patria de los valientes, venganza de los ofendidos, y correspondencia grata de firmes amistades...» (II, 72).

[29] BAE, I, pág. 27.

del campo, soldados licenciados, extranjeros y vagabundos [30]. Pero es igualmente cierto que detrás del bandolero hay a menudo un noble que, de manera abierta o en la sombra, favorece y alienta las actividades delictivas: los aristócratas arruinados, los segundones, las familias de estirpe feudal enemistadas por rencillas seculares, o algunos caballeros ricos e intrigantes, como don Antonio Moreno, son los auténticos directores de esta guerra social que renace sin cesar [31].

En el caso de Cataluña, si exceptuamos a las grandes estirpes aristocráticas, el grueso de la nobleza —un millar de familias aproximadamente— se transforma, en los primeros siglos de la Edad Moderna, en una clase urbana que administra a distancia sus propiedades rurales [32], que ve mermados sus ingresos por los rigores de la inflación, y ha de disputarse los pocos cargos bien remunerados que la Monarquía pone a su disposición [33]. A la inquietud y el descontento de muchos de estos caballeros, arruinados por el auge de precios y postergados por el poder central, viene a añadirse, desde los últimos años del siglo XVI, el recrudecimiento de las enemistades y pendencias entre el bando de los *nyerros,* al que pertenecen Roque Guitart y don Antonio Moreno, y el de los *cadells* [34]. Todo ello contribuye a crear

---

[30]   Pierre Vilar, *Catalunya dins l'Espanya moderna,* vol. II, pág. 301. Entre los bandoleros es importante también la presencia de gascones, y franceses en general, hugonotes en muchos casos: Fray Josep Serra escribía al Rey en 1614: «De las quatro partes de los bandoleros que perturban la paz pública de este Principado, las tres son de gascones y gente fronteriza de Francia» (cit. por Ferran Soldevila, *Història de Catalunya,* Barcelona, Edit. Alpha, 1962, 3 vols., vol. II, pág. 964, n. 74). Cervantes aclara que en la cuadrilla de Roque Guinart «los más eran gascones, gente rústica y desbaratada» (II, 60). Véanse antes, las págs. 33 y sigs..

[31]   Fernand Braudel, *op. cit.,* vol. II, págs. 131-133.

[32]   John H. Elliott, «A provincial aristocracy: the catalan ruling class in the sixteenth and seventeenth centuries», *Homenaje a Jaime Vicens Vives,* Barcelona, 1967, vol. II, páginas 125-141.

[33]   Francesc de Gilabert señalaba en sus *Discursos sobre la calidad del Principado de Cataluña* (1616): «Las bandosidades son la base de todo nuestro daño... Nace este daño de otra causa, y es que por los pocos oficios que tiene Su Magestad y por repartir los de su real casa en castellanos, esperan poco los deste principado en alcançar merced» (cit. por Joan Reglà, *El bandolerisme català del Barroc,* pág. 26).

[34]   La significación política y social de los bandos catalanes sigue siendo oscura, y muy variadas las opiniones sobre el tema: Víctor Balaguer (*Historia de Cataluña y de la Corona de Aragón,* Barcelona, 1860-1863, IV, pag. 254) veía en los *nyerros* y *cadells*

ese clima de permanente inestabilidad social, propicio para la colaboración entre señores respetables y salteadores de caminos, que Cervantes pinta en los capítulos finales de su novela, y que coincide con el testimonio de los documentos históricos: en un informe del Consejo de Aragón de 10 de julio de 1610, para responder a una petición de indulto de Perot Rocaguinarda, se dice, por ejemplo:

---

actitudes semejantes a las de los liberales y absolutistas del siglo XIX. Para Juan Cortada (*Proceso instruido contra Juan de Serrallonga, "lladre de pas"*, Barcelona, 1868, páginas 110-112), los *nyerros* formarían el partido noble, y los *cadells,* la representación popular. Celestino Barallat y Falguera (*Nyerros y cadells,* en *Memorias de la Real Academia de Buenas Letras de Barcelona,* Barcelona, 1891, V, págs. 255-276) considera a los *nyerros* como un partido monacal, y a los *cadells* como el partido señorial, laico y secularizador. Soler y Terol considera que la lucha entre los dos bandos es el enfrentamiento entre los partidarios de los derechos señoriales y los defensores de las libertades municipales (*op. cit.,* pág. 444). J. Reglà repite casi literalmente las mismas conclusiones: «...ens sembla evident que els *nyerros* representaven la mentalitat feudalitzant dels cavallers de la muntanya, i els *cadells,* l'afirmació del poder monàrquic, aliat a la burgesia, de les ciutats i viles» (*op. cit.,* pág. 33). Para Ferran Soldevila: «El caràcter i les aspiracions de cadascuna d'aquestes bandositats no apareixen prou clares. Sembla, en termes generals, que els *nyerros* defensaven els drets senyorials, mentre els *cadells* propugnaven els drets de les viles» (*op. cit.,* vol. II, pág. 965). Más cauto que los autores anteriores es Pierre Vilar: «En conjunt, fins a una informació més àmplia, el joc de simpaties entre l'opinió, les autoritats, els dos clans de bandolers, i, per tant, l'aspecte polític del bandidatge resten bastant obscurs. No sembla convincent que un xoc violent d'interessos oposi els nyerros i els cadells. És més probable que es tracti d'un complex de tradicions i de sentiments, en les quals els nyerros recullin l'heretatge de la indisciplina dels nobles, aventurera, altiva, però generosa, i els cadells l'heretatge del particularisme dels furs» (*op. cit.,* vol. II, pág. 353). Tampoco aporta Jaume Sobrequés una solución difinitiva: «Les lluites de nyerros i cadells plantegen novament la qüestió de si es tracta d'una lluita entre senyors i pagesos, o de la nova aristocràcia de les masies contra els pagesos pobres. Però cap d'aquests dos fenòmens no es presenta amb prou claredat, en els segles XVI i XVII, per a poder afirmar que siguin la causa de l'origen dels dos bàndols» (Antoni Rovira i Virgili, Jaume Sobrequés i Callicó, *Història de Catalunya,* Bilbao, ed. La Gran Enciclopedia Vasca, 1979, vol. VIII, pág. 385). Tampoco en publicaciones más recientes se encuentran juicios definitivos sobre el tema: «La peculiaritat del bandolerisme del Principat dels dels darrers anys del segle XVI, fou la seva bipolarització en dues grans faccions: la dels nyerros i la dels cadells... No queda clar, però, què pretenien uns i altres, si és que tenien un ideari distint o uns interessos contraposats a defensar, o bé responien a una diferent mentalitat —mentalitat rural contra mentalitat urbana, s'ha dit—; en tot cas, llur comportament no es diferenciava gaire» (Josep M. Salrach, Eulàlia Duran, *op. cit.,* vol. II, pág. 1091). Para una síntesis del tema véase Xavier Torres, «Els bàndols de "nyerros" i "cadells" a la Catalunya moderna», *L'Avenç,* n.º 49, 1982, págs. 33-38.

> ...esto hubiera lugar cuando dicho Rocaguinarda fuesse un cavallero princi-
> pal y muy emparentado, que su prisión y castigo fuera muy difícil, lo que
> no es, sino un pobre labrador y sin parientes, que si se pone el cuydado
> que conviene para prenderle, y a sus valedores y fautores, que son, entre
> otros, algunos cavalleros de aquella tierra bien conocidos, que le sustentan,
> recogen y fomentan, es cierto que no podrá durar... [35].

Con motivo de la excomunión de Roque Guinart por el Obispo
de Vic, otro documento señala:

> ...se diu que son favorables a nen Rocha Guinart molts cauallers i fins perso-
> nes del real consell [36].

Y el Vicecanciller Andreu Roig escribía al Rey en 1615:

> ...quien fomenta y entretiene a los bandoleros son algunos caballeros y gente
> poderosa para conservar sus parcialidades y quizás por otros respetos
> peores [37].

Los bandoleros que roban en los caminos o forman las huestes
de *nyerros* y *cadells,* cuentan, en efecto, con protectores poderosos
e influyentes, que obstaculizan la acción de la justicia y hacen difícil
la imparcialidad de los gobernantes; y ello es muy lógico, ya que cada
uno de los bandos en pugna trata de colocar a sus agentes en las principales instituciones del país, utilizar a su favor los órganos de poder
y ganarse las simpatías del Virrey [38]. Alexandre d'Alentorn, señor de
Serós y diputado de la Generalitat en el trienio 1614-1617, era, por
ejemplo, uno de los cabecillas del bando de los *nyerros* y cómplice,
como don Antonio Moreno y sus amigos, de Perot Rocaguinarda [39];
y, en el año 1597, sabemos que los *nyerros* trataron de obtener, con
la colaboración del secretario Franqueza en Madrid, la designación de
Frederic Cornet para el cargo de regente de la tesorería en la Cancille-
ría Virreinal [40]. También en el *Quijote* (II, 63, 65) el Virrey trata co-

---

[35] Cit. por Soler y Terol, *op. cit.,* pág. 283.
[36] *Ibíd.,* pág. 211.
[37] Josep M. Salrach, Eulàlia Duran, *op. cit.,* pág. 1092.
[38] Xavier Torres, *op. cit.,* págs. 36-37.
[39] J. H. Elliott, *La rebelión de los catalanes,* pág. 111.
[40] *Ibíd.,* pág. 72.

mo amigo, subordinado y consejero a don Antonio Moreno, partidario
de los *nyerros* y protector de Roque Guinart, y en las mismas o parecidas complicidades debieron de caer, por ignorancia o interesada parcialidad, muchos de sus predecesores, según se desprende de las palabras con que la Princesa Juana, hermana de Felipe II, aconsejaba a
don García de Toledo, Virrey de Cataluña, en 1558:

> Ya tenéis entendido cómo una de las cosas que más inquietan a Cataluña
> son las pasiones y bandos de particulares... Os encargamos que estéis muy
> advertido de escusaros cuanto pudiéredes de no tener familiaridad estrecha
> con personas interesadas en los bandos que hay en aquella tierra, sino que
> los tratéis a los unos y a los otros de una manera, sin mostraros en cosa
> ninguna más aficionado a la una que a la otra parte... Assí mismo os encar-
> gamos que procuréis de concertar por todos los buenos medios que pudiére-
> des todos los bandos que hay en el dicho principado de Cataluña y condados
> de Rosellón y Cerdaña [41].

La pasión de los bandos tuvo su momento culminante en el reinado
de Felipe III. Toda la sociedad catalana —desde los más poderosos
a los más humildes— parece haber estado implicada en las enemistades
y violencias de las dos facciones rivales:

> Todos los ministros de la Audiencia [escribía el Lugarteniente General
> de Cataluña al Rey en 1626] desde el mayor al menor tienen en las entrañas
> el pecado original de ser cadelles o nierros y así no hay que entender que
> a los que son de una parcialidad se les ha de encomendar cosa que sea contra
> alguno della [42].

O, como escribía Vicenç Garcia, partidario de los *nyerros* y autor
de un soneto dedicado a Perot Rocaguinarda:

> Mas ja aquella gallardia
> tota se'n va avui en dia
> en ser nyerro o ser cadell [43].

---

[41] Cit. por Joan Reglà, *Felip II i Catalunya,* Barcelona, Edit. Aedos, 1956, páginas
109-110.
[42] J. M. Salrach, E. Duran, *op. cit.,* pág. 1092.
[43] *Ibíd.*

Pero la pertenencia a una u otra parcialidad parece ser un hecho fortuito, en el que influyen más las simpatías y rencores personales, que la ideología y las actitudes de cada bando. Bastaba que un hombre militase en un partido para que sus enemigos se desviasen inmediatamente al lado contrario, sin que en ello intervengan de manera decisiva la posición social o las inclinaciones políticas de los implicados. El Arzobispo de Tarragona, Joan Terés, por ejemplo, era *nyerro,* igual que los canónigos de la sede de Vic, mientras que Francesc de Robuster i Sala, obispo de esta misma localidad, era *cadell* [44].

Vicente Torrellas y Claudia Jerónima (II, 60), una especie de Romeo y Julieta cervantinos, son las víctimas inocentes de las enconadas pasiones de sus padres —Claquel Torrellas, partidario de los *cadells,* y Simón Forte, amigo de Roque Guinart y seguidor de los *nyerros*—, y un buen ejemplo de hasta qué punto las enemistades entre los bandos afectaban a todos los aspectos de la vida pública y privada. Recordemos también, en este sentido, la carta que Roque Guinart dirige a sus amigos de Barcelona:

> Apartóse Roque a una parte y escribió una carta a un su amigo, a Barcelona, dándole aviso cómo estaba consigo el famoso don Quijote de la Mancha, aquel caballero andante de quien tantas cosas se decían... y que de allí a cuatro días, que era el de San Juan Bautista, se le pondría en mitad de la playa de la ciudad, armado de todas sus armas, sobre Rocinante su caballo, y a su escudero Sancho sobre un asno, y que diese noticia desto a sus amigos los Niarros, para que con él se solazasen; que él quisiera que carecieran deste gusto los Cadells sus contrarios (II, 60).

Aunque el móvil de la mayoría de los nobles que sustentan y favorecen a los bandoleros sería de tipo económico o político, el gusto, tan evidente en don Antonio Moreno, por el riesgo, la novedad o la aventura, debió jugar un papel nada despreciable. Cuando es joven, el caballero vive sometido a una rígida autoridad paterna, recibe enseñanza particular bajo la dirección de un tutor, practica ceremonias huecas, asimila un rígido sistema de valores y evita el contacto con el mundo exterior; en su madurez, ha de elegir entre la existencia uniforme y tediosa de don Diego de Miranda o las monótonas y vacías diversiones de don Antonio Moreno. No es extraño que, ante una vida

---

[44] *Ibíd.,* y Ferran soldevila, *op, cit.,* pág. 968. Véase antes, n. 34 de este capítulo.

tan desprovista de estímulos y sorpresas, haya jóvenes que hagan causa
común con los bandoleros, o que dejen su casa y, como dice Cervantes, se «desgarren» para ir a mezclarse con lo más granado de la picaresca. A don Luis, un amor incompatible con su rango le empuja a
abandonar su casa, vestirse de mozo de mulas y seguir a Clara en
«hábito... indecente a su calidad» (I, 44); don Diego Carriazo, joven
y rico caballero burgalés:

> ...llevado de una inclinación picaresca, sin forzarle a ello algún mal trata-
> miento que sus padres le hiciesen, sólo por su gusto y antojo se *desgarró*,
> como dicen los muchachos, de casa de sus padres, y se fue por ese mundo
> adelante, tan contento de la vida libre, que en mitad de las incomodidades
> y miserias que trae consigo, no echaba de menos la abundancia de la casa
> de su padre, ni el andar a pie le cansaba, ni el frío le ofendía, ni el calor
> le enfadaba: para él todos los tiempos del año le eran dulce y templada
> primavera: tan bien dormía en parvas, como en colchones: con tanto gusto
> se soterraba en un pajar de un mesón, como si se acostara entre dos sábanas
> de Holanda: finalmente, él salió tan bien con el asunto de pícaro, que pudie-
> ra leer cátedra en la facultad al famoso de Alfarache (...). En fin, en Carria-
> zo vio el mundo un pícaro virtuoso, limpio, bien criado, y más que mediana-
> mente discreto: pasó por todos los grados de pícaro, hasta que se graduó
> de maestro en las almadrabas de Zahara, donde es el finibusterre de la
> picaresca [45].

En efecto, la picaresca ofrece al joven de familia ilustre la oportunidad de eludir los rígidos deberes de su clase social, y de saborear
por un tiempo la libertad, la aventura y el peligro. El testimonio de
Cervantes sobre los jóvenes *desgarrados* coincide, en este aspecto, con
el del Padre León, misionero jesuita que visitó las almadrabas de Cá-
diz en 1599, y que escribe:

> Es tanta la golosina que algunos tienen de esta vida picaresca, que algu-
> nas veces se van a ella algunos mozos, hijos de gente principal, y de allí
> los han sacado algunas veces; mas no aprovecha, porque luego se vuelven
> y son ciertos el año siguiente. Y dos años de los que yo fui allí vi a un
> hijo de un Conde de España. Y tantas veces lo sacaban de allí y luego se
> volvía. Y fuese a confesar con mi compañero, y según parece, no le quiso

---

[45] *La ilustre fregona,* BAE, I, pág. 183. Véase Charles V. Aubrun, «Los "desgarrados" y la picaresca», *Beiträge zur Romanischen Philologie,* Berlín, 1967, págs. 201-206.

absolver hasta que le dijese que volvería a la casa de su padre el Conde tal, y vínose a mí con muy donoso denuedo diciéndome: Padre, qué le va a su compañero en que yo no sea pícaro, que no me quiere absolver si no me voy a casa de mi padre. Yo no quiero ser caballero, sino jabeguero... [46].

«UN HIDALGO DE LOS DE LANZA EN ASTILLERO»

El escalón nobiliario inferior a la caballería está formado por los hidalgos, gentes que disfrutan de la exención de impuestos y de otros privilegios comunes a todos los nobles, pero que carecen de la fortuna suficiente para llamarse caballeros o aspirar a un título; porque:

...aunque [caballeros] lo puedan ser los hidalgos, no lo son los pobres... (II, 6).

El único patrimonio de estos hombres está formado, como en el caso de don Quijote, por las prerrogativas aristocráticas y el linaje esclarecido:

Bien es verdad que yo soy hijodalgo de solar conocido, de posesión y propriedad y de devengar quinientos sueldos, y podría ser que el sabio que escribiese mi historia deslindase de tal manera mi parentela y decendencia, que me hallase quinto o sexto nieto de rey (I, 21).

Pero la alcurnia noble y la sangre limpia no son suficientes para vivir, ya que:

...ser bien nacido y de claro linaje es una joya muy estimada; pero tiene una falta muy grande: que sola por sí es de poco provecho, assí para el noble como para los demás que tienen necessidad, porque ni es buena para comer, ni bever, ni calçar; ni para dar ni fiar; antes hace vivir al hombre muriendo, privándole de los remedios que ay para cumplir sus necessidades... [47].

---

[46]   Pedro de León, *op. cit.*, pág. 76. Véase Pedro Herrera Puga, *Sociedad y delincuencia en el Siglo de Oro,* Granada, Publicaciones de la Universidad de Granada, 1971, páginas 415 y sigs.

[47]   *Floreto de anécdotas y noticias diversas que recopiló un fraile dominico residente en Sevilla a mediados del siglo XVI,* MHE, XLVIII, pág. 316, cit. por Agustín Redondo, «Historia y literatura: El personaje del escudero en el *Lazarillo*», en *La Picaresca. Orígenes, textos y estructuras,* pág. 425.

O, como escribía Quevedo:

> ...sin pan y carne, no se sustenta buena sangre, y por la misericordia de
> Dios, todos la tienen colorada, y no puede ser hijo de algo el que no tiene
> nada... [48].

Al disolverse, en el inicio de la Edad Moderna, las mesnadas nobiliarias, y ser sustituidas por un ejército profesional y permanente, sujeto a la autoridad del rey, la nobleza, que formaba el grueso de las
huestes medievales, pierde la más importante de sus funciones tradicionales y una de las razones con que se justificaba su poder [49]. Los títulos y caballeros supieron adaptarse a estos cambios y aprovechar
las ocasiones de lucro que los nuevos tiempos ofrecían, adueñándose
de los cargos de mayor relieve en la corte, el ejército y la administración [50]. Los hidalgos, por el contrario, tuvieron que resignarse a arrastrar una existencia monótona, insípida y asediada por la pobreza. La
concentración de la propiedad territorial en manos de los grandes y
caballeros, o de los burgueses y letrados de la ciudad, acabó de arrui-
nar a estos nobles de medio pelo, incapaces de hacer frente con sus
reducidos recursos a la subida vertiginosa de los precios y a los nuevos
criterios de explotación y arrendamiento del suelo [51]. Es así como la
pobreza del hidalgo se convierte en un lugar común de la literatura,
mil veces explotado como recurso cómico, y llega a ser un tópico la
creencia de que:

> ...ser hijodalgo... es lo mismo que ser poeta; pues son pocos los que se
> escapan de una pobreza eterna o de una hambre perdurable [52].

---

[48] *El Buscón,* ed. cit., págs. 188-189.

[49] Vicente Llorens, «Don Quijote y la decadencia del hidalgo», *Aspectos sociales de la literatura española,* Madrid, Castalia, 1974, págs. 47-66.

[50] Véase antes, cap. I, págs. 29 y sigs.

[51] Noël Salomon, *La vida rural castellana,* pág. 303, y Pierre Chaunu, «La société en Castille au tournant du Siècle d'Or. Structures sociales et représentations littéraires», *RHES,* XLV, 1967, págs. 153-174.

[52] *La vida y hechos de Estebanillo González,* ed. de Juan Millé y Giménez, Ma-drid, CC, 1956, 2 vols., vol. I, pág. 61. En el *Vocabulario de refranes,* de Gonzalo Correas, encontramos: «Hidalgo de aldea, la pobreza allá le lleva»; «Hidalgo komo el gavilán. Del ke es hidalgo tan pobre que no tiene más de lo ke por sus uñas i piko pudiere aver»; «Hidalgo pobre, taza de plata, i olla de kobre, i mesa de rroble» (*ed. cit.,* pág. 591).

Los documentos históricos nos hablan a menudo de la penuria de los hidalgos que sirvieron de modelo a las sátiras literarias. En las *Relaciones* de *Fuenlabrada* (Madrid), se explica que:

> ...hay en este pueblo tres vecinos que son hidalgos, e que son pobres... [53].

En *Saceruela* (Ciudad Real):

> ...los hijosdalgo desta villa conocen uno por executoria dada en Granada el cual llaman Alonso Rodríguez Hidalgo, el cual es muy pobre e necesitado que si algunas veces no lo gana por su trabajo no lo comería él ni su casa... [54].

Y, en las Cortes de 1593, se protestó contra una Real Cédula en que se mandaba revisar las hidalguías:

> Porque hauiendo el hidalgo de hazer sus probanzas con un alcalde y un Receptor que le llevan mill y quatrocientos maravís (*sic*) de salario cada día, sobre lo cual aún se ha de añadir un alguazil, que necesariamente ha de llevar el dicho alcalde, viene con esto a causarse a los hidalgos pobres, como de ordinario lo son la mayor parte dellos, una total imposibilidad para seguir sus hidalguías [55].

Cervantes, hijo de un hidalgo de nueva ejecutoria acostumbrado al hambre y a las deudas, se despide de Madrid dando un adiós al «hambre sotil de algún hidalgo» [56]; afirma también en sus *Entremeses* que «ya por pobres son tan enfadosos los hidalgos» [57]; nos ofrece en *La fuerza de la sangre* la patética historia de Leocadia y sus familiares, «necesitados de favor, como hidalgos pobres» [58]; o evoca en unos versos la figura de:

> ...vn tal fulano de Ouiedo,
> hidalgo, pero no rico:
> maldición del siglo nuestro,

---

[53] Carmelo Viñas Mey y Ramón Paz, *Relaciones, Madrid,* pág. 267.
[54] *Relaciones, Ciudad Real,* pág. 451.
[55] *Actas de las Cortes de Castilla,* XIII, pág. 64.
[56] *Viaje del Parnaso,* BAE, I, pág. 680.
[57] *El juez de los divorcios,* BAE, CLVI, pág. 481.
[58] BAE, I, pág. 166.

que parece que el ser pobre
al ser hidalgo es anexo [59].

Aunque es don Quijote quien, al soltársele los puntos de las medias
en su aposento del palacio de los Duques, recuerda con detalles más
precisos las servidumbres y miserias a las que estaban sujetas las gentes
de su condición:

> ¡Oh, pobreza, pobreza!... ¿por qué quieres estrellarte con los hidalgos
> y bien nacidos más que con la otra gente? ¿Por qué los obligas a dar pantalia
> a los zapatos, y a que los botones de sus ropillas unos sean de seda, otros
> de cerdas, y otros de vidro? ¿Por qué sus cuellos, por la mayor parte, han
> de ser siempre escarolados, y no abiertos con molde?...¡Miserable del bien
> nacido que va dando pistos a su honra, comiendo mal y a puerta cerrada,
> haciendo hipócrita al palillo de dientes con que sale a la calle después de
> no haber comido cosa que le obligue a limpiárselos! ¡Miserable de aquel,
> digo, que tiene la honra espantadiza, y piensa que desde una legua se le
> descubre el remiendo del zapato, el trasudor del sombrero, la hilaza del he-
> rreruelo y la hambre de su estómago! (II, 44).

Pero lo que convierte al hidalgo en una figura ridícula, y a la vez
conmovedora, no es la penuria de su casa ni la bolsa vacía, sino la
presunción, el disimulo y los ademanes de gran señor, con que trata
de disfrazar los agujeros de las medias, el remiendo del zapato o el
hambre del estómago. La vida del hidalgo pobre se convierte así en
una pálida imitación, ridícula caricatura casi siempre, del lujo y las
formas de vida ostentosas de los caballeros y títulos. Recordemos, por
ejemplo, a aquel pobre escudero con el que topó Lazarillo por las calles de Toledo:

> ...con tal gentil semblante y continente, que quien no le conosciera pensara
> ser muy cercano pariente del conde Alarcos, o a lo menos camarero que
> le daua de vestir [60].

La figura de este altivo escudero es el símbolo de una sociedad
en que la nobleza, a la que por su condición jurídica pertenecen los

---

[59]   *La gran sultana,* BAE, CLVI, pág. 282.
[60]   *La vida de Lazarillo de Tormes,* ed. de Julio Cejador y Frauca, Madrid, CC,
1972, pág. 161.

hidalgos, ha quedado desprovista de sus antiguas funciones y obligada, en consecuencia, a exagerar las manifestaciones públicas de su poder y superioridad, y la compostura de su persona, criados y pertenencias [61]. Un caballero rico, como el jerezano Pedro de Riquelme, que litigó por su hidalguía contra el municipio en 1570, poseía, por ejemplo:

> ...casas de las antiguas y principales, muy apartadas y aderezadas, con mucho tráfago de gente, y en una sala dellas tantas lanzas, adargas, alabardas, partesanas y escudos, que podían armarse veinte hombres... Además de lo cual tenían muchos perros de caza, galgos, azores, falcones y tantos caballos buenos de rúa que no cabían en la caballeriza... criados, escuderos, pajes, mozos, esclavos y otros atavíos de caballero hijodalgo [62].

El lujo y la abundancia de una casa noble y rica, como debió de ser la de este caballero de Jerez, son los signos externos del prestigio social y el poder económico de su propietario: las lanzas y escudos, expuestos en la sala, realzan el adorno de la mansión noble y nos hablan de las hazañas y hechos de armas en que se ha forjado el linaje del señor [63]; los perros y aves de caza son indicios de que el caballero ejercita, en sus numerosos ratos de ocio, un deporte característico de príncipes y grandes señores [64]; el aderezo de la casa y vestido, la caballeriza repleta, la servidumbre abundante, contribuyen, en fin, a que el noble se rodee en todo momento del atavío y acompañamiento propios de su rango.

Al hidalgo de aldea le gustaría que sus propiedades, adornos y servidumbre fuesen tan abundantes y ricos como los de un caballero principal, pero, como su escasa hacienda sólo le permite cubrirse «con un trapo atrás y otro adelante» (II, 2), su vida no puede ser más que un grotesco remedo de la opulencia de los poderosos. En lugar de una

---

[61] Véase antes, cap. I, págs. 41 y sigs.
[62] Cit. por A. Domínguez Ortiz, *Las clases privilegiadas,* pág. 32.
[63] «Tendrá el Camarero cuydado de aconsejalle al señor, que tenga vna armería en la casa más antigua de su Estado, donde tenga muchas armas... que yo le doy palabra que he visto armería de señor en España, que se pueden armar en ella mil hombres de pelea, y sobran armas, y no hay cosa que más bien parezca en la casa del señor, que es veer vna buena armería, y puesta con curiosidad, que la armería tiene tanta grandeza en sí, que es trompeta de la grandeza del señor...» (M. Yelgo de Bázquez, *op. cit.,* fols. 20-21).
[64] Véase antes, cap. I, págs. 57 y sigs.

armería bien cuidada y dispuesta, don Quijote posee «lanza en astille-
ro», «adarga antigua» (I, 1) [65], y:

> ...unas armas que habían sido de sus bisabuelos, que, tomadas de orín y
> llenas de moho, luengos siglos había que estaban puestas y olvidadas en un
> rincón (I, 1).

El hidalgo pobre, que ha de estar ocioso todos los días del año,
procura también imitar en sus pasatiempos a la gente poderosa, y acostumbra a ser aficionado a la caza y a la pesca; y así, ningún:

> ...escudero hay tan pobre en el mundo, a quien le falte un rocín, y un par
> de galgos, y una caña de pescar, con que entretenerse en su aldea (II, 13).

Don Quijote es, igual que don Fernando o los Duques, «amigo
de la caza»; pero no posee aves de presa ni caballos poderosos, sino
un «galgo corredor» y un «rocín flaco», con «más cuartos que un
real y más tachas que el caballo de Gonela» (I, 1), y más apto para
montura de aldeano que para corcel de caballero, porque el rocín es,
según explica Sebastián de Covarrubias:

> ...cavallo viejo y cansado, quales suelen ser los de los molineros y los demás
> de servicio, que no son para cavallería de gente noble, ni para la guerra [66].

La servidumbre de don Quijote no está compuesta, como la del
caballero rico, por escuderos, pajes, mozos y esclavos, sino que se re-
duce a:

> ...una ama que pasaba de los cuarenta..., y un mozo de campo y plaza,
> que así ensillaba el rocín como tomaba la podadera (I, 1).

Tampoco puede hallarse en su mesa la variedad y riqueza de manjares con que se regala un título, ni la limpieza, aseo y abundancia

---

[65] «... una lança tras la puerta, un rocín en el establo, una adarga en la cámara,
una barjuleta a la cabecera, una bernía sobre la cama y una moça que le ponga la olla.
Tan honrado está un hidalgo con este axuar en una aldea como el rey con quanto tiene
en su casa» (Fray Antonio de Guevara, *Menosprecio de corte y alabanza de aldea,* edición
de Matías Martínez Burgos, Madrid, CC, 1975, pág. 94).

[66] *Op. cit.,* pág. 323.

de los convites de don Diego Miranda. Las comidas habituales de don Quijote son [67]:

> ...una olla de algo más vaca que carnero, salpicón las más noches, duelos y quebrantos los sábados, lantejas los viernes, algún palomino de añadidura los domingos... (I, 1).

Esta dieta, cuyo ingrediente esencial es la *olla,* se parece más a la de los labriegos y gañanes que a la de los títulos y caballeros. La olla, «grosera y tosca» según Lope de Vega [68], es el plato con que se satisfacen a la noche los jornaleros [69]; debe ser por ello expulsada de las mesas de los gobernadores, «donde ha de asistir todo primor y toda atildadura», y desterrada a las casas de los canónigos y a las bodas labradorescas (II, 47). Y, aunque la ración común en una casa bien administrada es de dos ollas al día —«sesenta ollas al mes, es el govierno de un hidalgo próvido», escribe Covarrubias [70]—, la hacienda de don Quijote sólo alcanza para una olla diaria, transfigurada después en el *salpicón* de la cena, plato compuesto por la carne cocida y un aliño de sal, vinagre, pimienta y cebolla [71].

El predominio de la *vaca,* más barata y reputada de inferior calidad, sobre la del *carnero* [72] en la olla de nuestro hidalgo, nos habla

---

[67] Francisco Rodríguez Marín, «El yantar de Alonso Quijano el Bueno», *Estudios cervantinos,* págs. 421-439; y J. L. Peset, M. Almela, *op. cit.*

[68] *El hijo de los leones,* BAE, XXXIV, pág. 225.

[69] «... los que servimos a labradores, por mucho que trabajemos de día, por mal que suceda, a la noche cenamos olla...» (II, 28). Véase cap. III, págs. 171-173.

[70] *Op. cit.,* pág. 836.

[71] «... quando te pidieren salpicón de baca, que procures tener un poco de buen tocino de pernil cocido, picado y mezclado con la baca, luego su pimienta, sal, vinagre, su cebolla picada mezclada con la carne y unas ruedas de cebolla para adornar el plato...» (Francisco Martínez Montiño, *Arte de cocina, pastelería* (1611), cit. por F. Rodríguez Marín, ed. del *Quijote* cit., vol. I, pág. 49).

[72] Juan Sorapán de Rieros dice sobre el carnero: «Este pues es el animal de más provecho y más necesario para el ánima y cuerpo humano de cuantos Dios con su omnipotencia crió y el de más privilegios, exemptiones y libertades de cuantos hay sobre la tierra» (*Medicina Española contenida en proverbios vulgares de nuestra lengua* (1616), cit. por J. L. Peset y M. Almela, *op. cit.,* pág. 256). Gonzalo Correas registra: «Karnero, komer de kavallero» (*op. cit.,* pág. 369); y Covarrubias: «Vaca y carnero, olla de cavallero» (*op. cit.,* pág. 309). Más datos en F. Rodríguez Marín, «El yantar de Alonso Quijano...», págs. 428-429.

también del espíritu mezquino con que don Quijote administra su estrecho caudal. Y, mientras que los *duelos y quebrantos* del sábado funcionan como un eficaz exorcismo para ahuyentar las sospechas de sangre impura [73], las *lentejas* del viernes son la encarnación misma de esa frugalidad, apenas rota por el *palomino* del domingo, en que se desenvuelve la vida del hidalgo:

> En su pasto y comida se figura la virtud de la templança, por quanto los pobres se contentavan antiguamente con el puchero de las lentejas [74].

Pero la sobriedad que don Quijote manifiesta en el comer, contrasta con el aspecto pulcro y cuidado de su vestuario [75], compuesto por:

> ...sayo de velarte, calzas de velludo para las fiestas, con sus pantuflos de lo mesmo, y los días de entresemana se honraba con su vellorí de lo más fino (I, 1).

Lo que el hidalgo ahorra «comiendo mal y a puerta cerrada», y «haciendo hipócrita al palillo de dientes» (II, 44), lo emplea, a lo que parece, en adquirir atuendos propios de un rango al que no está dispuesto a renunciar, y en aparentar ante los pobres palurdos de su pueblo las ceremonias y atavíos de los señores de título:

---

[73] Los duelos y quebrantos son, según indicaba ya Rodríguez Marín, huevos con tocino, un manjar que los conversos de origen judío, para evitar sospechas y acusaciones, se veían obligados a comer con repugnancia: véase Américo Castro, «Sentido histórico-literario del jamón y del tocino», en *Cervantes y los casticismos españoles,* Madrid, Alianza, 1974, págs. 25 y sigs. Para José López Navío («Duelos y quebrantos», *ACerv,* VI, 1957, págs. 169-191), la expresión tenía en aquella época una acepción mucho más amplia: «Duelos y quebrantos» era todo aquello que se acostumbraba a comer en sábado, día de semiabstinencia: «... la *grosura:* cabeza, sesos, pies y manos; la *asadura:* corazón, livianos y menudo; y principalmente los *despojos* que se fueron añadiendo por corruptela, aunque condenados por los moralistas: tocino magro y gordo, longaniza, pescuezo, pestorejo, brazuelos y cola; todo esto guisado (olla) o frito en sartén, y que podía estar aderezado con huevo. Estos abusos se fueron introduciendo poco a poco y en pequeña cantidad, con *duelo,* pero perturbaban las conciencias y *quebrantaban* la ley del ayuno y abstinencia, y de ahí se les llamó *duelos y quebrantos*» *(ibíd.,* págs. 187-188).

[74] Sebastián de Covarrubias, *op. cit.,* pág. 760.

[75] Véase G. Cruz Coronado, «Alonso Quijano, el hidalgo de aldea», *Letras* (Brasil), 3 (1955) y 7-8 (1957); y E. Lewis Hoffman, «Cloth and clothing in the *Quijote*», *KFLQ,* X, 1963, págs. 82-98.

El pobre hidalgo que en el aldea alcança a tener un sayo de paño recio, un capuz cerrado, un sombrero bueno, unos guantes de sobreaño, unos borceguíes domingueros y unos pantuflos no rotos, tan hinchado va él a la iglesia con aquellas ropas como irá un señor aforrado de martas [76].

Las restricciones deben ser drásticas en la olla del hidalgo, cuando en la familia hay una o más mujeres y éstas aprovechan la misa del domingo para deslumbrar a las pobres aldeanas que, como Teresa Panza, se han de cubrir la cabeza, por falta de manto, «con la falda de la saya» (II, 5):

Con estas tales señoras [dice Teresa a propósito de la Duquesa] me entierren a mí, y no las hidalgas que en este pueblo se usan, que piensan que por ser hidalgas no las ha de tocar el viento, y van a la iglesia con tanta fantasía como si fuesen las mesmas reinas (II, 50).

«UN ESCUDERO DE CASA, HIDALGO
COMO EL REY, PORQUE ERA MONTAÑÉS»

La situación económica de don Quijote, aunque apurada, dista aún de rayar en la miseria: «el honrado hidalgo del señor Quijana» (I, 5), nombre con que conocen a don Quijote sus vecinos, es propietario de «muchas hanegas de tierra de sembradura» (I, 1), cinco pollinos (I, 25), gallinas buenas, gordas y bien criadas (II, 7), y algunas yeguas que pacen en el prado concejil (I, 10). Su situación es holgada si la comparamos con la de los pobres hidalgos que, en número elevado, habitan en la zona norte de la Península y constituyen el escalón más bajo del estamento nobiliario: nobles de Galicia y León; escuderos de la Montaña, Asturias o Castilla la Vieja, procedentes de la antigua nobleza visigoda y muy celosos de sus prerrogativas [77]; hidalgos del País Vasco, donde la distinción de estados era desconocida y todos los ciudadanos se consideraban nobles por nacimiento [78]; infanzones del Pirineo aragonés [79]; o caballeros de la montaña catalana, empo-

---

[76]   Fray Antonio de Guevara, *op. cit.*, pág. 75.
[77]   Claudio Sánchez Albornoz, *España, un enigma histórico*, Buenos Aires, 1956, 2 volúmenes, vol. I, pág. 672.
[78]   A. Domínguez Ortiz, *Las clases privilegiadas*, págs. 167 y sigs.
[79]   *Ibíd.*, págs. 176 y sigs.

brecidos y enfrentados por largas enemistades entre bandos rivales [80]. El orgullo de estos hombres, que se sienten continuadores de quienes resistieron los ímpetus del invasor musulmán [81], y herederos de la «antigua sangre de los españoles» [82], no lograba encubrir la pobreza de la mayoría de ellos. El Obispo de León explicaba, en una carta dirigida a Felipe III en 1602, que a la capital de su diócesis:

> ...acudían gran número de pobres bien nacidos, limpios y nobles, de las montañas de Asturias y Galicia, que, para no perecer de hambre, se repartían en las casas de los eclesiásticos y seglares y en monasterios. En las grandes necesidades andaban a su ventura descalzos y desnudos, durmiendo en el mayor rigor del frío en las calles, con notable peligro de su salud y vidas [83].

En las Cortes de 1598 se señaló la imposibilidad de que los hidalgos de Vizcaya, Montaña, Asturias y Galicia, litigasen por su nobleza, porque «en toda esta tierra es tan grande la pobreza... que la hazienda de veinte hombres no basta para estos salarios» [84]; y en este mismo año, el doctor Cristóbal Pérez de Herrera advertía que entre los mendigos y necesitados:

> ...la mayor parte destos que andan en este hábito son de •buena gente y limpia —por ser los más montañeses, asturianos, gallegos, nava-

[80] *Ibíd.*, págs, 182 y sigs.

[81] «Como los pueblos de Vizcaya y de Navarra se defendieron de la irrupción de los bárbaros, por la altura y aspereza de sus montañas —escribe Mm. d'Aulnoy—, se tienen todos ellos por caballeros, hasta los aguadores» (J. García Mercadal, *op. cit.*, volumen II, pág. 1053). Según B. Moreno de Vargas, cuando los moros ganaron España «a los infelices godos», algunos hombres se recogieron «a las Montañas de Vizcaya, Burgos, Asturias, Galizia, Nauarra, Cataluña, y Aragón, y en los montes Pirineos, adonde con la aspereza de la tierra, y con algunos fuertes que edificaron, se defendieron valerosamente de los Moros Árabes, que nunca los pudieron entrar... y estas casas fuertes son los verdaderos, y antiguos solares de la nobleza de España» (*op. cit.*, fol. 21).

[82] «Los Asturianos y los Nauarros, por otro nombre los Vascones antiguos, los Cántabros o Vizcaýnos, y algunos nobles Catalanes, Gallegos y Aragoneses, y los demás Montañeses del Setentrión, y Occidente de España, no se mesclaron con los Godos, ni con los Moros de África, ni otras naciones, que en vn tiempo posseyeron estos reynos...»; son «... reliquias que se conseruaron en las Montañas de España desde el tiempo de Túbal» *(sic)* (Fray Benito de Peñalosa, *op. cit.*, fols. 75-76).

[83] Cit. por Miguel Lasso de la Vega, «La nobleza española en el siglo XVIII», *RABM*, LX, 1954, pág. 417.

[84] *Actas de las Cortes de Castilla*, XIII, pág. 66.

rros, y algunos de otras tierras débiles que son más pobres que las de por acá [85].

Las posesiones del pobre hidalgo al que sirve Lázaro, son:

> ...vn solar de casas, que a estar ellas en pie y bien labradas... valdrían más de dozientas vezes mil marauedís. Y tengo vn palomar, que a no estar derribado como está, daría cada año más de dozientos palominos [86].

Anselmo, hijo de un hidalgo vizcaíno y protagonista de uno de los episodios de la *Guía y avisos de forasteros,* era heredero de:

> ...dos paredes caídas de casa solariega y cuatro árboles de mayorazgo [87].

Mientras que el estrafalario don Toribio, «hidalgo hecho y derecho de casa y solar montañés», que viaja con Pablos hasta la Corte, ha tenido que vender hasta la sepultura «por no tener sobre qué caer muerto» [88].

Pero, aunque perezca de hambre, el hidalgo no debe trabajar. En la sociedad estamental es el villano, y con frecuencia el converso, quien ejerce los menesteres más humildes y deshonrosos [89]; mientras que las obligaciones del hombre de buena casta son el gobierno y la guerra, o el ocio, el paseo y el trato con sus iguales. Por eso, según Moreno de Vargas:

> ...los nobles que vsaren de oficios viles, y mecánicos pierden sus noblezas, y priuilegios dellas [90].

Y aunque en la práctica el hidalgo no perdía sus derechos por dedicarse a la artesanía o las finanzas, su honra podía quedar en entredicho, y su posible ascenso a una capa superior de la nobleza cerrado, con el ejercicio de tales actividades. En las Cortes de 1593, un memorial presentado al Reino lamentaba:

---

[85] *Amparo de pobres,* ed. cit., pág. 101.

[86] *Lazarillo de Tormes,* ed. cit., pág. 190.

[87] Antonio Liñán y Verdugo, *Guía y avisos de forasteros que vienen a la Corte,* edición de Edisons Simons, Madrid, Editora Nacional, 1980, pág. 87.

[88] *El Buscón,* ed. cit., pág. 189.

[89] Véase más adelante, cap. IV, págs. 269 y sigs.

[90] *Op. cit.,* fol. 59.

Que sea la causa de no hauer quien sea oficial de curiosidad, y que no haya mucha copia de oficiales de todos oficios, la ociosidad tan hija y madre de nuestra España, quién lo duda, pues ha venido a tan lastimoso tiempo, que se afrente el otro que se tiene ya por hidalgo que le nombren a su padre, porque fue oficial, y se contenta a vezes con no comer ni beber por no desdecir del punto de hidalgo, sustentándose con esta vanidad sin querer tener oficio [91].

Y Martín González de Cellorigo denuncia:

...el abuso y deprauada costumbre que se ha introduzido en estos Reynos: de que el no viuir de rentas, no es trato de nobles, y que todo lo demás aora toque a agricultura, o a mercaduría, o a otro qualquier trato, por bueno y justo que sea, prejudica (*sic*) a la nobleza [92].

La ociosidad es uno de los rasgos distintivos del noble rural. De los 2.500 hidalgos que aparecen citados en las *Relaciones,* sólo doce viven de su trabajo [93]; el resto llenaría sus interminables horas de ocio, como el caballero del Verde Gabán, con la pesca, la caza, la lectura y el paseo. Recordemos, en este sentido, cómo nació la locura de Alonso Quijano:

...los ratos que estaba ocioso (que eran los más del año), se daba a leer libros de caballerías con tanta afición y gusto, que olvidó casi de todo punto el ejercicio de la caza... (I, 1).

La holgazanería del hidalgo parece estar rodeada de un aura de prestigio, y son muchos los que aprenden del noble a vivir sin trabajar. En el pueblo de *Almoguera* (Guadalajara), por ejemplo, las *Relaciones* nos explican que:

---

[91]   *Actas,* XII, pág. 464. Cfr.: «... la nobleza de las montañas fue ganada por armas, y conservada con servicios hechos a los Reyes; y no se han de manchar con hacer oficios bajos, que allá con lo poco que tienen se sustentan, pasando lo peor que pueden conservando las leyes de hidalguía, que es andar rotos y descosidos con guantes y calzas atacadas» (Vicente Espinel, *Vida del escudero Marcos de Obregón,* ed. de Samuel Gili Gaya, Madrid, CC, 1970, 2 vols., vol. II, págs. 63-64).

[92]   *Memorial de la política necessaria y vtil restauración a la República de España,* Valladolid, 1600, fol. 25.

[93]   Noël Salomon, *La vida rural castellana,* pág. 305.

...la gente es poco amiga de trabajar; los hidalgos, que no lo saben y pueden hacer, ni es de su género arar ni ir a cabar, y los labradores deprenden de ellos a olgar y pasear... [94].

En Madrid, los hidalgos ociosos, y los pícaros que quieren parecerse a ellos, tienen lugares de reunión y formas de vida muy característicos:

...levantarse tarde; oír, no sé si diga por cumplimiento, una misa; cursar en los mentideros de Palacio o Puerta de Guadalajara; comer tarde; no perder comedia nueva [95].

Al soldado de *El juez de los divorcios:*

Las mañanas se le passan en oýr missa y en estarse en la puerta de Guadalajara murmurando, sabiendo nueuas, diziendo y escuchando mentiras; y las tardes, y aun las mañanas también, se va de en casa en casa de juego, y allí sirue de número a los mirones, que, según he oydo dezir, es vn género de gente a quien aborrecen en todo estremo los gariteros. A las dos de la tarde viene a comer, sin que le ayan dado vn real de barato, porque ya no se vsa el darlo. Buéluese a yr, buelue a medianoche, cena si lo halla, y si no, santíguase, bosteza y acuéstase... [96].

Estas gentes baldías que frecuentan la Puerta de Guadalajara, las casas de juego, la comedia y los corrillos de murmuradores, se identifican, y de ello hacen a veces timbre de gloria, por carecer de oficio o profesión conocidos. El escudero Marcos de Obregón, por ejemplo, reconoce:

...llámome Marcos de Obregón; no tengo oficio, porque en España los hidalgos no lo aprenden, que más quieren padecer necesidad o servir que ser oficiales [97].

En *El juez de los divorcios,* el soldado holgazán alega en su defensa:

---

[94]   Juan Catalina García y Manuel Pérez Villamil, *Relaciones topográficas de España: Relaciones de pueblos que pertenecen hoy a la provincia de Guadalajara,* en *MHE,* XLII, pág. 180.
[95]   Cristóbal Suárez de Figueroa, *El Pasagero,* ed. cit., pág. 329.
[96]   BAE, CLVI, pág. 480.
[97]   *Ed. cit.,* vol. II, pág. 63.

...yo, que, ni tengo oficio ni beneficio, no sé qué hazerme, porque no ay señor que quiera seruirse de mí, porque soy casado [98].

Y Sancho Panza tropieza, durante su ronda por la ínsula Barataria, con un personaje que discurre en términos muy parecidos: después de haber asistido como mirón y ayudado al ganancioso en una casa de juego:

> ...cuando esperaba que me había de dar algún escudo por lo menos, de bara-
> to, como es uso y costumbre darle a los hombres principales, como yo, que
> estamos asistentes para bien y mal pasar, y para apoyar sinrazones y evitar
> pendencias, él se embolsó su dinero y se salió de la casa. Yo me vine despe-
> chado tras él, y con buenas y corteses palabras le he pedido que me diese
> siquiera ocho reales, pues sabe que yo soy hombre honrado y que no tengo
> oficio ni beneficio, porque mis padres no me le enseñaron ni me le dejaron
> (II, 49).

Pero, aunque es deshonroso trabajar, no lo es el servir, y son muchos los nobles —desde el título que sirve en Palacio hasta el escudero que acompaña a la mujer del hidalgo— que hacen del oficio de criado un medio digno y seguro de vida. Cardenio, caballero ilustre y rico, considera una honrosa merced el ser elegido como criado y acompañante de don Fernando por el duque Ricardo (I, 24); y don Quijote explica que:

> ...en tanto más es tenido el señor cuanto tiene más honrados y bien nacidos
> criados, y que una de las ventajas mayores que llevan los príncipes a los
> demás hombres es que se sirven de criados tan buenos como ellos (II, 31).

Los hidalgos pobres, sobre todo, viven ilusionados con la esperanza de alcanzar un cargo respetable y seguro entre la servidumbre de una casa noble: esa era, precisamente, una de las obsesiones del Escudero de *Lazarillo:*

> Y vine a esta ciudad, pensando que hallaría vn buen assiento; mas no
> me ha succedido como pensé. Canónigos y señores de yglesia, muchos hallo;
> mas es gente tan limitada, que no los sacarán de su paso todo el mundo.
> Caualleros de media talla también me ruegan; mas seruir con estos es gran

---

[98]   BAE, CLVI, pág. 481.

trabajo... Ya, quando assienta vn hombre con vn señor de título, todavía passa su lazeria. ¿Pues por ventura no ay en mí habilidad para seruir y contentar a éstos? Por Dios, si con él topasse, muy gran su priuado pienso que fuesse y que mil seruicios le hiziesse, porque yo sabría mentille tan bien como otro y agradalle a las mil marauillas [99].

En el *Quijote* encontramos una variada galería de personajes nobles, nacidos en el norte del Reino de Castilla, que se han visto obligados por el exceso de población, la escasez de recursos y el horror al trabajo, a abandonar sus tierras y buscar acomodo en el palacio de un señor. Son los *escuderos,* nombre aplicado en la Edad Media a los jóvenes nobles que aprendían el manejo de las armas acompañando a los caballeros en el combate, y usado en el siglo XVI para designar a los hidalgos pobres [100] que:

> ...sirven a los señores de acompañar delante sus personas, asistir en la antecámara o sala; otros se están en sus casas y llevan acostamiento de los señores, acudiendo a sus obligaciones a tiempos ciertos. Oy día más se sirven dellos las señoras; y los que tienen alguna passada huelgan más de estar en sus casas que de servir, por lo poco que medran y lo mucho que les ocupan [101].

Son gentes que:

> ...se llaman escuderos por metáphora, por quanto siruen de acompañar los Domingos y fiestas a mugeres [102].

Ya en una de sus primeras aventuras, don Quijote se encuentra con una señora que viajaba camino de Sevilla, y con:

> ...un escudero de los que el coche acompañaban, que era vizcaíno (I, 8).

De Vizcaya es uno de los servidores del gobernador de Barataria, un personaje que, al preguntar Sancho quién era allí su secretario, respondió:

---

[99] *Ed. cit.,* págs. 190-193.
[100] Véase Ramón Menéndez Pidal, «Sobre un arcaísmo léxico en la poesía tradicional», en *De primitiva lírica española y antigua épica,* Madrid, Espasa Calpe, colección Austral, 3.ª ed., 1977, págs. 129-133.
[101] Sebastián de Covarrubias, *Tesoro de la lengua castellana,* pág. 543.
[102] Fray Juan Benito Guardiola, *op. cit.,* fol. 72.

—Yo, señor, porque sé leer y escribir, y soy vizcaíno.
—Con esa añadidura —dijo Sancho—, bien podéis ser secretario del mismo Emperador (II, 47).

Muchos hidalgos de Asturias, León y la Montaña se ven obligados a abandonar su patria, igual que los vizcaínos, y a buscar cobijo a la sombra de los señores. Doña Rodríguez, por ejemplo, servía como dueña de la Duquesa y era:

> ...natural de las Asturias de Oviedo, y de linaje, que atraviesan por él muchos de los mejores de aquella provincia; pero mi corta suerte y el descuido de mis padres, que empobrecieron antes de tiempo, sin saber cómo ni cómo no, me trujeron a la Corte, a Madrid, donde, por bien de paz y por excusar mayores desventuras, mis padres me acomodaron a servir de doncella de labor a una principal señora (II, 48).

Durante su estancia en la Corte, doña Rodríguez fue requerida de amores y se casó con un hombre de condición social muy parecida a la suya:

> ...un escudero de casa, hombre ya de días, barbudo y apersonado, y, sobre todo, hidalgo como el Rey, porque era montañés (II, 48).

Al quedar viuda y con una hija, doña Rodríguez entró a servir en el palacio de los Duques como dueña de honor [103]; pero nunca pudo ahuyentar la pobreza, porque, mientras fue doncella de labor en Madrid, estuvo:

> ...atenida al miserable salario y a las angustiadas mercedes que a las tales criadas se suele dar en palacio (II, 48).

Y en casa de los Duques aragoneses, viuda ya, se dio cuenta de que las dueñas:

> ...hemos de vivir en el mundo, y en las casas principales, aunque muramos de hambre y cubramos con un negro monjil nuestras delicadas o no delicadas carnes, como quien cubre o tapa un muladar con un tapiz en día de procesión (II, 37).

---

[103] Véase Conchita Herdman Marianella, *«Dueñas» and «Doncellas», a study of the «Doña Rodríguez» episode in «Don quijote»,* University of North Carolina, 1979.

Pero la pobreza no quebranta el orgullo y la vanidad de estas gentes, que se creen en posesión de todas las virtudes y herederas de las alcurnias más depuradas. El escudero, según Enríquez de Guzmán:

> ...en syendo cavallero, luego es sobervio y dize que es montañés y que del rey abajo no deve nada a nadie [104].

Y Lope de Vega comenta que entre escuderos:

> Todo es tratar de noblezas,
> De dorar ejecutorias,
> De mostrar armas diversas,
> Castillos, leones, barras,
> Perros, gatos y culebras [105].

Recordemos, por ejemplo, las airadas palabras y los fieros ademanes con que el escudero vizcaíno responde a don Quijote, cuando éste le niega su condición de caballero:

> ¿Yo no caballero? Juro a Dios tan mientes como cristiano. Si lanza arrojas y espada sacas, ¡el agua cuán presto verás que al gato llevas! Vizcaíno por tierra, hidalgo por mar, hidalgo por el diablo, y mientes que mira si otra dices cosa (I, 8).

Doña Rodríguez quedó viuda por un exceso de «crianza y puntualidad» del «barbudo y apersonado» hidalgo montañés con quien se había casado. Eran los tiempos en que:

> ...no se usaban coches ni sillas, como agora dicen que se usan, y las señoras iban a las ancas de sus escuderos (II, 48) [106].

Un día en que el hidalgo iba a entrar, acompañando a su señora, en la calle de Santiago, en Madrid, que es algo estrecha:

> ...venían a salir por ella un alcalde de Corte con dos alguaciles delante, y así como mi buen escudero le vio, volvió las riendas a la mula, dando señal de volver a acompañarle (II, 48).

---

[104] *Op. cit.,* pág. 52.

[105] *La discreta venganza,* BAE, XLI, pág. 309.

[106] Fernando Matute alababa aquellos tiempos en que vivía «la muger sin auer menester coche, y sin acordarse dél, y si se offrecía occasión con vn escudero honrrado, biejo, honesto, antiguo en casa, a las ancas de vna mula yua a missa la muger; y a recibir sacramentos, y a hazer alguna visita...» (*El trivmpho del desengaño,* Nápoles, 1682, 2 volúmenes, vol. I, pág. 506).

La señora, ofendida, clavó un alfiler en los lomos de su escudero; cayeron ambos de la mula; se alborotó la gente baldía que frecuentaba la Puerta de Guadalajara; y, al volver a su casa, como el escudero, además de excesivamente cortés, era corto de vista:

> ...mi señora le despidió, de cuyo pesar, sin duda alguna, tengo para mí que se le causó el mal de la muerte *(ibíd.)*.

El orgullo de clase y los signos de la buena crianza, que llevan al escudero a extremar las muestras de respeto hacia los superiores, pueden engendrar resquemor o indignación cuando el hidalgo no recibe el trato que corresponde a su rango: Don Quijote recrimina al cuadrillero de la Santa Hermandad que le da un tratamiento inadecuado a su condición de caballero andante (I, 17); y la Dolorida lamenta el poco respeto de las señoras hacia sus dueñas, acrecentado por la fea costumbre de llamarlas a cada paso de *vos* (II, 40).

En las aldeas y lugares de pocos vecinos es difícil ocultar la penuria de la olla, el remiendo del zapato y las necesidades de la casa. En tales circunstancias, el hidalgo debe acentuar las actitudes de superioridad frente a los plebeyos, a menudo más ricos que él, y defender con la vanidad y el desdén unos privilegios que en muchos lugares se ven amenazados y puestos en discusión. Despreciar al villano, situarse por encima de él o, en el mejor de los casos, rehuir su trato, son por ello reglas de conducta habituales entre caballeros e hidalgos: el jerezano Pedro de Riquelme, por ejemplo, que litigó por su hidalguía en 1570, siempre se juntaba y acompañaba con hombres de su misma condición, y tanto él como su familia:

> ...eran de tanto pundonor, que no consentían consigo a pecheros, ni éstos se atrevían a juntarse con ellos [107].

Uno de los testigos que declaró en Valladolid a favor de Rodrigo de Cervantes, padre de Miguel, afirma:

> ...que conosçe a los dichos licenciado Çerbantes e Rodrigo de Çerbantes su hijo en las partes e lugares donde bibieron, synpre a visto este testigo que se han juntado y juntan e aconpañan con personas caballeros e hijos dalgo...

---

[107]   A. Domínguez Ortiz, *Las clases privilegiadas,* pág. 32.

y nunca este testigo los vido juntar ny acompañar con los hombres pecheros de las dichas çiudades [108].

También en el pueblo de don Quijote, las hidalgas:

> ...van a la iglesia con tanta fantasía como si fuesen las mesmas reinas, que no parece sino que tienen a deshonra el mirar a una labradora (II, 50).

No es extraño que la presunción y soberbia de los hidalgos, especialmente cuando sirven de máscara a la pobreza, despierten el rencor y la animadversión de los pecheros, y que en muchos lugares se haya declarado una guerra, sorda unas veces y abierta otras, entre ambos estados: López de Úbeda afirma «que es natural la enemiga que tienen los villanos a los hijosdalgo» [109]; en las Cortes de 1593 se llegó a hablar del «odio natural» que el estado de los pecheros tiene al de los hidalgos [110], y en las de 1598 se comentó:

> ...que en la mayor parte de Castilla la Vieja en este año ha habido grandes revueltas y escándalos entre el estado de los caballeros e hijosdalgo, y el de los pecheros [111].

Uno de estos tumultos tuvo lugar en Esquivias, el pueblo de la mujer de Cervantes, en 1683, y debió de revestir cierta gravedad, pues movió al Consejo de Castilla a enviar al lugar 1.400 hombres y cabalgaduras [112]. Estos sucesos no fueron, sin embargo, frecuentes; lo habitual es que la soterrada y permanente hostilidad entre villanos e hidalgos se traduzca en rencillas incruentas o pleitos ante la justicia. En muchos pueblos, los hidalgos son empadronados como pecheros y obligados a gastar tiempo y dinero ante la Chancillería para restaurar sus derechos [113]; en otros:

---

[108] F. Rodríguez Marín, *Nuevos documentos cervantinos*, pág. 133.

[109] *La pícara Justina*, BAE, XXXIII, pág. 164. Según Mateo Alemán: «La gente villana siempre tiene a la noble —por propiedad oculta— un odio natural...» (*Guzmán de Alfarache*, ed. cit., vol. I, pág. 232).

[110] *Actas*, XIII, pág. 65.

[111] *Ibíd.*, XV, pág. 639.

[112] A. Domínguez Ortiz, *Las clases privilegiadas*, págs. 138-139.

[113] Véase Noël Salomon, *La vida rural castellana*, págs. 306 y sigs.

...no consienten que los hijosdalgos entiendan en las cosas del pueblo, ni tengan alcaldías, ni alguazilazgos, ni otros officios, ni entren en sus ayuntamientos [114].

Los vecinos de *Pezuela* (Madrid) declaran en las *Relaciones* que en la villa sólo hay cinco hidalgos:

... y por ser de tan poco provecho al servicio de Su Magestad holgaran de no tener ninguno en el pueblo [115].

Y los de *Roa* (Burgos):

...son tan acérrimos contrarios al estado noble, que ninguno admiten por vecino, ni le dan estado de hijodalgo sin que litigase ejecutoria, y le contradicen, y aunque en esto gasten sus caudales lo hacen con gusto, por hacer oposición a los que a dicha villa van a avecindarse y pretenden entrar en el goce del estado noble [116].

Aunque las relaciones personales entre don Quijote y Sancho son excelentes y constituyen todo un modelo de entendimiento entre hombres de distinta condición social, la vida de la aldea no es tan armoniosa: las labradoras, como Teresa Panza, no soportan la presunción de muchas hidalgas, que van a misa como si fuesen reinas (II, 50); y, cuando Sancho es nombrado gobernador, lo primero que piensa hacer su consorte es «lucir ricas galas y adornos», «quebrar los ojos a mil envidiosos» (II, 52), y dejar para siempre en ridículo a las engreídas hidalgas del lugar:

—¡A fee que agora que no hay pariente pobre! ¡Gobiernito tenemos! ¡No, sino tómese conmigo la más pintada hidalga; que yo la pondré como nueva! (II, 50).

«IGLESIA, O MAR, O CASA REAL»

Es muy natural que el hidalgo, acosado por los plebeyos y condenado a una vida pobre y estéril, desee mudar estado, codearse con

---

[114] *Cortes de los antiguos reinos de León y Castilla,* 1525, cit. por Agustín Redondo, «Historia y literatura», pág. 426.

[115] C. Viñas Mey y Ramón Paz, *Relaciones, Madrid,* pág. 469.

[116] A. Domínguez Ortiz, *Las clases privilegiadas,* pág. 138, n. 42.

los caballeros y usurpar sus títulos, con el fin de alcanzar un puesto más elevado en la jerarquía nobiliaria:

> Los hidalgos de guerra y otros pobres *escuderos* [observa Barthelemy Joly] simulan inmediatamente el nombre de caballeros, que imitan, *o de veras o de burlas, en sus grandezas, ejercicios, maneras de hablar, cortesía, denuedos, gravedades, brevedad de palabras, atrevimiento, desenvoltura, traues, bullas, ademanes, juegos, largos juramentos a fe de caballero, repetición de parientes nobles...* y yo mismo les he oído decir: *Soy tan bueno como el conde Tal,* o bien *Juro por Dios que soy tan hydalgo que el rey, y aún más, que él es medio flamenco* [117].

También Quevedo, en *El mundo por de dentro*, señala:

> ¿Ves aquel hidalgo con aquel que es como caballero? Pues, debiendo medirse con su hacienda, ir solo, por ser hipócrita y parecer lo que no es, se va metiendo a caballero, y por sustentar un lacayo, ni sustenta lo que dice ni lo que hace, pues ni lo cumple ni lo paga. Y la hidalguía y la ejecutoria le sirven sólo de pontífice en dispensarle los casamientos que hacen con sus deudas: que está más casado con ellas que con su mujer [118].

En don Quijote, como en tantos hidalgos propietarios de cuatro paredes de solar y un terruño improductivo, son evidentes los deseos de promoción social. Es esa vida triste y mediocre, que se nos describe en el capítulo I, la que empuja al hidalgo a huir de la aldea y tratar de cambiar de vida; la que genera muchos de los desvaríos, aventuras soñadas y quimeras caballerescas que hacen perder el juicio a Alonso Quijano «el bueno». Porque, si el vulgo acusa a don Quijote de ser «grandísimo loco», y a Sancho de «no menos mentecato», lo que más ofende a los hidalgos del pueblo es que el fingido caballero andante, según vimos:

> ...no conteniéndose... en los límites de la hidalguía, se ha puesto *don* y se ha arremetido a caballero con cuatro cepas y dos yugadas de tierra, y con un trapo atrás y otro adelante (II, 2).

También el Ama y la Sobrina lamentan que su tío y señor:

---

[117] J. García Mercadal, *op. cit.,* vol. II, pág. 124.
[118] *Los sueños,* ed. de Julio Cejador y Frauca, Madrid, CC, 1953, vol. II, pág. 22.

...dé en una ceguera tan grande y en una sandez tan conocida, que se dé
a entender que es valiente, siendo viejo, que tiene fuerzas, estando enfermo,
y que endereza tuertos, estando por la edad agobiado, y, sobre todo, que
es caballero, no lo siendo, *porque aunque lo puedan ser los hidalgos, no
lo son los pobres...* (II, 6).

Los labriegos, igual que los hidalgos, no pueden ocultar su asombro, y disparan contra el falso caballero su socarronería y buena
memoria:

Idos con vuestro don Quijote a vuestras aventuras [dice Teresa Panza
a su marido], y dejadnos a nosotras con nuestras malas venturas; que Dios
nos las mejorará como seamos buenas; y yo no sé, por cierto, quién le puso
a él *don* que no tuvieron sus padres ni sus agüelos (II, 5).

Y es que *don:*

Es título honorífico, que se da al cavallero y noble y al constituydo en
dignidad [119].

Por eso, cuando un hidalgo que se cubre con un trapo atrás y otro
delante, añade a su nombre un *don* que no le corresponde, levanta
entre sus vecinos un auténtico huracán de burlas e indignación.
Este deseo de ascensión social es una constante en la conducta de
don Quijote: ya al comienzo de la novela, el personaje olvida su hidalguía y arremete a caballero, o se imagina coronado con el imperio
de Trapisonda (I, 1); sueña más tarde con ser rey o emperador (I,
21), y explica al Ama y la Sobrina los caminos que llevan al hombre
a ser rico y honrado (II, 6). Y, aunque su comportamiento raya a
veces en el disparate, don Quijote es el ejemplo vivo de las manías
nobiliarias que obsesionaban a sus contemporáneos, el producto de
una sociedad en que el hidalgo jura «a fe de caballero», el

...caballero, por ser señoría, no hay diligencia que no haga... El señor, por
tener acciones de grande, se empeña, y el grande remeda ceremonia de
Rey [120].

---

[119] Covarrubias, *op. cit.,* pág. 482.
[120] Quevedo, *El mundo por de dentro,* ed. cit., pág. 22.

Pero, ¿qué caminos puede emprender un hidalgo como don Quijote para librarse de la pobreza y alcanzar un escalón más alto en la sociedad? La respuesta nos la da el propio Cervantes, cuando nos explica que en un lugar de las montañas de León hubo un hidalgo que, en la estrechez de aquellos pueblos, alcanzaba fama de rico, «y verdaderamente lo fuera si así se diera maña a conservar su hacienda como se la daba en gastalla» (I, 39). Para no ocasionar daños irreparables con su prodigalidad, este hidalgo decidió guardar una parte de su hacienda para el propio sustento, y repartió el resto entre sus tres hijos, a fin de que éstos alcanzasen honra y provecho con el ejercicio de una de las tres profesiones que él mismo se ocupó de señalar:

> Hay un refrán en nuestra España, a mi parecer, muy verdadero, como todos lo son, por ser sentencias breves sacadas de la luenga y discreta experiencia; y el que yo digo dice: *«Iglesia, o mar, o casa real»,* como si más claramente dijera: «Quien quisiere valer y ser rico, siga, o la Iglesia, o navegue, ejercitando el arte de la mercancía, o entre a servir a los reyes en sus casas»; porque dicen: «Más vale migaja de rey que merced de señor». Digo esto porque querría, y es mi voluntad, que uno de vosotros siguiese las letras, el otro la mercancía, y el otro sirviese al Rey en la guerra, pues es dificultoso entrar a servirle en su casa (I, 39) [121].

El primogénito, Ruy Pérez de Viedma, el Capitán Cautivo, eligió el ejercicio de las armas para servir con ellas «a Dios y al Rey» *(ibíd.),* y:

> ...en pocos años, por su valor y esfuerzo, sin otro brazo que el de su mucha virtud, subió a ser capitán de infantería, y a verse en camino y predicamento de ser presto maestre de campo (I, 42).

El segundo de los hermanos «escogió irse a las Indias, llevando empleada la hacienda que le cupiese» (I, 39): se hizo rico en el Perú, ayudó desde allí a su familia, y entregó al padre hacienda con que «poder hartar su liberalidad natural» (I, 42). El menor, Juan Pérez de Viedma:

> ...dijo que quería seguir la Iglesia, o irse a acabar sus comenzados estudios a Salamanca (I, 39).

---

[121] En el *Vocabulario* de Correas puede leerse: «Iglesia, o mar, o Kasa Rreal, kien kiere medrar» *(ed. cit.,* pág. 164); «Tres kosas hazen al onbre medrar; Iglesia, i mar, i Kasa Rreal» *(ibíd.,* pág. 512).

En la Universidad obtuvo el grado de licenciado, y fue nombrado Oidor de la Audiencia de México (I, 42).

De estos tres caminos, el del comercio con destino a las Indias fue el menos frecuentado por los hidalgos, ya que, si bien muchas familias de mercaderes conseguían elevarse al estado noble mediante el matrimonio o el dinero [122], no era frecuente, salvo casos aislados [123], que un hidalgo participase de manera directa en un negocio tenido por infame y, desde fines del siglo XVI, inseguro y poco rentable. Por eso, cuando la llegada del nuevo siglo trae consigo la cancelación de muchos negocios y el fin de la prosperidad comercial [124], el refrán con que el padre del Capitán Cautivo trataba de orientar a sus hijos, quedó reducido a *Iglesia y casa real* [125], o, lo que es lo mismo, a la profesión *militar,* la de *eclesiástico* o la de *letrado,* nombre con el que se designa al que profesa letras y, en sentido más estricto, a los funcionarios de la Corona y a los responsables de la administración de justicia [126].

Dos son, por tanto —*armas y letras*—, las vías que permiten al plebeyo el acceso a la nobleza, y al escudero o al hidalgo pobre la obtención de dignidades más altas dentro de ella. Moreno de Vargas señalaba que:

> ...el hombre por vno de dos caminos Reales viene a disponerse, y merecer que el Rey le conceda la nobleza, e hidalguía, y éstos son, o por saber, o por bondad de costumbres... en el camino del saber, se comprehende todo género de *letras*... Y en el otro camino de la bondad de costumbres se incluyen las *armas* [127].

---

[122]   Véase cap. V, págs. 294 y sigs.

[123]   Sevilla fue una de esas excepciones (véase Ruth Pike, *Aristocrats and Traders. Sevillian Society in the Sixteenth Century,* Ithaca, Cornell University Press, 1972, páginas 22 y sigs.).

[124]   Véase cap. V, págs. 291 y sigs.

[125]   J. H. Elliott, *La España imperial,* pág. 339.

[126]   Don Quijote habla de «las letras humanas, que es su fin poner en su punto la justicia distributiva y dar a cada uno lo que es suyo, y entender y hacer que las buenas leyes se guarden» (I, 37). Para Covarrubias, *letrado* es «el que professa letras, y hanse alçado con este nombre los juristas abogados» (*op. cit.,* pág. 763).

[127]   *Op. cit.,* fols. 12-13. Véase J. M. Pelorson, *op. cit.,* págs. 377 y sigs.; y, del mismo autor, «Le discours des armes et des lettres et l'episode de Barataria», *LN,* LXIX, 1975, págs. 40-58.

Para Jerónimo de la Cruz:

> ...la fidalguía, y nobleza tuuieron principio, o de las *letras,* o de las *armas,* o de ambas cosas [128].

Y, según la versión que don Quijote ofrece a su ama y sobrina:

> Dos caminos hay, hijas, por donde pueden ir los hombres a llegar a ser ricos y honrados: el uno es el de las *letras;* otro, el de las *armas* (II, 6).

El interés suscitado por el tema de las armas y las letras —recordemos el discurso de don Quijote sobre este asunto (I, 37 y 38)—, se explica también por los cambios políticos acaecidos en los comienzos de la Edad Moderna. Desde el siglo xv, la monarquía absoluta se apoya en un aparato judicial y administrativo, reclutado entre los titulados universitarios, y en un ejército profesional sujeto a las órdenes del rey. Letrados y soldados son los auténticos artífices, y los más firmes valedores, del Estado moderno, y ello nos permite afirmar, con fray Benito de Peñalosa, que:

> ...el autoridad Imperial, su lustre y resplandor, pende, así de las letras, como de las Armas. Son las letras y las Armas dos Polos sobre que se mueue y sustenta toda la Monarquía de las Esferas de vna concertada, y acordada República [129].

La complicada maquinaria estatal del imperio español necesita además, para atender a sus necesidades, una cantidad cada vez mayor de funcionarios, procedentes muchas veces de los estratos medio e inferior de la nobleza [130]. La Universidad refleja esta tendencia de distintas formas: las carreras superiores se convierten en un medio para conseguir puestos elevados en la administración; las universidades crecen, y, desde la segunda mitad del siglo xvi, se produce un notable aumento del número de estudiantes matriculados en leyes —los futuros

---

[128] Jerónimo de la Cruz, *Defensa de los estatvtos y noblezas españolas,* Zaragoza, 1637, pág. 5.

[129] *Op. cit.,* fol. 54.

[130] Sobre la preponderancia de las familias nobles en las filas de los letrados, véase Jean-Marc Pelorson, *Les letrados,* parte II, cap. 5.º, especialmente págs. 208 y sigs.

servidores del Estado—, en detrimento del estudio de otras materias, incluso de la teología [131].

Lo que mueve a los jóvenes a matricularse y concluir sus estudios en la universidad es el deseo de instalarse cómodamente en un cargo eclesiástico o civil, el anhelo de lograr un oficio bien remunerado en los tribunales, consejos, audiencias, chancillerías o corregimientos. El título universitario y el empleo que con él se obtiene, son, además, una manera cómoda de conseguir la hidalguía o de dar lustre a la nobleza heredada; porque entre los nobles debe incluirse a:

> ...los Doctores, por quanto estos tales al mesmo punto que son graduados alcançan el título y renombre de nobleza... por quanto la sciencia en grande manera illustra, pues que no solamente ennoblece interiormente, mas aun exteriormente [132].

Y Cervantes nos dice que:

> ...las letras humanas... tan bien parecen en un caballero de capa y espada, y así le adornan, honran y engrandecen como las mitras a los obispos (II, 16).

Aunque los hidalgos habían servido como letrados durante todo el siglo XVI, es al final de la centuria, y sobre todo en el siglo siguiente, cuando la decadencia económica, las crisis agrarias y la inseguridad general obligan a muchos nobles a cursar estudios y a procurarse un cargo, para poder completar sus menguadas rentas e ilustrar sus blasones [133]. Recordemos que Carriazo y Avendaño, los protagonistas de *La ilustre fregona,* aunque después huyeron hasta Toledo, habían pedido permiso a sus padres para ir a estudiar a Salamanca [134]. También don Antonio de Isunza y don Juan de Gamboa, caballeros principales y de una misma edad, estudiaban en Salamanca y decidieron, «llevados del hervor de su sangre moza», marchar a Flandes; a la vuelta pasaron

---

[131]   Richard L. Kagan, «Las Universidades en Castilla, 1500-1700», en J. H. Elliott, *Poder y sociedad* (págs. 57-89), págs. 69-70.

[132]   Fray J. B. Guardiola, *op. cit.,* fols. 22-23. Sobre el ennoblecimiento mediante las letras, véase J. M. Pelorson, *Les letrados,* págs. 222 y sigs.

[133]   Richard L. Kagan, *Students and Society,* págs. XVII y sigs.; y J. M. Pelorson, *Les letrados,* págs. 210 y sigs. Véase antes, cap. I, págs. 36 y sigs.

[134]   BAE, I, pág. 184.

por Italia, visitaron Bolonia y acordaron concluir los estudios en su insigne universidad [135].

Los hijos de los hidalgos y caballeros que aparecen en el *Quijote,* muestran asimismo una persistente afición por los estudios universitarios: Juan Pérez de Viedma, el hermano del Capitán Cautivo, estudió leyes, como ya hemos visto, y llegó a ser Oidor de la Audiencia de México (I, 39 y 42); Grisóstomo, hidalgo rico de un pueblo manchego:

> ...había sido estudiante muchos años en Salamanca, al cabo de los cuales había vuelto a su lugar, con opinión de muy sabio y muy leído (I, 12).

Y el hijo de don Diego de Miranda, en contra de la opinión de su padre y de la tendencia más común entre los jóvenes de su clase, prefiere el estudio de la poesía griega y latina al de la teología y las leyes:

> Será de edad de diez y ocho años: los seis ha estado en Salamanca, aprendiendo las lenguas latina y griega; y cuando quise que pasase a estudiar otras ciencias, halléle tan embebido en la de la Poesía (si es que se puede llamar ciencia), que no es posible hacerle arrostrar la de las Leyes, que yo quisiera que estudiara, ni de la reina de todas, la Teología (II, 16).

La insistencia de don Diego Miranda en torcer la vocación de su hijo no es caprichosa ni casual: leyes y teología son las carreras que ofrecen más posibilidades de encontrar empleo y de lograr el éxito profesional: por la primera se accede a puestos seguros y bien remunerados en la administración de justicia; la segunda permite al hidalgo pobre, o al segundón de una familia acomodada, ordenarse sacerdote y vivir holgadamente con las rentas de la capellanía, la canongía o la mitra. Por eso, dice un labrador:

> ...todo es burla, sino estudiar y más estudiar, y tener favor y ventura; y cuando menos se piensa el hombre, se halla con una vara en la mano, o con una mitra en la cabeza (II, 66).

La Iglesia es, sin duda, el refugio más seguro contra las calamidades del siglo, y en ella encuentran los hidalgos fácil acomodo. Del examen de las profesiones más frecuentes en una familia de nobles

---

[135]   *La señora Cornelia,* BAE, I, pág. 211.

castellanos a lo largo de tres siglos, Bartolomé Bennassar concluye que uno de cada cinco varones y una de cada cuatro mujeres entraron en religión [136]; y en los pueblos próximos a la aldea de Alonso Quijano, observamos una tendencia semejante: entre las familias hidalgas de *Daimiel* (Ciudad Real), hay, según las *Relaciones:*

> ...clérigos teólogos predicadores naturales della de buena vida... [137].

En la existencia de don Quijote, aunque regida por el signo de Marte, no está del todo ausente la idea de ser eclesiástico. Sancho recuerda que a su amo:

> ...le querían aconsejar personas discretas, aunque, a mi parecer, mal intencionadas, que procurase ser arzobispo (II, 13).

Y la Sobrina, al afear la conducta de su tío, lamenta:

> ...¡Que sepa vuesa merced tanto, señor tío, que si fuese menester en una necesidad, podría subir en un púlpito e irse a predicar por esas calles...! (II, 6).

«YO TENGO MÁS ARMAS QUE LETRAS»

La auténtica vocación del hidalgo son las armas: con ellas han alcanzado y mantenido sus antepasados la nobleza, y hasta el más pobre escudero conserva en su casa solariega las armas de sus bisabuelos, como recuerdo desvencijado de su maltrecha identidad.

La función guerrera del noble en la sociedad medieval era muy clara. Diego de Valera consideraba que la profesión de las armas:

> ...es el oficio en lo civil más noble en el mundo, ca por él la libertad es conservada e la dignidad acrescentada, los reinos e señoríos multiplicados [138].

En el siglo XVI el ejército pasa a ser un instrumento decisivo de la política exterior de los reyes, la guerra cambia de signo, y el prota-

---

[136] «Être noble en Espagne. Contribution à l'étude des comportements de longue durée», *Histoire économique du monde mediterranéen. Mélanges en l'honneur de F. Braudel,* Toulouse, 1973, págs. 95-106.

[137] C. Viñas Mey y Ramón Paz, *Relaciones, Ciudad Real,* pág. 230.

[138] Diego de Valera, *Espejo de verdadera nobleza,* BAE, CXVI, pág. 91.

gonismo de los nobles en ella disminuye. Las mesnadas de caballeros e infanzones serán sustituidas por un ejército profesional y permanente; el arrojo personal y los combates singulares dan paso a la técnica, el cálculo y la disciplina, como claves de la victoria; y el jefe militar deja de ser un paladín que combate en primera línea, para transformarse en un profesional experto en logística, ingeniería y administración [139]. Pero, a pesar de todo, el recuerdo de los orígenes guerreros de la nobleza permanecerá vivo durante la Edad Moderna, y la vida militar seguirá siendo considerada más propia de nobles y caballeros, que de cualquier otra categoría social [140]. Fray Benito de Peñalosa recordaba, por ejemplo, que:

> Casi todas las Nobleças de España, y de todo el mundo fueron adquiridas, y concedidas por hazañas de guerra: principalmente en las largas y continuas que los Españoles tuuieron con los Árabes Moros... [141].

Fray Juan Benito Guardiola escribe:

> ...pues los cauallleros poderosos y nobles son cabeça de la República ellos han de mirar por ella aconsejándola en tiempo de paz y defendiéndola con armas en tiempo de guerra [142].

Y Marco Antonio Camos:

> ...el fin principal de la hidalguía es la deffensión de la sancta fe cathólica, de su Rey, y de su República [143].

En los escritos de Cervantes es muy frecuente la identificación de la nobleza con el ejercicio de las armas: durante el discurso de don Quijote sobre las armas y las letras, los presentes:

---

[139] L. Stone, *op. cit.*, pág. 137. Véanse, más adelante, las págs. 137 y sigs.

[140] Véase Raffaele Puddu, *El soldado gentilhombre. Autorretrato de una sociedad guerrera: la España del siglo XVI*, Barcelona, Argos Vergara, 1984, págs. 148 y sigs.

[141] *Op. cit.*, fol. 68.

[142] *Op. cit.*, fol. 83. Bernardino Escalante consideraba que para los caballeros «ninguna cosa auía de ser de más contento que el exercicio y arte Militar, por ser su proprio officio, y auer procedido de ella la verdadera nobleza» (*Diálogos del Arte Militar*, Sevilla, 1583, fol. 1).

[143] *Op. cit.*, pág. 80.

...como todos los más eran caballeros, a quien son anejas las armas, le escuchaban de muy buena gana (I, 37).

Los dos caballeros que protagonizan la novela de *La señora Cornelia,* decidieron abandonar sus estudios en Salamanca, «llevados del hervor de la sangre moza y del deseo, como decirse suele, de ver mundo» [144], y, sobre todo:

> ...por parecerles que el ejercicio de las armas, aunque arma y dice bien a todos, principalmente asienta y dice mejor en los bien nacidos y de ilustre sangre [145].

También los jóvenes Carriazo y Avendaño, después de haber considerado:

> ...cuán más propias son de los caballeros las armas que las letras, habemos determinado de trocar a Salamanca por Bruselas, y a España por Flandes [146].

Y uno de los personajes del *Persiles* explica:

> Yo, según la buena suerte quiso, nací en España, en una de las mejores provincias della: echáronme al mundo padres medianamente nobles, criáronme como ricos, llegué a las puertas de la gramática, que son aquellas por donde se entra a las demás ciencias, inclinóme mi estrella, si bien en parte a las letras, mucho más a las armas... Llevado, pues, de mi inclinación natural, dejé mi patria, y fuime a la guerra que entonces la majestad del césar Carlos V hacía en Alemania... [147].

Es cierto que la vocación guerrera de la nobleza está en declive, y que muchos caballeros prefieren vivir de rentas, desempeñar un oficio civil o servir en la Corte. Pero la tradición caballeresca medieval sigue muy viva y empuja aún a muchos nobles, aunque a título personal y no ya como estamento, a enrolarse en el ejército. Y si esta afición a las armas es, en el caballero rico, el resultado de la fogosidad juvenil y del deseo de ver mundo, para el hidalgo es inclinación forzo-

---

[144]   BAE, I, pág. 211.
[145]   *Ibíd.*
[146]   *La ilustre fregona,* BAE, I, pág. 185.
[147]   BAE, I, pág. 567.

sa y remedio de muchas calamidades. En el ejército, el noble vuelve
a encontrar una función social y una identidad cada día más borrosas:
si es oficial, obtiene ingresos que le permiten vivir con cierta holgura,
y puede, además, desempeñar una actividad honrosa y digna, con la
que engrandecer y dar brillo a sus blasones [148];

> ...ya que la guerra no dé muchas riquezas, suele dar mucho valor y mucha
> fama (I, 39).

La participación de los hidalgos en la conquista de América está,
por ejemplo, ampliamente demostrada. Los padres de Hernán Cortés,
Martín Cortés de Monroy y Catalina Pizarro Altamirano:

> ...entrambos eran hidalgos, ca todos estos cuatro linajes, Cortés, Monroy,
> Pizarro y Altamirano son muy antiguos, nobles y honrados. Tenían poca
> hacienda, empero mucha honra [149].

Al futuro conquistador de México, cuando tenía catorce años, «lo
enviaron sus padres a estudiar a Salamanca»... «ca deseaban que apren-
diese leyes, facultad rica y de honra entre todas las otras» [150]; pero
el muchacho dejó pronto los estudios, porque:

> ...era bullicioso, altivo, travieso, amigo de armas [151].

Durante su intervención en la conquista de Perú, Alonso Enríquez
de Guzmán:

> ...vino por capitán desde Panamá, que es Castilla del Oro, de muchos cava-
> lleros e hidalgos e personas prinçipales [152].

En las ciudades y aldeas de la Mancha hay también muchos hidalgos amigos de la milicia. En *Esquivias* (Toledo), por ejemplo, las *Rela-*

---

[148] El papel de la milicia como factor de movilidad y ascención social ha sido estudiado por Raffaele Puddu (*op. cit.,* págs. 72 y sigs.).
[149] Francisco López de Gómara, *Segunda parte de la crónica general de las Indias,
que trata de la conquista de Méjico,* BAE, XXII, pág. 296.
[150] *Ibíd.*
[151] *Ibíd.*
[152] *Op. cit.,* pág. 143.

ciones citan a ilustres soldados, entre los que se cuentan varios hidalgos y algún pariente de la mujer de Cervantes:

> ...en armas ha habido muchos capitanes y alférez y gente de valor, que fue-
> ron el Capitán Pedro Arnalte, que murió en Alcalá de Benazar, y le mataron
> los moros, y iba por su alférez Juan Antonio, y así mesmo conocieron al
> Capitán Barrientos, y conocieron al Capitán Juan de Salazar, y a Pedro
> de Mendoza, alférez que fue el primero que puso la bandera cuando se ganó
> la Goleta, y el Emperador Carlos Quinto le dio ducientos y cincuenta duca-
> dos de renta por ello... y así mesmo ha bido mucha gente de armas en años
> pasados en servicio de los reyes pasados y soldados, y al presente los hay
> en Flandes, y con el señor don Juan [153].

Y en la larga lista de caballeros, famosos por sus hazañas guerreras, que don Quijote cita en su charla con el Canónigo, recuerda a:

> ...los valientes españoles Pedro Barba y Gutierre Quijada (de cuya alcurnia
> yo deciendo por línea recta de varón) (I, 49).

Las estrecheces en que vive Alonso Quijano, junto a los deseos
de hacerse caballero y alcanzar honra, prestan verosimilitud a la decisión de abandonar su casa e

> ...irse por todo el mundo con sus armas y caballo a buscar las aventuras (I, 1).

Porque la penuria era, en efecto, el origen de muchas historias de
soldados y de muchos hechos de armas protagonizados por hidalgos.
Compárese, por ejemplo, la decisión de don Quijote con la que Alonso
Enríquez de Guzmán adoptó al empezar su mocedad, cuando:

> El año de mill e quinientos e diez e ocho e medio, syendo yo de hedad
> de diez e ocho años, çerca de diez e nueve, halléme syn padre y pobre de
> hazienda y rico de linaje... e congoxado de la pobreza y deseoso de la rique-
> za acordé de yr a buscar mis aventuras. Y salí de la çiudad de Sevilla, do
> fue mi naturaleza, en este tiempo que arriba digo, con un cavallo e una
> mula e una azémila y una cama y sesenta ducados [154].

[153] C. Viñas Mey y Ramón Paz, *Relaciones, Reino de Toledo,* primera parte, página 401.
[154] *Op. cit.,* pág. 7.

Hidalgo es Ruy Pérez de Viedma, joven llevado por la necesidad y los consejos de su padre, al «honroso cargo» de capitán de infantería (I, 39); igual que el alférez don Pedro de Aguilar, caballero natural de Andalucía y compañero del Cautivo en los bancos de una galera turca *(ibíd.).* Noble, aunque no muy rico, es el hidalgo leonés, padre del Capitán Cautivo, al que:

...la condición que tenía de ser liberal y gastador le procedió de haber sido soldado en los años de su juventud (I, 39).

Los escuderos pobres, como el Capitán Cautivo, sueñan con atesorar las riquezas y la gloria necesarias para titularse *caballeros,* y anhelan volver de la guerra mejorados en honra y hacienda. Gutiérrez de los Ríos veía con buenos ojos:

...que los hijosdalgo se hiziesen nobles y notorios caualleros, pues les falta poco para serlo, con los exercicios de la guerra [155].

Y en los pueblos de la Mancha, muy cerca del lugar en que don Quijote huelga y sueña, las *Relaciones* nos hablan de soldados que han merecido por su valor los epítetos más honrosos: en *Carrión de Calatrava* (Ciudad Real), los informantes citan a:

Pero López Naranjo, que por ser valiente, Su Majestad le hizo caballero de armas y siendo capitán murió en guerra... [156].

Y en *Almodóvar del Campo* (Ciudad Real), han nacido algunos soldados y capitanes de guerra, entre los que destacó:

...un Francisco Pareja, que hoy vive que por renombre le llaman el Bueno, el cual habiendo ido a la guerra contra infieles en el reino de Bohemia y Hungría y otras partes venció por su persona y hizo hechos tan señalados que el Rey y Emperador de Romanos y Alemania le hizo merced y hace de hijo dalgo y caballero armado y dello le dio previlegio que hoy tiene y goza... [157].

Don Quijote, que ha aprendido en los libros las hazañas de los caballeros ficticios, vive cercado por este ambiente en que la charla,

---

[155] *Op. cit.,* pág. 307.
[156] C. Viñas Mey y Ramón Paz, *Relaciones, Ciudad Real,* pág. 187.
[157] *Ibíd.,* pág. 73.

el recuerdo y el sueño recogen ecos de combates y aventuras protagonizados en reinos lejanos por soldados de carne y hueso [158]. La guerra,
en efecto, ha hecho famosos y nobles a algunos, y muchos piensan que:

> ...no hay otra cosa en la tierra más honrada ni de más provecho que servir
> a Dios, primeramente, y luego, a su rey y señor natural, especialmente en
> el ejercicio de las armas (II, 24).

Cabe por ello preguntarse si la disparatada y aparentemente anormal conducta de don Quijote no es más que una dolorosa caricatura
de las ilusiones de tantos hidalgos, que soñaban con hacerse «nobles
y notorios caballeros» con el ejercicio de la guerra: Alonso Quijano
arremete a caballero, como tantos escuderos de su época, con un trapo
atrás y otro adelante; abandona su aldea para buscar las aventuras
en reinos extraños; y razona, igual que cualquier hidalgo de los que
acompañaban a Cortés o Pizarro:

> Yo tengo más armas que letras, y nací, según me inclino a las armas,
> debajo de la influencia del planeta Marte; así, que casi me es forzoso seguir
> por su camino, y por él tengo de ir a pesar de todo el mundo... (II, 6).

Es cierto que don Quijote no puede ser caballero, porque es pobre,
ni valiente y esforzado, porque está agobiado por los años y la enfermedad; pero eso no quita legitimidad y verosimilitud a sus propósitos,
que son, en esencia, idénticos a los que empujan a tantos hombres
de su misma condición a dedicarse al «honroso y digno ejercicio de
la guerra» (I, 42), y a soñar con la riqueza, el prestigio y la elevación
social que en ella se alcanza. La diferencia consiste, tal vez, en que
don Quijote ve en el título de caballero el primer paso de una larga
carrera de éxitos, glorias guerreras y triunfos personales, que debe concluir con la conquista y dominio de un rico y extenso reino:

> ...la vida de los caballeros andantes está sujeta a mil peligros y desventuras,
> y ni más ni menos está en potencia propincua de ser los caballeros andantes
> reyes y emperadores, como lo ha mostrado la experiencia en muchos y diver-

---

[158]   Don Quijote, el Cura y el Barbero hablan sobre la amenaza turca y las maneras
de combatirla (II, 1). Vicente de la Roca, que había sido soldado en Italia y otras partes,
reunía a un corrillo de gente bajo un álamo, en la plaza del pueblo, y allí tenía a todos
con la boca abierta, pendientes de las hazañas que iba contando (I, 51).

sos caballeros (I, 15)... pienso, por el valor de mi brazo, favoreciéndome el cielo, y no me siendo contraria la fortuna, en pocos días verme rey de algún reino... (I, 50) [159].

Pero tampoco en este aspecto nos parece advertir una diferencia esencial entre los sueños de don Quijote y las ambiciones de los caballeros de la época. La personalidad de los Reinos Peninsulares se forjó en buena parte, durante la Edad Media, con el ejercicio permanente de la guerra, y ese aliento bélico pervive, especialmente en Castilla y Portugal, en los comienzos de la Edad Moderna. La guerra se concibe todavía en el siglo XVI, igual que lo hace don Quijote, a la manera feudal, como una actividad cuyo resultado último y natural es la conquista de reinos, el dominio político y patrimonial de tierras y vasallos, y la elevación en el rango social [160]: tal era el premio otorgado al combatiente durante la Edad Media, y así lo explica Jorge Manrique en sus conocidas *Coplas,* cuando nos dice que su padre, el Maestre don Rodrigo:

> ...fizo guerra a los moros
> ganando sus fortalezas
> e sus villas...
> ...y en este oficio ganó
> las rentas e los vasallos
> que le dieron [161].

O Rodrigo de Arévalo, cuando en su *Vergel de Príncipes* afirma que por el ejercicio de las armas:

> ...los nobles varones, de virtuosos e notables deseos, merescen subir a estados de dignidades muy sublimes e altas; ca por este noble exercicio se alcançan no solamente los magníficos estados e títulos de condes, marqueses e duques, mas aun se alcança aquella gloria e cunbre de gran excelencia que es el soberano honor en todas las dignidades humanas, que es el reinar e el imperar [162].

---

[159] Véanse también los capítulos I, 1, I, 7 y I, 21.

[160] J. A. Maravall, *Utopía y contrautopía en el «Quijote»,* Santiago de Compostela, Editorial Pico Sacro, 1976, pág. 51; y Pierre Vilar, «El tiempo del *Quijote»,* en *Crecimiento y desarrollo,* Barcelona, Ariel, 1976, págs. 438 y sigs.

[161] Jorge Manrique, *Poesía,* ed. de Jesús Manuel Alda Tesán, Madrid, Cátedra, 1977, pág. 158.

[162] BAE, CXVI, pág. 318.

Esta concepción de la guerra, presente aún en la política imperial de la Casa de Austria, es la que don Quijote adopta como guía de sus actos, y la que explica la decisión y el arrojo de aquellos otros hidalgos reales, capaces de adentrarse en tierras hostiles y lanzarse a la conquista de imperios milenarios. Hernán Cortés, por ejemplo, cuando arenga a sus soldados, utiliza los mismos conceptos que don Quijote hubiese empleado para mover a su escudero:

> ...yo acometo una grande y hermosa hazaña, que será después muy famosa; ca el corazón me da que tenemos de ganar grandes y ricas tierras, muchas gentes nunca vistas, y mayores reinos que los de nuestros reyes [163].

Las recompensas que ambiciona el conquistador de México, son, en resumen, las mismas que persigue don Quijote: llegar a ser rico y honrado (II, 6); disfrutar la *hacienda* que proporcionan las tierras y vasallos conquistados, y la *honra* [164] que se alcanza en la ejecución de gloriosos hechos de armas [165].

El hidalgo tiene ante sí, según vimos, dos vías para acrecentar la honra y la hacienda: la profesión de las letras y la carrera de soldado en el ejército regular («El mozo de buena sangre —comentaba Antonio Liñán— o arrastre la pica o sirva en el palacio del príncipe» [166]). Las personas que quieren bien a Alonso Quijano, y que desean verlo me-

---

[163]   López de Gómara, *op. cit.,* pág. 301.

[164]   Como ha señalado Raffaele Puddu, los soldados españoles «.... se batieron en nombre de los valores tradicionales: la gloria del Rey, el triunfo de la fe, la *honra* y la *hazienda,* entendidas esencialmente como ensalzamiento de la dignidad y de la condición de todo guerrero en el seno de un mundo de signos predominantemente aristocráticos» (*op. cit.,* pág. 10). Véanse también, en la misma obra, págs. 148 y sigs., y 206 y sigs. Cfr.: «... por ser el Español inclinado a la milicia de grande esfuerço y valor, viendo que en España no tienen empleo sus armas, va fuera della a lograllas, por donde consiguen grandes, y auentajados premios de honra y de hazienda» (Fray B. Peñalosa, *op. cit.,* fol. 174). Hernán Cortés, en una de sus arengas ofrecía: «... no sólo ganaremos para nuestro emperador y rey natural rica tierra, grandes reinos, infinitos vasallos, mas aun también para nosotros propios muchas riquezas, oro, plata, piedras, perlas y otros haberes; y sin esto, la mayor honra y prez que hasta nuestros tiempos, no digo nuestra nasción, mas ninguna otra ganó» (López de Gómara, *op. cit.,* pág. 332).

[165]   También los nobles franceses acudieron a las guerras de Italia en la época de Francisco I, según constatan las crónicas, «pour leur plaisir et pour acquérir honneur» (Arlette Jouanna, *op. cit.,* pág. 141).

[166]   *Op. cit.,* pág. 175.

drar sin peligro, le aconsejan uno de estos dos caminos. El Ama, por ejemplo:

> —Díganos, señor, en la corte de su Majestad, ¿no hay caballeros?
> —Sí —respondió don Quijote—, y muchos, y es razón que los haya, para adorno de la grandeza de los príncipes, y para ostentación de la majestad real.
> —Pues ¿no sería vuesa merced —replicó ella— uno de los que a pie quedo sirviesen a su rey y señor, estándose en la Corte? (II, 6).

Sancho, en cambio, considera más provechoso, dada la inclinación de su señor por las armas, el ejercicio de la guerra bajo las órdenes del rey:

> Y así, me parece que sería mejor (salvo el mejor parecer de vuestra merced) que nos fuésemos a servir a algún emperador, o a otro príncipe grande, que tenga alguna guerra, en cuyo servicio vuestra merced muestre el valor de su persona, sus grandes fuerzas y mayor entendimiento; que, visto esto del señor a quien sirviéremos, por fuerza nos ha de remunerar, a cada cual según sus méritos, y allí no faltará quien ponga en escrito las hazañas de vuestra merced, para perpetua memoria (I, 21).

Para don Quijote, como ya sabemos, no hay gloria que pueda compararse a la que el caballero alcanza en el ejercicio de las armas. Por eso el caballero prefiere los sufrimientos del soldado a todas las prebendas, honores y riquezas que la Corte pueda deparar; y opina:

> ...no todos los caballeros pueden ser cortesanos, ni todos los cortesanos pueden ni deben ser caballeros andantes (II, 6)... El buen paso, el regalo y el reposo, allá se inventó para los blandos cortesanos; mas el trabajo, la inquietud y las armas sólo se inventaron e hicieron para aquellos que el mundo llama caballeros andantes, de los cuales yo, aunque indigno, soy el menor de todos (I, 13).

«VALER A LOS QUE POCO PUEDEN Y VENGAR A LOS QUE RECIBEN TUERTOS»

Aunque, como muchos hidalgos, don Quijote se siente inclinado a las armas, su concepción de la guerra difiere de forma sustancial de la que es común entre los hombres de su época. En los ejércitos modernos, creación de las monarquías absolutas del Renacimiento, el soldado es un profesional que presta sus servicios a cambio de un salario; la disciplina y el orden cuentan más que el valor individual; la iniciativa personal se supedita a las órdenes superiores y a un plan de acción minuciosamente trazado; y la técnica, el cálculo y la precisión se convierten en los instrumentos decisivos del éxito [167]. Francisco de Valdés consideraba, por ejemplo, que:

> ...todas las artes tienen su teórica, y práctica, y assí las tiene la militia [168].

Y añadía:

> ...el exército que mejor ordenado y disciplinado estuuiere, aunque menor en número, será siempre (según razón) señor de la victoria [169].

Sebastián de Covarrubias señalaba, por su parte, que:

> El Capitán general ora sea por tierra ora por mar, no sólo ha de ser experimentado en las armas y tener ánimo inuencible, pero es necessario estar instruido en las diciplinas, y particularmente en las matemáticas [170].

Don Quijote rechaza estas novedades de la doctrina militar y sustenta una concepción caballeresca y medieval de la profesión de las armas. La batalla es para él una contienda en que los caudillos, de manera personal y sin un plan previo, combaten al frente de sus mesnadas: el valor individual ha de prevalecer sobre el orden y la disposición de las fuerzas contendientes; el vigor físico, sobre la previsión y la estrategia; la libre iniciativa, sobre la disciplina. Por eso, cuando don Quijote departe con el Cura y el Barbero sobre la política exterior

---

[167] Véase J. A. Maravall, *Antiguos y modernos,* págs. 535-550, y *Utopía y contrautopía en el «Quijote»,* págs. 58 y sigs.; y Lawrence Stone, *La crisis de la aristocracia,* página 137. Raffaele Puddu ha señalado, con relación a este tema, el desarrollo, durante el siglo XVI, de una ideología militar bifronte, que trata de conjugar el arrojo individual y el estilo caballeresco de los combatientes medievales, con la eficacia táctica y la instrucción técnica propias de los ejércitos modernos (*op. cit.,* págs. 34 y 60-61).

[168] *Espejo y deceplina militar,* Bruselas, 1589, fol. 6.

[169] *Ibíd.,* fol. 9.

[170] *Emblemas morales,* Madrid, 1610, ed. facsímil de Carmen Bravo Villasante, Madrid, Fundación Universitaria Española, 1978, fol. 136.

de la Monarquía Española, la solución que propone para repeler la
amenaza turca, es:

> ...mandar su Majestad por público pregón que se junten en la Corte para
> un día señalado todos los caballeros andantes que vagan por España, que
> aunque no viniesen sino media docena, tal podría venir entre ellos, que solo
> bastase a destruir toda la potestad de Turco (II, 1) [171].

Para liberar al joven enamorado de Ana Félix, preso en Argel,
piensa:

> ...pasar en Berbería, donde con la fuerza de mi brazo diera libertad no sólo
> a don Gregorio, sino a cuantos cristianos cautivos hay en Berbería (II, 65).

Aunque es en el lance de los rebaños (I, 18), y en la descripción
de los contendientes de esa supuesta batalla, donde don Quijote nos
ofrece la versión más exacta de la imagen que él tiene de la guerra.
Como ha señalado José Antonio Maravall, esas brillantes tropas que,
según la fantasía de don Quijote, se aprestan a la lucha, no son masas
organizadas que van a desarrollar una acción conjunta, bajo las órdenes de unos jefes escalonados y sustituyendo la iniciativa personal por
la obediencia; son, por el contrario, dos grupos de campeones individuales, acompañados a lo sumo por sus séquitos personales, dispuestos
a medir sus fuerzas en el combate cuerpo a cuerpo [172].

En el mundo moderno —piensa don Quijote— ya no son posibles
la valentía y el heroísmo: los caballeros han sustituido la cota de malla
por los brocados y damascos (II, 1); el combatiente, convertido en
pieza anónima de una complicada maquinaria bélica, sólo piensa en
la soldada; y, en fin, el éxito de la batalla lo deciden:

> ...aquestos endemoniados instrumentos de artillería... con la cual dio causa
> que un infame y cobarde brazo quite la vida a un valeroso caballero (I,
> 38) [173].

---

[171] Raffaele Puddu ha señalado la analogía entre este pasaje del *Quijote* y otros
textos de arbitristas de la época, en los que alienta un espíritu caballeresco semejante
(*op. cit.*, págs. 161-162).

[172] J. A. Maravall, *Utopía y contrautopía*, pág. 58.

[173] Cfr.: «... aquellas que llaman máquinas o asechanzas, como son las ballestas
y tiros de pólvora, con que se matan los hombres por asechanzas que no ven ni lo pueden
remediar. El diablo inventó tan mala cosa, que ya no se puede conocer la virtud y esfuer-

De otro lado, en el mundo señorial y caballeresco que don Quijote añora, la nobleza, de la que hidalgos y caballeros son parte esencial, justifica sus propios poderes y privilegios, y el estado de sumisión de los demás estamentos, por la función específica que la propia ideología dominante asigna a cada grupo: el pueblo bajo ha sido creado por Dios para cultivar el suelo y asegurar el sustento de la sociedad; el clero tiene la obligación de ocuparse de los ministerios de la fe; y la nobleza ha de realzar la virtud, administrar justicia y defender al pueblo [174]. Don Juan Manuel explicaba que:

> ...los estados del mundo son tres, oradores, defensores, labradores (...) el mayor e más honrado estado que es entre los legos es la caballería... ca los caballeros son para defender et defienden a los otros, et los otros deben pechar et mantener a ellos [175].

Esta división tripartita, que convierte a los poderosos en *defensores* de la sociedad, tiene su expresión jurídica en los vínculos de vasallaje y los contratos de encomendación, por los que el plebeyo se somete a un señor a cambio de protección [176], y en el estatuto legal y los fines que las leyes asignan a la Orden de la Caballería: el caballero, al recibir las armas, queda obligado a defender la fe cristiana, la sociedad y el estado; a proteger a los débiles, las mujeres y los niños; y a practicar la valentía en el combate, el odio al atropello, la magnanimidad con el débil, el respeto inquebrantable a la fe jurada, y el culto a la mujer [177]. O, como explica don Quijote:

---

zo de los caballeros en las batallas, porque lo más de la pelea se hace con ellas» (Juan López de Palacios Rubios, *Tratado del esfuerzo bélico heroico* (1524), ed. de José Tudela, Madrid, Edit. Revista de Occidente, 1941, pág. 62). Más ejemplos en Raffaele Puddu, *op. cit.,* págs. 33-34.

[174] Johan Huizinga, *El otoño de la Edad Media,* págs. 91-92.

[175] Don Juan Manuel, *Libro del cabuilero et del escudero,* BAE, LI, pág. 236.

[176] En el Reino Astur-leonés, la encomendación tomó el nombre de *benefactoría;* en virtud de ella, un hombre libre, para obtener la protección de un señor, cedía sus tierras o se comprometía a pagar por ellas un censo (véase Claudio Sánchez Albornoz, *Estudios sobre las instituciones medievales españolas,* México, Universidad Nacional Autónoma, 1965, pág. 59). En la práctica, la encomendación suponía un sometimiento forzoso, y a menudo violento, de los campesinos a la autoridad de los señores (*ibíd.,* págs. 74-75).

[177] Luis García de Valdeavellano, *Historia de España. De los orígenes a la Baja Edad Media,* Madrid, Edit. Revista de Occidente, 1952, pág. 943. Cfr.: «Per los cavallers deu ésser mantenguda justícia, car enaixí com los jutges han ofici de jutjar, així los

...se instituyó la orden de los caballeros andantes, para defender las doncellas, amparar las viudas y socorrer a los huérfanos y a los menesterosos (I, 11).

Estas funciones que la sociedad medieval atribuye a los nobles y
gentes de armas, están siendo traspasadas en la época moderna a un
Estado dotado de poderes absolutos, que no admite más ley ni más
justicia que las suyas, y que ejerce su autoridad y funciones a través
de fuerzas especiales de orden público, tribunales ordinarios de justicia, y cuerpos de funcionarios al servicio de la Corte: son los cuadrilleros de la Santa Hermandad, con los que tan mal se aviene don Quijote, y los letrados, que sirven al rey en la tarea de «mandar y gobernar
el mundo desde una silla» (I, 37), y cuya misión es:

...poner en su punto la justicia distributiva y dar a cada uno lo que es suyo,
y entender y hacer que las buenas leyes se guarden (I, 37).

Las tareas que los tratadistas asignan a estos oficiales de la administración, son, curiosamente, las mismas que correspondían al caballero en la doctrina medieval, y que el Estado se apropia ahora de
manera exclusiva: el príncipe debe, según el Padre Mariana, «aliviar
la miseria de los pobres y los débiles, alimentar a los huérfanos, socorrer a los que necesitan socorro» [178]; y, según Castillo de Bovadilla,
el corregidor estaba obligado a evitar que los agentes de la justicia
«despojassen los pobres, desamparassen las viudas, afligiessen los mí-
seros, fuessen parciales con los poderosos...» [179].

cavallers han ofici de mantenir justícia (...) Ofici de cavaller és mantenir vídues, órfens,
hòmens despoderats» (Ramon Llull, *Llibre de l'ordre de cavalleria*, en *Obres essencials*,
Barcelona, Edit. Selecta, 1957, págs. 531-532). A los caballeros se les tomaba juramento
para que «... guardasen el honor e servicio del príncipe, el bien de la república, la orde-
nança del capitán, el onor de la orden e de los compañeros a ella recebidos; las biudas
e huérfanos que defendiesen, por los pobres e flacos que respondiesen; los sagrados ten-
plos que dellos fuesen servidos e honrrados; los sacerdotes con benignidad e reverencia
tractados; a las dueñas e donzellas toda honestidad guardasen, e sobre todo, sienpre de
verdad usasen, debaxo de la qual toda virtud está» (Diego de Valera, *Espejo de verdadera
nobleza*, pág. 106). Para Rodrigo de Arévalo, es obligación del caballero «... onrrar e
defender la Iglesia... nunca dexar el campo ni fuir vituperosamente ni refusar la muerte,
por salud de su rey y de la república... amparar y defender a las viudas y huérfanos
y personas miserables» (*Vergel de los Príncipes*, pág. 278).

[178] Juan de Mariana, *Del rey y de la institución real*, BAE, XXXI, pág. 563.
[179] *Op. cit.,* prólogo.

Don Quijote vive de espaldas a la modernidad y con la vista vuelta hacia ese pasado feudal en que, al menos en teoría, el deber del caballero era acudir a la guerra y actuar como defensor de la justicia. Sus constantes desavenencias con el mundo circundante nacen, precisamente, de este radical desajuste entre la arcaica concepción del hombre y de las relaciones sociales que el caballero sustenta, y los criterios de tipo moderno con que la sociedad empieza a regirse. Y de la misma manera que don Quijote se niega a pagar las costas de la posada [180], rechaza también el sistema represivo y judicial del Estado absoluto. La doctrina caballeresca que él sustenta, establece con claridad las obligaciones de los hombres de armas: «...valer a los que poco pueden y vengar a los que reciben tuertos y castigar alevosías» (I, 17); ser «ministro de Dios en la tierra, y brazos por quien se ejecuta en ella su justicia» (I, 13). Los agentes del orden son, por el contrario, «ladrones en cuadrilla, que no cuadrilleros, salteadores de caminos con licencia de la Santa Hermandad» (I, 45): representantes de un poder anónimo, empeñado en ignorar que los caballeros andantes están exentos de «todo judicial fuero» (I, 45), porque:

...su ley es su espada, sus fueros sus bríos, sus premáticas su voluntad (I, 45).

El ejemplo más espectacular de este divorcio entre don Quijote y su época, es sin duda el episodio de los galeotes, momento en que el individualismo jurídico-político del caballero medieval choca frontalmente con la soberanía y las funciones del Estado, que extiende su postestad a todos y al que nadie puede oponerse [181]. Ante una hilera de hombres encadenados, custodiados por los agentes del poder real, don Quijote se pregunta cómo «es posible que el Rey haga fuerza a ninguna gente», y piensa:

---

[180]   José Antonio Maravall ha visto también en la actitud de don Quijote un rechazo de la economía dineraria propia del mundo moderno (*Utopía y contrautopía,* páginas 43-44). Mientras el dinero actúa ya como un importante intermediario de las relaciones humanas, nuestro caballero piensa todavía en una sociedad en la que el labrador ha de sustentar a los nobles, y en la que «por ley natural están todos los que viven obligados a favorecer a los caballeros andantes» (I, 11); por esta razón, los caballeros andantes «jamás pagaron posada ni otra cosa en venta donde estuviesen, porque se les debe de fuero y de derecho cualquier buen acogimiento que se les hiciere, en pago del insufrible trabajo que padecen buscando las aventuras...» (I, 17).

[181]   J. A. Maravall, *Utopía y contrautopía,* págs. 53-54.

...aquí encaja la ejecución de mi oficio: desfacer fuerzas y socorrer y acudir a los miserables (I, 22).

Mientras que Sancho, ejemplo de súbdito leal a la monarquía absoluta, argumenta:

—Advierta vuestra merced... que la justicia, que es el mesmo Rey, no hace fuerza ni agravio a semejante gente, sino que los castiga en pena de sus delitos *(ibíd.)*.

Para el funcionario de la Santa Hermandad, el caballero que quiere hacer justicia por su mano desobedeciendo al poder público organizado, es un salteador de caminos; don Quijote, en cambio, no está dispuesto a doblegarse, y defiende su voluntad de caballero como única garantía de la mejor justicia:

—Venid acá, gente soez y mal nacida: ¿saltear de caminos llamáis al dar libertad a los encadenados, soltar los presos, acorrer a los miserables, alzar los caídos, remediar los menesterosos? ¡Ah, gente infame, digna por vuestro bajo y vil entendimiento que el cielo no os comunique el valor que se encierra en la caballería andante, ni os dé a entender el pecado e ingnorancia en que estáis en no reverenciar la sombra, cuanto más la asistencia, de cualquier caballero andante! (I, 45).

La nostalgia de don Quijote por el pasado caballeresco, su ceguera para advertir los signos de los tiempos nuevos, tienen su explicación en la propia condición social del personaje. Durante la Edad Media, el hidalgo tiene la oportunidad de combatir en las huestes de caballeros e infanzones, forma parte del núcleo más selecto de la sociedad, y disfruta pacíficamente los premios de honra y riqueza conquistados con el filo de la espada. La Edad Moderna torna borroso este papel de la nobleza inferior, y el hidalgo subsiste a duras penas, gracias a su orgullo de casta y su obstinación, en un mundo de precios en alza y rentas decrecientes, de soldados a sueldo y batallas dirigidas desde un tablero, de villanos que exigen dinero por el pago de sus servicios, y de reyes que legan su autoridad a cuadrilleros sin conciencia; un mundo, en fin, en que:

...ya triunfa la pereza de la diligencia, la ociosidad del trabajo, el vicio de la virtud, la arrogancia de la valentía, y la teórica de la práctica de las armas, que sólo vivieron y resplandecieron en las edades del oro y en los andantes caballeros (II, 1).

No es extraño que el hidalgo se sienta incómodo en un mundo que lo rechaza con desprecio, y que sueñe con la restauración de aquella edad de oro en que los caballeros tenían a su cargo misiones muy precisas:

> ...sólo me fatigo por dar a entender al mundo en el error en que está en no renovar en sí el felicísimo tiempo donde campeaba la orden de la andante caballería. Pero no es merecedora la depravada edad nuestra de gozar tanto bien como el que gozaron las edades donde los andantes caballeros tomaron a su cargo y echaron sobre sus espaldas la defensa de los reinos, el amparo de las doncellas, el socorro de los huérfanos y pupilos, el castigo de los soberbios y el premio de los humildes *(ibíd.).*

Pero este desajuste del caballero con su mundo es sólo aparente. El impulso restaurador del pasado, que don Quijote encarna, coincide con un amplio movimiento de consolidación del poder nobiliario y señorial, y es fiel reflejo de un proceso paralelo de vigorización de valores y doctrinas arcaicos [182]. La vigencia de una imagen del mundo de tipo tradicional, aunque ya no se ajuste a la realidad, contribuye a integrar los signos amenazadores de la nueva época dentro de la ideología dominante, afianza el prestigio y la autoridad de los poderosos, y da sentido a la existencia de los grupos nobiliarios intermedios, puesta en peligro por la evolución social. Los nobles hacendados, los burgueses y labriegos que acaban de ennoblecerse, los hidalgos arruinados por la revolución de los precios, serán los principales defensores de esta imagen caballeresca del hombre y el mundo. Y así, cuando don Quijote lamenta haber nacido en esta edad de hierro, en que a los caballeros antes les crujen «los damascos, los brocados y otras ricas telas que se visten, que la malla con que se arman» (II, 1), y en que «triunfa la pereza de la diligencia, la ociosidad del trabajo, y el vicio de la virtud» *(ibíd.),* parece hacerse eco del mismo espíritu que iluminaba a muchos enemigos de la nueva época y a algunos partidarios de una vuelta a la pureza originaria del ideal caballeresco [183]. Ya en el siglo XV, Diego de Valera señalaba, por ejemplo:

---

[182] *Ibíd.,* pág. 122.
[183] Véase Raffaele Puddu, *op. cit.,* págs. 160-163.

Ya son mudados por la mayor parte aquellos propósitos, con los quales la cavallería fue comenzada: estonce se buscaba en el cavallero sola virtud, agora es buscada cavallería para no pechar; estonce a fin de honrar esta orden, agora para robar el su nombre; estonce para defender la república, agora para señorearla; estonce la orden los virtuosos buscavan, agora los viles buscan a ella por aprovecharse de solo su nombre [184].

A mediados de la centuria siguiente, uno de los interlocutores del *Diálogo de la verdadera honra militar* añora todavía:

...aquellos siglos dorados quando los hombres ganaron por valor propio la nobleza y eterna fama... [185].

E incluso al terminar el siglo, pocos años antes de que Cervantes empiece a componer el *Quijote,* Marco Antonio Camos considera al noble:

...obligado a derramar la sangre por su ley, por su Rey, y por su patria, por los pobres, por deffensión de las mugeres y personas miserables, que no tienen amparo, ni quien las fauorezca [186].

«SE DABA A LEER LIBROS DE CABALLERÍAS»

En el apartado anterior hemos intentado demostrar que la locura de don Quijote lo es sólo en apariencia: su nostalgia de la edad dorada, su desdén hacia un mundo decadente y endiablado, su propósito de defender a los débiles y miserables, y ese afán de renovar «el felicísimo tiempo donde campeaba la orden de la andante caballería» (II, 1), coinciden con el testimonio y los juicios de autores perfectamente serios y respetados en su época, disgustados también con el curso de

---

[184] Cfr. Diego de Valera, *op. cit.,* pág. 107. Cfr.: «No pretenden agora los caualleros honrras, ni intereses con tanto trauajo, contentándose con vna medianía en sus casas, siruiendo a las damas, y ocupándose en juegos, y conuersaciones más domésticas. Differentemente por cierto se entretenían nuestros passados, exercitándose en la paz, en justas, y torneos, y en otros exercicios militares. Haziendo se diestros para la guerra, yendo a Reinos estraños a prouar se en las armas con otros caualleros» (Bernardino Escalante, *op. cit.,* fol. 3).

[185] Jerónimo Jiménez de Urrea, *Diálogo de la verdadera honrra militar,* fol. 2.

[186] *Op. cit.,* fol. 2.

los nuevos tiempos. Es cierto que la afición de don Quijote por el mundo caballeresco sale fuera de lo normal. Recordemos que:

> ...los ratos que estaba ocioso (que eran los más del año), se daba a leer libros de caballerías con tanta afición y gusto, que olvidó casi de todo punto el ejercicio de la caza, y aun la administración de su hacienda; y llegó a tanto su curiosidad y desatino en esto, que vendió muchas hanegas de tierra de sembradura para comprar libros de caballerías en que leer, y así, llevó a su casa todos cuantos pudo haber dellos (I, 1).

Esta manía es, sin embargo, perfectamente acorde con la ideología conservadora, la nostalgia por el pasado, y la situación social de nuestro personaje. Las novelas de caballerías eran, como señaló Menéndez y Pelayo, «los últimos destellos del sol de la Edad Media, próximo a ponerse» [187]: a través de ellas contemplamos, embellecido y sublimado, ese mundo caballeresco y guerrero de los siglos medievales, que con tanto ahínco pretende resucitar don Quijote. Los nobles, los señores, las gentes de armas, encuentran en estos relatos una imagen altamente favorable, aunque siempre invertida y falseada, de su posición dominante, su ideología y sus actividades: en estas novelas, la nobleza guerrera aparece retratada como defensora de los débiles y oprimidos; la guerra, que durante la Edad Media parece haberse caracterizado por el pillaje y la barbarie [188], se nos ofrece orlada por el heroísmo, la abnegación y la caballerosidad; las relaciones del caballero y la dama, reflejo de la libertad sexual típica de las sociedades primitivas, se sublima en el galanteo, el homenaje y la idealización [189]; el caballero se transforma, en fin, en modelo de conducta y espejo de virtudes.

El relato caballeresco ensalza hasta lo sublime el poderío de la nobleza, y lo justifica espiritual y socialmente con el ejercicio de las armas: la profesión guerrera y la defensa de los débiles, rodeadas de una aureola de virtudes e investidas de un carisma religioso, se convierten en el rasgo más característico de la nobleza y en su razón de ser como clase dominante. No deja de sorprender, sin embargo, que la novela de caballerías triunfe en una época —los siglos xv y xvi— en que la creación de ejércitos permanentes al servicio de la Corona,

---

[187] *Orígenes de la novela,* Santander, C.S.I.C., 1943, vol. I, pág. 456.
[188] Mauro Olmeda, *op. cit.,* págs. 63-64.
[189] *Ibíd.,* pág. 55.

el desarrollo urbano y comercial, la mentalidad burguesa con que los señores explotan sus posesiones, y la transformación de la nobleza guerrera en una clase cortesana, están contribuyendo a disolver las relaciones sociales de tipo feudal y a arrinconar el espíritu caballeresco de los siglos anteriores. Pero es precisamente en el momento en que una clase se siente amenazada, en que su existencia no responde ya a necesidades concretas, cuando toma conciencia de sí misma, de su estilo de vida, de su moral, de su espíritu particular y de su unidad: a falta de una justificación real, debe darse una justificación espiritual [190]; y esa justificación vendrá dada, en buena parte, por los libros de caballerías y por el ideal de vida que en ellos se ofrece [191].

El éxito de las novelas de caballerías en la Península Ibérica, durante más de cien años y entre todo tipo de público, es un hecho bien conocido. Las 46 novelas originales publicadas entre 1510 y 1602, y las 267 ediciones de libros de caballerías aparecidas entre 1501 y 1650 [192], son el mejor testimonio de este éxito. Estas narraciones servían de entretenimiento a gentes de condición social muy diversa: Carlos V era aficionado a este tipo de lecturas, y con ellas endulzó su cautiverio en Madrid el rey Francisco I de Francia [193]. El humanista Juan de Valdés gastó diez años, los mejores de su vida, en palacios y cortes, ocupado:

> ...en leer estas mentiras, en las quales tomava tanto sabor, que me comía las manos tras ellas [194].

Y Santa Teresa de Jesús explica, en el *Libro de su vida,* que en su niñez cobró gran afición a las fingidas historias de caballeros; y añade:

[190]   E. Köhler, «Les Romans de Chrétien de Troyes», *Revue de l'Institut de Sociologie,* Université Libre de Bruxelles, n.° 2, 1963, págs. 271-84.

[191]   Según Raffaele Puddu, la ideología caballeresca funcionó en el imperio de Carlos V como un eficaz *instrumentum regni* ideológico, capaz de actuar como cemento supranacional para una nobleza cuyos miembros, en nombre de las tradiciones militares comunes y de la fe en el vasallaje a un mismo señor, podían ser inducidos más fácilmente a ir a la guerra en pos de las mismas banderas (*op. cit.,* pág. 49).

[192]   Maxime Chevalier, «El público de las novelas de caballerías», en *Lectura y lectores en la España de los siglos XVI y XVII,* Madrid, Edit. Turner, 1976; y Daniel Eisenberg, «Who read the Romances of Chivalry?», *KRQ,* XX, 1973, págs. 209-233.

[193]   Raffaele Puddu, *op. cit.,* pág. 49.

[194]   Juan de Valdés, *Diálogo de la lengua,* ed. de Juan M. López Blanch, Madrid, Castalia, 1969, pág. 169.

...era tan estremo lo que esto me embevía que, si no tenía libro nuevo, no
me parece tenía contento [195].

El libro de caballerías no suele faltar en la biblioteca del humanista
y el caballero, ni en las alforjas del librero ambulante [196]. Sus páginas excitan la imaginación de los adolescentes o los sueños de gloria
del aventurero que pasa a las Indias [197], y entretienen al clérigo de la
aldea minúscula, al viajero que hace un alto en el camino, y al ventero
que lo hospeda. El cura del pueblo de) don Quijote conoce al detalle,
a juzgar por la minuciosidad con que examina la biblioteca de su amigo (I, 6), los más populares libros de caballerías; y el Canónigo ha
sufrido incluso la tentación de componer uno de estos relatos, y confiesa tener escritas más de cien hojas (I, 48). En la venta donde se
hospedan don Quijote y sus amigos, el ventero guarda dos o tres libros
de caballerías, y:

> ...cuando es tiempo de la siega, se recogen aquí las fiestas muchos segadores,
> y siempre hay alguno que sabe leer, el cual coge uno destos libros en las
> manos, y rodeámonos dél más de treinta, y estámosle escuchando con tanto
> gusto, que nos quita mil canas... (I, 32).

A Maritornes, la moza de la venta, le entusiasma oír aquellas historias:

> ...y más cuando cuentan que está la otra señora debajo de unos naranjos
> abrazada con su caballero, y que les está una dueña haciéndoles la guarda,
> muerta de envidia y con mucho sobresalto. Digo que todo esto es cosa de
> mieles *(ibíd.)*.

La hija del ventero prefiere:

---

[195] *Obras completas,* Madrid, BAC, 1951, vol. I, pág. 600. Véase Marcel Bataillon,
«Santa Teresa lectora de libros de caballerías», en *Varia lección de clásicos españoles,*
Madrid, Edit. Gredos, 1964, págs. 21-23. Cfr. también: «Y porque era muy dado a leer
libros mundanos y falsos, que suelen llamar de caballerías, sintiéndose bueno, pidió que
le diesen algunos de ellos para pasar el tiempo...» (San Ignacio de Loyola, *Autobiografía,*
en *Obras Completas,* Madrid, BAC, 1947, págs. 124-125).

[196] Manuel Fernández Álvarez, *La sociedad española en la época del Renacimiento,*
Salamanca, Anaya, 1970, pág. 44.

[197] Irving A. Leonard, *Los libros del conquistador,* México, FCE, 1979, págs. 29
y sigs.

...las lamentaciones que los caballeros hacen cuando están ausentes de sus señoras... *(ibíd.)*.

Mientras que su padre se emociona con:

...aquellos furibundos y terribles golpes que los caballeros pegan, que me toma gana de hacer otro tanto, y que querría estar oyéndolos noches y días *(ibíd.)*.

Y cree a pies juntillas todo aquello que se narra en estas historias, cuya veracidad ha sido avalada por:

...los señores del Consejo Real, como si ellos fueran gente que habían de dejar imprimir tanta mentira junta, y tantas batallas, y tantos encantamentos que quitan el juicio *(ibíd.)*.

Aunque el público de las novelas de caballerías es, como vemos, muy amplio, los nobles serán, por su nivel de instrucción y su predisposición mental, los principales aficionados a este tipo de lecturas [198]. Alfonso García Matamoros se refería a:

...las fantásticas simplezas de Feliciano, con cuya lectura nuestros desocupados cortesanos entretienen sus ocios [199].

Un noble aficionado a las novelas de caballerías es Cardenio, quien nos explica cómo, en cierta ocasión, le había:

...pedido Luscinda un libro de caballerías en que leer, de quien ella era muy aficionada, que era el de *Amadís de Gaula* (I, 24).

El joven que guía a don Quijote hasta la Cueva de Montesinos, era:

...famoso estudiante y muy aficionado a leer libros de caballerías (II, 22).

Y la habilidad de los Duques para remedar los escenarios y lances del mundo caballeresco, es consecuencia de un exacto conocimiemto de:

...todas las ceremonias acostumbradas en los libros de caballerías, que ellos habían leído, y aun les eran muy aficionados (II, 30).

---

[198] Maxime Chevalier, *op. cit.*, págs. 78 y sigs., y Raffaele Puddu, *op. cit.*, pág. 48.
[199] Cit. por M. Chevalier, *ibíd.*, pág. 79.

La novela de caballerías sirve a esta clase nobiliaria, según indicábamos anteriormente, como alimento espiritual y camino para la evasión nostálgica. En los relatos caballerescos, los señores contemplan una imagen embellecida y excelsa de su propio ser social: un mundo en que no aparece el mercader ni tiene importancia el dinero, en que el noble socorre a los miserables y desvalidos y mejora su fortuna con la profesión de las armas; un mundo, en fin, de soberbios castillos, soberanos majestuosos, damas gentiles y valerosos caballeros [200].

Pero los nobles viven desde hace tiempo apartados del ejercicio de la guerra, y constituyen en la Edad Moderna una clase cortesana, sumisa y ociosa, cuyo poder proviene de la posesión de riquezas patrimoniales, del control de los instrumentos del poder político, y de una situación de privilegio legal frente a las otras clases sociales. La distancia entre la existencia real de la clase noble y la imagen arquetípica del caballero que los libros ofrecen, es cada vez mayor, y más difíciles también las nuevas circunstancias en que el estamento dominante ha de ejercer su poder. El arcaico y deformado ideal de los relatos caballerescos puede servir como entretenimiento cortesano o como crónica estilizada de ceremonias caducas, pero su utilidad como sustento ideológico de los poderes nobiliarios, cada vez más divorciados del ejercicio de la gùerra, parece más que dudosa. Por eso la alta nobleza, que durante el siglo XVI reconstruye y fortalece de manera evidente su poder, ha de transformar los valores caballerescos heredados del medievo, en otros más acordes con las nuevas circunstancias en que su autoridad se ha de ejercer: la superioridad de la sangre noble, la transmisión de cualidades y virtudes por el linaje, la ostentación y el lujo, el honor y la limpieza de sangre [201]. La novela de caballerías podrá servir aún como pieza de museo o pasatiempo con que endulzar el ocio, pero es poco apta ya para justificar espiritualmente la existencia de la clase ociosa, y para hacer frente a las exigencias doctrinales de una nueva época.

Pero no todos los nobles correrán igual suerte. Los hidalgos pobres y los escuderos, despojados de sus antiguas funciones guerreras, quedan arruinados por la revolución de los precios y las crisis agrarias,

---

[200] *Ibíd.*, págs. 98-99.
[201] Véase cap. IV.

y se ven sobrepasados por los villanos ricos y los burgueses ennobleci-
dos. El hidalgo, que contempla atónito el advenimiento de la Edad
de Hierro y la dramática disolución de su propia clase social, no puede
enfrentarse con el ánimo impasible y la mirada fría a unos relatos
que le ofrecen la imagen más hermosa y perfecta de su esplendor preté-
rito. El libro de caballerías es, para el hidalgo, el retrato embellecido
de una sociedad en que su propia vida tenía una función precisa —el
ejercicio de la guerra—, en que el hombre se podía engrandecer con
el valor de su brazo, y en que la aventura se ofrecía como una incitación constante para desplegar las más altas virtudes. No es extraño
que la nobleza inferior, desprovista de medios más sutiles con que justificar su pervivencia, contemple con nostalgia ese pasado cristalizado
en las historias de los caballeros, y que algunos hidalgos malbaraten
su hacienda para adquirir unos libros que permiten ahuyentar de la
imaginación las calamidades de la edad presente [202]. Los hidalgos son,
por ello, los lectores más entusiastas de las novelas de caballerías, y
a ellos se refiere expresamente Cervantes cuando acusa a sus autores
de tener:

> ...tanto atrevimiento, que se atreven a turbar los ingenios de los discretos
> y bien nacidos hidalgos (I, 49).

O cuando explica que los libros de *Amadís* y *Primaleón* están hechos, igual que otros pasatiempos:

> ...para entretener a algunos que ni quieren, ni deben, ni pueden trabajar (I, 32).

Por eso, Cervantes tenía que elegir a un hidalgo para encarnar al
hombre que enloquece leyendo libros de caballerías [203]. Los lances y
aventuras de estas novelas cautivan la imaginación de don Quijote,
porque, oyendo los ecos de su propio pasado, el caballero puede escapar por unas horas de la vida monótona y triste de la aldea, y eludir
el inquietante reto de un mundo endiablado.

El mundo al que las historias de los caballeros hacen referencia,
no está además muy lejano, ni las hazañas ejecutadas por los antepasa-

---

[202] Vicente Llorens, *op. cit.*, págs. 62 y sigs.
[203] A. Morel-Fatio, *op. cit.*, págs. 338-339.

dos se han borrado por completo de la memoria del hidalgo solariego. Don Quijote, por ejemplo, conserva en su casa:

> ...unas armas que habían sido de sus bisabuelos, que, tomadas de orín y llenas de moho, luengos siglos había que estaban puestas y olvidadas en un rincón (I, 1).

Y esas armas, o los escudos de piedra que adornan la casa, son el vestigio material más evidente de esa edad de oro, relativamente próxima, de los caballeros andantes. No olvidemos que los bisabuelos de don Quijote vivieron en el siglo xv, la época en que la caballería, a punto de extinguirse ya, vive un último y glorioso esplendor. Los nombres de caballeros famosos, las muestras de arrojo desinteresado, los torneos y lances de honor, fueron frecuentes en aquellos años, y don Quijote, en una de esas fantásticas mezclas de lo real y lo fingido, trae a la memoria algunos de estos episodios [204].

---

[204] «...díganme también que no es verdad que fue caballero andante el valiente lusitano Juan de Merlo, que fue a Borgoña y se combatió en la ciudad de Ras con el famoso señor de Charní, llamado mosén Pierres, y después, en la ciudad de Basilea, con mosén Enrique de Remestán, saliendo de entrambas empresas vencedor y lleno de honrosa fama; y las aventuras y desafíos que también acabaron en Borgoña los valientes españoles Pedro Barba y Gutierre Quijada (de cuya alcurnia yo deciendo por línea recta de varón), venciendo a los hijos del Conde de San Polo. Niéguenme asimesmo que no fue a buscar las aventuras a Alemania don Fernando de Guevara, donde se combatió con micer Jorge, caballero de la casa del Duque de Austria; digan que fueron burla las justas de Suero de Quiñones, del Paso; las empresas de mosén Luis de Falces contra don Gonzalo de Guzmán, caballero castellano, con otras muchas hazañas hechas por caballeros cristianos, destos y de los reinos extranjeros...» (I, 49). Cfr.: «Yo por cierto no vi en mis tiempos, ni leí que en los pasados viniesen tantos caualleros de otros reinos e tierras estrañas a estos vuestros reinos de Castilla e de León por fazer en armas a todo trance, como vi que fueron caualleros de Castilla a la buscar por otras partes de la cristiandad. Conoscí al conde don Gonçalo de Guzmán, e a Juan de Merlo: conosçí a Juan de Torres, e a Juan de Polanco, Alfarán de Biuero, e a Mosén Pedro Vázquez de Sayauedra, e a Gutierre de Quixada, e a mosén Diego de Valera; e oí dezir de otros castellanos que con ánimo de caualleros fueron por los reinos estraños a fazer armas con cualquier cauallero que quisiese fazerlas con ellos, e por ellas ganaron honrra para sí, e fama de valientes y esforçados caualleros para los fijosdalgo de Castilla» (Fernando del Pulgar, *Claros varones de Castilla,* ed. de Jesús Domínguez Bordona, Madrid, CC, 1969, págs. 105-106). Véase Martín de Riquer, *Caballeros andantes españoles,* Madrid, Espasa Calpe, col. Austral, 1967.

A la presencia seductora y tenaz de estos recuerdos, se añade la lectura de los libros de caballerías, y el hidalgo, alucinado y confuso, se ve impulsado a rescatar del olvido ese mundo quimérico y legendario:

> En efeto, rematado ya su juicio, vino a dar en el más extraño pensamiento que jamás dio loco en el mundo, y fue que le pareció convenible y necesario, así para el aumento de su honra como para el servicio de su república, hacerse caballero andante, y irse por todo el mundo con sus armas y caballo a buscar las aventuras y a ejercitarse en todo aquello que él había leído que los caballeros andantes se ejercitaban, deshaciendo todo género de agravio, y poniéndose en ocasiones y peligros donde, acabándolos, cobrase eterno nombre y fama (I, 1).

La lectura convierte el ocio en acción y la palabra en vida, y don Quijote, harto de soñar el pasado, tratará de revivir las fantásticas historias que dormían en las páginas de su biblioteca. La búsqueda caprichosa de aventuras, sujeta al azar o a las veleidades de Rocinante, dará savia nueva a la vida del pobre hidalgo, dispuesto a resucitar aquella edad dorada en que los andantes caballeros tomaron a su cargo «la defensa de los reinos, el amparo de las doncellas, el socorro de los huérfanos», «el castigo de los soberbios y el premio de los humildes» (II, 1).

Pero, a pesar de sus continuos disparates, nuestro anacrónico caballero no vive tan distanciado de su época como a primera vista podría parecer. Son muchos los contemporáneos de don Quijote que, con el juicio perfectamente sano, se sintieron incitados a la acción por la lectura de los libros de caballerías. Y no nos referimos a algunos casos reales de locura, aislados y anormales, provocados por el trato frecuente con tales historias [205], sino a las vocaciones guerreras que la lectura de *Amadís* era capaz de despertar, y a los hombres de armas que trataron de emular con su conducta el heroísmo y la abnegación de los caballeros fantásticos. Ya en el prólogo de *Amadís,* el autor señalaba el valor didáctico, y no meramente recreativo, de su obra: con ella se pretende inculcar a los jóvenes el deseo de realizar hechos heroicos:

---

[205] M. Menéndez y Pelayo, *Orígenes de la novela,* vol. I, págs. 293 y sigs.

...animando los corazones gentiles de mancebos belicosos, que con grandísimo afeto abrazan el arte de la milicia corporal, animando la inmortal memoria del arte de caballería, no menos honestísimo que glorioso [206].

Y este objetivo parece haberse cumplido en muchos casos, porque
Pedro Malón de Chaide señalaba que, si a los aficionados a este tipo
de libros les preguntásemos por qué los leen:

...responderos han que allí aprenden osadía y valor para las armas, crianza
y cortesía para con las damas, fidelidad y verdad en sus tratos, y magnanimidad y nobleza de ánimo en perdonar a sus enemigos... [207].

Don Quijote nos ofrece un ejemplo exagerado de esta actitud, que,
sin ser general, parece frecuente entre los hombres del siglo XVI. Uno
de los interlocutores del *Diálogo* de Jiménez de Urrea explica en cierto
momento, con palabras que hubiera podido hacer suyas don Quijote:

A la verdad yo estudié poco, por que salí más inclinado a las armas
que a las letras, y assí no aprendí sino romances viejos, y cauallerías, que
cierto me leuantaron el ánimo a seguir cosas heroycas [208].

Se sabe que los hechos extraordinarios de uno de los más famosos
capitanes de Carlos V, don Fernando de Ávalos, Marqués de Pescara,
tuvieron su origen en la lección de tales libros [209]. La lectura de estas
novelas, o el recuerdo de los pasajes más significativos, acompañaba
también a los conquistadores en el combate, en la exploración de nuevas tierras, y en la obstinada persecución de la gloria, la riqueza y
el poder. En algunos casos, como en esta anécdota que recoge Menéndez y Pelayo, el deseo de imitar las hazañas de Amadís empujaba a
los soldados a adoptar actitudes temerarias, que hubiesen dejado en
mal lugar al atrevido don Quijote:

---

[206] *Libros de caballerías*, BAE, XL, pág. 1. Para las relaciones entre el fervor guerrero de los soldados españoles y la lectura de los libros de caballerías, véase Raffaele
Puddu, *op. cit.*, especialmente, págs. 45 y sigs.
[207] *La conversión de la Magdalena*, ed. del P. Félix García, Madrid, CC, 1959, volumen I, pág. 27.
[208] J. Jiménez de Urrea, *op. cit.*, fol. 11.
[209] Irving A. Leonard, *op. cit.*, pág. 41.

En la milicia de la India, teniendo un Capitán Portugués cercada una ciudad de enemigos, ciertos soldados camaradas, que albergavan juntos, traían entre las armas un libro de cavallerías con que passaran el tiempo: uno dellos, que sabía menos que los demás, de aquella lectura, tenía todo lo que oía leer por verdadero (que hay algunos inocentes que les parece que no puede aver mentiras impressas). Los otros, ayudando a su simpleza, le decían que assí era; llegó la ocasión del assalto, en que el buen soldado, invidioso y animado de lo que oía leer, se encendió en desseo de mostrar su valor y hacer una cauallería de que quedasse memoria, y assí se metió entre los enemigos con tanta furia, y los comenzó a herir tan reciamente con la espada, que en poco espacio se empeñó de tal suerte, que con mucho trabajo y peligro de los compañeros, y de otros muchos soldados, le ampararon la vida, recogiéndolo con mucha honra y no pocas heridas; y reprehendiéndole los amigos aquella temeridad, respondió: «Ea, dexadme, que no hice la mitad de lo que cada noche leéis de cualquier caballero de vuestro libro» [210].

El caso de este soldado es, sin duda, extraordinario y poco representativo; y no parece por ello muy probable, contra lo que opina Irving A. Leonard [211], que muchos jóvenes conquistadores, poco instruidos, creyesen con sencilla fe aquellas patrañas y se considerasen capaces de emularlas. Pero, aun sin tener en cuenta estos ejemplos de credulidad extrema, parece evidente que la juventud del Renacimiento se sintió estimulada, para realizar acciones heroicas, por esos relatos que glorificaban al guerrero como prototipo de una determinada cultura; y es evidente también que los libros de caballerías están presentes en la mente de los conquistadores, y en la imagen que éstos se están formando del Nuevo Mundo [212].

Los hechos de la conquista eran tan extraordinarios, que muchas páginas de las crónicas se parecían a los relatos caballerescos. La realidad sobrepasaba a la fantasía, y, por lejos que llegase la imaginación, la verdad que ofrecían al hombre las tierras del otro lado del mar, era mucho más grandiosa: un mundo enorme, lleno de posibilidades para la aventura y lo novelesco, donde podían realizarse todos los sue-

---

[210] Francisco Rodríguez Lobo, *Corte en Aldea y Noches de Invierno,* 1619, cit. en *Orígenes de la novela,* vol. I, pág. 370, n. 1.

[211] *Op. cit.,* pág. 45.

[212] *Ibíd.,* págs. 41 y sigs. Véase también Mirta Aguirre, *La obra narrativa de Cervantes,* La Habana, Instituto Cubano del Libro, 1971, págs. 37-41.

ños de la fama y de la fortuna[213]. Y es que, en muy pocos años, ha cambiado completamente la imagen del mundo, y se han desvanecido las estrechas fronteras en que se movía el intelecto del hombre medieval. Ahora todo es posible en un mundo inexplorado e incitante, en que se mezclan lo real y lo fantástico, lo verosímil y lo maravilloso.

Cuando Alonso Quijano profesa como caballero andante, hace muchos años que la conquista ha terminado, pero los mitos persisten aún, y las gentes siguen dispuestas a dar crédito a las leyendas más increíbles. Por eso, aunque don Quijote piensa en las aventuras de los caballeros fantásticos cuando invita a su escudero a «ser testigo de cosas que apenas podrán ser creídas» (I, 8), no debemos olvidar que, pocos años antes, los soldados y cronistas, empapados también de espíritu caballeresco, habían usado las mismas palabras para describir sus andanzas en un continente lejano y desconocido. Para Hernán Cortés, por ejemplo, la ciudad de Tlaxcala:

> ...es tan grande y de tanta admiración, que aunque mucho de lo que della podría decir deje, lo poco que diré creo es casi increíble[214].

Y, en general, todas las tierras:

> ...del señorío de este Mutezuma, como de otras que con él confinaban... son tantas y tan maravillosas, que son casi increíbles[215].

Bernal Díaz del Castillo, testigo directo de la conquista de México, al consignar la impresión que produjo a las tropas españolas la vista de la capital azteca, no duda en comparar el espectáculo que se abre ante sus ojos, con las increíbles descripciones de los relatos caballerescos:

> ...y desde que vimos tantas ciudades y villas pobladas en el agua, y en tierra firme otras grandes poblaciones, y aquella calzada tan derecha por nivel cómo iba a Méjico, nos quedamos admirados, y decíamos que parecía a las cosas de encantamento que cuentan en el libro de Amadís...[216].

---

[213] *Ibíd.,* pág. 43.
[214] Hernán Cortés, *Cartas de relación,* BAE, XXII, pág. 18.
[215] *Ibíd.,* pág. 35.
[216] *Historia verdadera de la conquista de Nueva España,* BAE, XXVI, pág. 82. En *El Crótalon,* diálogo atribuido a Cristóbal de Villalón, se dice que las gentes que volvían de América «... era tan admirable lo que nos decían, juntamente con lo que nos mostraban los que de allá venían, que no nos podíamos sufrir» (ed. de Augusto Cortina, Madrid, Espasa Calpe, col. Austral, 3.ª ed., 1973, pág. 240).

Hasta el pueblo de don Quijote debían llegar noticias maravillosas de aquellas tierras, en gran parte inexploradas aún, mezcladas con leyendas y patrañas semejantes a las que ideaban los autores de los relatos fantásticos. Y, aunque don Quijote no necesita mucha ayuda para creer las historias más extravagantes, el ambiente y las gentes que le rodean contribuyen a aumentar su credulidad. Hay autores de libros de caballerías que aprovechan los escenarios geográficos y las fábulas del Nuevo Mundo para acrecentar el interés de los relatos [217], y los propios protagonistas de la conquista americana intentan dar vida a los pasajes más inverosímiles de las aventuras caballerescas. Poco puede extrañarnos que un hidalgo, encerrado en los límites de la Mancha, crea a pies juntillas la historia de Amadís, cuando los conquistadores persiguieron con obstinación durante muchos años el reino de El Dorado, o pensaron que el país de las Amazonas [218] estaba próximo, y cuando muchas gentes daban crédito a una historia tan peregrina como la siguiente:

…os hago saber [explica don Martín de Salinas a un secretario de Carlos V] que aquí se levantó una nueva y se tuvo por tan segura y cierta entre letrados y otras muchas personas calificadas que porque allá no conozcan la vanidad de las gentes de nuestra nación, sólo las escribo porque V. Md. las ría… Las cuales son: que habían aportado en los puertos de Santander y Laredo setenta naos gruesas y en ellas 10.000 amazonas, las cuales venían a llevar generación desta nuestra nación a fama de valientes hombres. Y el medio para ello era que cualquiera que saliese preñada daría al garañón quince ducados por su trabajo, y que aguardarían a parir: y si fuesen ma-

---

[217] Irving A. Leonard, *op. cit.*, págs. 53-54. Cfr.: «… quiero agora que sepáis una cosa la más extraña que nunca por escriptura ni por memoria de gente en ningún caso hallar se pudo… Sabed que a la diestra mano de las Indias hubo una isla, llamada California, muy llegada a la parte del Paraíso Terrenal, la cual fue poblada de mujeres negras, sin que algún varón entre ellas hubiese, que casi como las amazonas era su estilo de vivir. Estas eran de valientes cuerpos y esforzados y ardientes corazones y de grandes fuerzas; la ínsula en sí la más fuerte de riscos y bravas peñas que en el mundo se hallaba; las sus armas eran todas de oro, y también las guarniciones de las bestias fieras, en que, después de las haber amansado, cabalgaban; que en toda la isla no había otro metal alguno» (*Las Sergas de Esplandián*, BAE, XL, pág. 539).

[218] *Ibíd.*, caps. IV y V. Ya en las *Cartas de Relación* de Cortés se habla de «una isla toda poblada de mujeres sin varón ninguno, y que en ciertos tiempos van de la Tierra-Firme hombres, con los cuales han aceso, y las que quedan preñadas, si paren mujeres las guardan, y si hombres los echan de su compañía…» (*ed. cit.*, pág. 102).

chos, los dexarían acá, y si hembras las llevarían consigo... y estas nuevas
tenga V. Md. que han sido aquí tan tenidas por ciertas que no se ha hablado
ni habla en otra cosa [219].

Don Quijote es, en definitiva, producto de una edad en que las
reliquias de un pasado todavía vivo conviven con los primeros signos
de una nueva época: un hidalgo cansado, incapaz de comprender y
aceptar un mundo del que se siente excluido, que trata de recuperar
con las armas la honra y esplendor antiguos, y piensa que el mundo
sólo puede salvarse con el restablecimiento definitivo de la Edad de Oro.

La historia termina con el fracaso y la desilusión, porque Alonso
Quijano vive de espaldas a la realidad, ciego ante sus propias limitaciones y ante las trabas que el mundo impone. El hombre que ha de
empuñar las armas, ha de tener, según las propias leyes de la caballería, mocedad, brío, riqueza, linaje y sano juicio; y así se indica expresamente en el *Código de las Partidas* [220] y en las reglas que rigen la
conducta de los caballeros [221]. Don Quijote, en cambio, es «seco de
carnes y enjuto de rostro» (I, 1), viejo y débil, y tan pobre de fuerzas
como de hacienda. Su escaso vigor para empuñar las armas se remata
con el ridículo aspecto de su figura y vestimenta: un rocín que apenas
se tiene en pie, unas armas llenas de orín y moho, una celada de cartón
y una bacía de barbero. La locura de Alonso Quijano se puede explicar en pocas palabras, y consiste en creerse caballero esforzado y valiente, siendo en realidad un pobre hidalgo, viejo y enfermo (II, 6).

Don Quijote fracasa, además, porque pretende resucitar una imagen del mundo caduca e inoperante, y porque quiere dar vida al orbe,
idealizado en las novelas de caballerías, en que la acción del caballero

---

[219] Cit. por Irving A. Leonard, *op. cit.,* pág. 70.

[220] El caballero «... sobre todas las cosas cataron que fuesen hombres de buen linaje, porque se guardasen de hacer cosa por que pudiesen caer en vergüenza» (Alfonso
X, *Partida segunda,* Madrid, Publicaciones Españolas, 1961, título XXI, ley 2). «... que
de una parte sean fuertes y bravos, y de otra parte, mansos y humildosos» (*ibíd.,* ley
7). No debe ser caballero «el que es loco o sin edad», «hombre muy pobre» o «el que
una vegada hubiese recibido la caballería por escarnio» (*ibíd.,* ley 12).

[221] «... si l'escuder és vell e ha debilitat de son cors e vol essér cavaller, enans que
fos vell féu injúria a cavalleria, qui es mantenguda per los forts combatedors, e és avilada
per flacs, despoderats, e vençuts fugidors»... «... escuder sens armes e qui no haja tanta
de riquesa que pusca mantenir cavalleria, no deu essér cavaller...» (Ramon Llull, *op.
cit.,* págs. 535-536).

podía tener sentido. Se engaña, porque persigue un ideal de justicia irrealizable por un individuo aislado, y, sobre todo, porque al negarse a aceptar el advenimiento de la modernidad, ayuda a mantener vivo el repertorio de valores sociales en que el régimen de privilegios nobi- liarios se había sustentado [222]. Su error es, en fin, el de una sociedad en que la reacción señorial, el orgullo de los hidalgos, la tendencia de los humildes a imitar a los poderosos, el espíritu mesiánico y milita- rista, crearon las condiciones propicias para la subsistencia y multipli- cación de las novelas de caballerías, y para la pervivencia de la arcaica visión del mundo que en ellas se ofrece. Pero don Quijote es también la encarnación de la justicia y el bien, y en esa aparente contradicción que constituye su historia, reside la gran lección y la esperanza que se nos ofrece en la novela.

---

[222] J. A. Maravall, *Utopía y contrautopía en el Quijote*, pág. 122.

CAPÍTULO III

LA VIDA RURAL

«UN LABRADOR VECINO SUYO,
QUE ERA POBRE Y CON HIJOS»

Al modelar el personaje que a partir del capítulo séptimo de la primera parte iba a acompañar a don Quijote en sus aventuras, Cervantes traería a su memoria algunos tipos cómicos de la literatura inmediatamente anterior. Marcelino Menéndez y Pelayo señaló, por ejemplo, algunas semejanzas entre Sancho y Ribaldo, escudero de *El caballero Cifar* y posible fuente de inspiración cervantina [1]. Según W. S. Hendrix [2], Cervantes estaba familiarizado con las creaciones dramáticas y las obras en prosa del siglo XVI, y aprovechó, al crear la figura de Sancho, algunos elementos del teatro prelopista y de las imitaciones de *La Celestina*: la estupidez, gula y cobardía de *simples* y *bobos,* y la socarronería y maliciosos comentarios de confidentes y criados. Francisco Márquez Villanueva cita, por su parte, al *bobo* de *La famosa historia de Ruth,* de Sebastián de Horozco, entre las posibles fuentes

---

[1] «Cultura literaria de Miguel de Cervantes», págs. 123 y sigs. La influencia parece, sin embargo, improbable: ambos personajes son, más bien, dos encarnaciones del prototipo del hombre rústico, producto, ambos, de un mismo tronco folklórico (Maxime Chevalier, «Literatura oral y ficción cervantina», *Prohemio,* V, n.° 2-3, sept.-dic. 1974 (págs. 161-196), pág. 192).

[2] «Sancho Panza and the comic types of the sixteenth century», en *Homenaje a Ramón Menéndez Pidal,* Madrid, 1925, vol. II, págs. 485-494.

literarias de la figura de Sancho [3]; y encuentra un evidente parentesco entre el escudero cervantino y los criados, rústicos y pastores ideados por Torres Naharro [4].

Para Mauricio Molho [5], el origen literario de Sancho Panza no puede ser estudiado mediante una tipología de personajes cómicos, porque tanto éstos como aquél proceden de un sustrato común: el *tonto* [6] del cuento popular, tipo contradictorio y reversible, capaz de mezclar la más risible bobería con la más estudiada astucia, y de tirar por tierra, de esta forma, la aparente superioridad de los «listos» que pretenden burlarse de él. Las astucias del *tonto* sirven, dentro de la tradición folklórica, como compensación a los elementos sociales subalternos, que viven, entre risas y bromas, la ilusión de una victoria del inferior —el *simple* privado de inteligencia y próximo a la condición animal— sobre los superiores; mientras que Cervantes, al recuperar la figura folklórica del *tonto-listo* para introducirlo en una obra destinada a un público culto, retiene del objeto popular lo que se presta a la universalización y responde adecuadamente a sus intenciones. La evidente raigambre folklórica de Sancho ha sido estudiada, a su vez, por Agustín Redondo [7], y reside ante todo, según este autor, en los elementos de la tradición carnavalesca que Cervantes ha utilizado para construir su personaje, y que hacen de él el prototipo del hombre rechoncho y voraz, y la personificación misma de la fiesta de Carnestolendas.

Pero los variados materiales literarios que convergen en la figura del escudero, son, en manos de Cervantes, simples instrumentos con los que construir una existencia humana que, sin perder su compleja singularidad, se levanta sobre un ámbito social de contornos muy precisos: Sancho Panza es el labrador manchego, casado, pobre y con hijos, que vive la aventura caballeresca con la única esperanza de escapar de la miseria a la que, por su humilde nacimiento, se encuentra encadenado.

[3] *Fuentes literarias cervantinas,* Madrid, Edit. Gredos, 1973, págs. 20-94.
[4] *Ibíd.,* págs. 63 y sigs.
[5] *Cervantes: Raíces folklóricas,* Madrid, Edit. Gredos, 1976, págs. 217 y sigs.
[6] *Ibíd.,* págs. 256 y sigs.
[7] «Tradición carnavalesca y creación literaria. Del personaje de Sancho Panza al episodio de la ínsula Barataria en el *Quijote», BHi,* LXXX, 1978, págs. 39-70. Un resu-

La clase social a la que pertenece Sancho Panza, es en aquel momento la más numerosa del país —el 80 por ciento, aproximadamente, de la población total [8]—, y también la más abatida y desventurada:

> El estado de los Labradores de España [escribía Fray Benito de Peñalosa en 1629] en estos tiempos está el más pobre, y acabado miserable, y abatido de todos los demás estados, que parece que todos ellos juntos se han aunado, y conjurado, a destruyrlo, y arruynarlo: y a tanto ha llegado, que suena tan mal el nombre de Labrador, que es lo mismo que pechero, villano, grossero, malicioso, y de ay baxo... y quién podrá dezir lo que son mártyres, quando van juezes, y soldados a sus tierras, y pobres aldeas. Y finalmente están los labradores oy en tan extrema miseria, y desuentura, que ninguna honra, ni premio alguno (por más cuydado ni excelencia que tenga en su oficio) les está diputado de la República, sino sólo el huesso mondo de la maldición, que por su pecado echó Dios a nuestro primer Padre... [9].

En el lenguaje de la época, *labrador* es el pechero que vive en la aldea y se ocupa del cuidado del ganado y el cultivo de la tierra. En el *Tesoro de la lengua castellana* se dice que el *labrador* es:

> ...no sólo el que actualmente labra la tierra, pero el que vive en la aldea; porque las aldeas se hizieron para que en ellas se recogiessen con sus bueyes, mulas y hato los que labravan las tierras vezinas, y concurriendo muchos en un puesto hizieron los lugares y aldeas; y comúnmente los que viven en ellas se ocupan poco o mucho en cultivar la tierra y labrar los campos [10].

En la sociedad rural, el término *labrador* suele usarse contrapuesto a *hidalgo,* para señalar así las dos categorías básicas en que se encuadra la población de las aldeas castellanas de la época [11]. Pero *labra-*

---

men de los problemas relativos a la génesis literaria de Sancho Panza puede verse en Eduardo Urbina, «Sancho Panza a nueva luz: ¿tipo folklórico o personaje literario?», *ACerv,* XX, 1982, págs. 93-101.

[8]   Manuel Fernández Álvarez, *La sociedad española en la época del Renacimiento,* página 106.

[9]   *Libro de las cinco excelencias del español,* fol. 169. Algunos datos sobre la presencia de este tema en el *Quijote* pueden hallarse en Ludovik Osterc, *op. cit.,* páginas 96 y sigs.; R. del Arco y Garay, *op. cit.,* págs. 721 y sigs.; y E. H. Templin, «Labradores in the *Quijote*», *HR,* XXX, 1962, págs. 21-51.

[10]   *Ed. cit.,* pág. 746.

[11]   Véase antes, cap. II, págs. 88-89. Sobre el empleo del término *labrador,* véase Earl H. Templin, *op. cit.,* págs. 21 y sigs.

dor no es un término unívoco, ni los campesinos una clase social homogénea: dentro de ella se distinguen con claridad —y en este punto las *Relaciones* son muy precisas— los *jornaleros* y *trabajadores,* cuyo único patrimonio es el esfuerzo de sus brazos, y los *labradores,* propietarios de alguna yunta, que cultivan tierras propias o tomadas en arriendo [12]. En *Villalvilla* (Madrid), los testigos indican que:

> ...la tercia parte de los vecinos son *labradores* que labran por pan y vino y aceite y ganados menudos y mayores, y las otras dos partes son vecinos *trabajadores* que ganan de comer por el trabajo de sus manos al azadón [13].

Y en *Gerindote* (Toledo) hay:

> ...*labradores* de un par de mulas, que serán entre quince o veinte, y los demás son *trabajadores...* [14].

Sancho Panza, aunque es propietario de un reducidísimo caudal agrícola [15], ha de ganar el sustento trabajando para los labradores e hidalgos ricos del lugar:

> ...los que servimos a labradores [explica en cierto momento] por mucho que trabajemos de día, por mal que suceda, a la noche cenamos olla... (II, 28).

Cuando don Quijote y su escudero entraron en El Toboso, en busca del palacio de Dulcinea:

> ...vieron que venía a pasar por donde estaban uno con dos mulas, que por el ruido que hacía el arado, que arrastraba por el suelo, juzgaron que debía de ser labrador, que habría madrugado antes del día a ir a su labranza (II, 9).

Este labriego resulta ser también, igual que Sancho, un obrero agrícola que sirve a uno de los grandes propietarios del pueblo:

> —Señor —respondió el mozo—, yo soy forastero y ha pocos días que estoy en este pueblo sirviendo a un labrador rico en la labranza del campo *(ibíd.).*

---

[12] Noël Salomon, *La vida rural castellana,* págs. 264 y sigs., y 275 y sigs.

[13] Carmelo Viñas Mey y Ramón Paz, *Relaciones, Madrid,* pág. 693.

[14] *Ibíd., Reino de Toledo,* primera parte, pág. 426.

[15] En el capítulo II, 2, el Ama le aconseja: «Id a gobernar vuestra casa y a labrar vuestros pegujares».

Los jornaleros forman el grupo social más numeroso, y también el más pobre, del campo castellano. En la Mancha representan más de la mitad de la población rural y, en algún caso, más de las tres cuartas partes del vecindario de las aldeas [16]. La abundancia de trabajadores, que contrasta con el escaso número de propietarios, es consecuencia de un sistema de latifundio caracterizado por la ausencia de distribución del suelo entre arrendatarios o colonos estables, y por la constitución de grandes aldeas de población jornalera, desprovista de toda participación en la propiedad de la tierra [17]. La miseria es el sino forzoso de esta masa desheredada, que ha de alquilarse cada día para realizar las faenas más duras a cambio de un menguado jornal, y sobre la que se cierne la amenaza constante del paro estacional, el hambre y la inseguridad. Por eso, en los documentos de la época es muy frecuente que a los braceros y trabajadores del campo se les denomine *pobres* y *pobre gente,* y Fernando Álvarez de Toledo distinguía, en este sentido, tres estados dentro de la república:

> ...el uno de ricos, el otro de pobres y el otro de los que tienen moderado caudal con que pasar. En el estado de los pobres se comprenden los que, no teniendo casa, ni viña, juro, ni censo, ni caudal para contratar, ni bienes raíces, ni oficio con que ganar de comer, se sustentan del jornal que ganan con el trabajo de su persona [18].

En las *Relaciones* de *Cobeña* (Madrid), se explica que:

> ...hasta ochenta labradores vecinos de esta villa labran sus haciendas con mulas y bueyes labrando la tierra para coger pan, y otra parte son *jornaleros y pobre gente* que no tienen con que labrar ni en que labrar... [19].

---

[16]   Noël Salomon, *op. cit.,* págs. 264-265. Esta proporción era bastante menor en la mitad norte de la Meseta: en la Bureba, por ejemplo, el número de jornaleros no debía sobrepasar el 20 % de la población, y, en muchos casos, al salario de estas gentes se añadían los beneficios obtenidos por el cultivo de algún terruño propio (Francis Brumont, *Campo y campesinos de Castilla la Vieja en tiempos de Felipe II,* Madrid, Editorial Siglo XXI, 1984, págs. 220-221).

[17]   Bartolomé Clavero, *op. cit.,* pág. 119.

[18]   Fernando Álvarez de Toledo, *Medios propuestos a Su Majestad tocante al socorro y desempeño del Reino,* Madrid, 1602, fol. 13, cit. por José Luis Sureda Carrión, *La Hacienda castellana y los economistas del siglo XVII,* Madrid, C.S.I.C., 1949, página 167. Sobre la identificación de *pobre, jornalero* y *trabajador,* véase José Antonio Maravall, «Pobres y pobreza del medievo a la primera modernidad», *CHA,* 367-368, enero-febrero 1981 (págs. 189-242), págs. 207-209.

[19]   C. Viñas Mey y Ramón Paz, *Relaciones, Madrid,* pág. 187.

Y en *Argamasilla de Alba* (Ciudad Real):

...habrá doscientos labradores que tengan mulas y otras alimañas con que labrar y que lo restante del estado de los pecheros hay oficiales y jornaleros y mozos de soldada y pastores y otra *gente pobre...* [20].

También Cervantes, cuando cita por primera vez al escudero de don Quijote, añade el calificativo de *pobre* a la categoría social del personaje:

...determinó volver a su casa y acomodarse de todo, y de un escudero, haciendo cuenta de recebir a un *labrador* vecino suyo, que era *pobre* y con hijos... (I, 4).

En este tiempo solicitó don Quijote a un *labrador* vecino suyo, hombre de bien (si es que este título se puede dar al que es *pobre)...* (I, 7).

La pobreza y el trabajo embrutecedor son, desde los años de la niñez, el pan cotidiano de esta desdichada plebe del campo. Sancho Panza, siendo todavía un niño, trabajó en su tierra como cabrerizo (II, 41), como porquero (II, 42), y según él mismo explica:

...después, algo hombrecillo, gansos fueron los que guardé, que no puercos (II, 42).

Andrés, el mozo de quince años que sirve a Juan Haldudo, se ocupa de cuidar una manada de ovejas, y ha de sufrir las mezquindades y violencias del amo a cambio de un salario mísero:

El labrador bajó la cabeza y, sin responder palabra, desató a su criado, al cual preguntó don Quijote que cuánto le debía su amo. Él dijo que nueve meses, a siete reales cada mes (I, 4).

Sueldo irrisorio si tenemos en cuenta que, por la misma época, los esportilleros de Sevilla, jóvenes de la misma edad que Andrés, ganaban casi la misma cantidad en un solo día [21].

Al concluir la adolescencia, el jornalero y el labrador pobre se han de ocupar en las faenas más penosas y peor pagadas. En *Villamiel* (Toledo), por ejemplo, las *Relaciones* indican que:

---

[20] *Ibíd., Ciudad Real,* pág. 102. Véanse más datos y ejemplos en Noël Salomon, *op. cit.,* págs. 269-270.

[21] *Rinconete y Cortadillo,* BAE, I, pág. 136.

...todos los demás vecinos son jornaleros y trabajadores del campo, que ganan de comer a cavar y segar y a otros trabajos de sus personas... [22].

En *Lucillos* (Toledo):

...la más parte del pueblo es pobre, y su trato es arar y labrar las viñas [23].

Sancho Panza, hasta el momento en que entró a servir a don Quijote, se ocupaba de:

...arar y cavar, podar y ensarmentar las viñas (II, 53).

El salario que recibe por este trabajo es mínimo, y apenas ayuda a cubrir las necesidades más elementales:

Cuando yo servía... a Tomé Carrasco, el padre del bachiller Sansón Carrasco, que vuesa merced bien conoce, dos ducados ganaba al mes, amén de la comida... (II, 28).

Estos ingresos se completan, según se dice en otro momento, con las ganancias que aporta el rucio:

...sustentador de la mitad de mi persona, porque con veintiséis maravedís que ganabas cada día mediaba yo mi despensa (I, 23).

El presupuesto diario de los Panza, si sumamos el jornal de Sancho y la ayuda del rucio, es de un real y medio (51 maravedís). Un carpintero ganaba en esta misma época unos 200 maravedís diarios en Castilla la Nueva, y entre 200 y 250 en Andalucía [24]; y la canti-

---

[22] C. Viñas Mey y Ramón Paz, *Relaciones, Reino de Toledo,* segunda parte, página 705.

[23] *Ibíd.,* primera parte, pág. 516.

[24] Mientras no se indique lo contrario, los datos sobre precios y salario que ofrecemos proceden de Earl J. Hamilton, *El tesoro americano y la revolución de los precios en España (1501-1650),* Barcelona, Ariel, 1975, apéndice IV. En Valladolid, hacia la misma época (1591-1600), la diferencia entre los jornales agrarios y urbanos era igualmente notable: el salario medio diario de un obrero agrícola era de 74,5 maravedís, el de un oficial de la construcción, de 119, y el de un maestro del mismo gremio, de 136 (Bartolomé Bennassar, *Valladolid en el Siglo de Oro,* pág. 277). El propio Bennassar ha señalado también el contraste, mucho más acusado, lógicamente, entre nobles acaudalados y jornaleros del campo: el señor más poderoso de Valladolid, el Conde de Benavente, dis-

dad mínima para la alimentación de una sola persona, era por aquellos
años, según el cálculo del arbitrista en *El coloquio de los perros* [25],
un real y medio al día, exactamente el mismo dinero con que han
de sustentarse, y hacer frente a otros gastos, los cuatro miembros del
hogar de Sancho Panza.

Las temporadas de siega, vendimia u otras labores de recolección,
son muy importantes para los propietarios y para los trabajadores del
campo: los jornales son entonces más elevados, y las ganancias obteni-
das en estos días de duro faenar, habrán de proporcionar sustento durante buena parte del año. Por eso, Sancho piensa que:

> ...sería mejor y más acertado... volvernos a nuestro lugar, ahora que es tiem-
> po de la siega y de entender en la hacienda, dejándonos de andar de ceca
> en meca y de zoca en colodra... (I, 18).

En la época de siega Sancho llegaría a doblar sus ingresos habituales: en 1588, el ayuntamiento de *Cifuentes* (Guadalajara) tasó el jornal
de un peón en dos reales para los meses de mayo y junio [26]; y años
más tarde, en 1642, el municipio de *Santisteban del Puerto* (Jaén) establecía la siguiente pauta para los salarios del campo:

> Bareadores cada uno gane por un mes quatro ducados. A cabar y segar
> dos reales y de comer. A segar trigo tres reales y de comer [27].

Pero, debido al carácter estacional de estos trabajos, y al desajuste
entre la oferta y la demanda de mano de obra, muchos jornaleros han
de emigrar a los pueblos o comarcas limítrofes, para participar en la
cosecha del trigo, la vid o la aceituna [28]. Las *Relaciones* nos explican
que en *Alcabón* (Toledo):

---

pone hacia 1600 de una renta anual de 120.000 ducados. En la misma época, un peón
de la misma ciudad, trabajando trescientos días al año, gana poco más o menos 60 ducados, salario total (*La España del Siglo de Oro,* pág. 172).

[25] BAE, I, pág. 244.

[26] Antonio Domínguez Ortiz, *El Antiguo Régimen: Los Reyes Católicos y los Austrias,* Madrid, Alianza Universidad, 1973, pág. 166.

[27] Cit. por Joaquín Mercado Egea, *La muy ilustre villa de Santisteban del Puerto,*
Madrid, 1973, pág. 176.

[28] Noël Salomon, *op. cit.,* págs. 271-272.

> Toda la gente deste pueblo es muy pobre... y las granjerías de todos
> ellos son arar el que tiene bueyes y el que no los tiene trabajar, o cavar
> o segar y varear la aceituna a su tiempo con los señores que tienen aquí
> sus heredades y otras veces van a trabajar a Torrijos y a otras partes a do
> hallan que trabajar... [29].

En *Villamayor del Campo de Calatrava* (Ciudad Real):

> ...ay mucha gente que vive de su trabajo de jornal, que lo ganan en esta
> villa y fuera en otros pueblos [30].

El labriego que don Quijote y su escudero encuentran cuando llegan a El Toboso, era forastero y estaba en el pueblo sirviendo a un
campesino rico en la labranza del campo (II, 9); y el propio Sancho
explica, a propósito de un suceso acaecido en su pueblo:

> ...yo no me hallé presente, que había ido por aquel tiempo a segar a Temble-
> que (II, 31) [31].

Las labores de artesanía alcanzan cierta importancia en algunos lugares [32], y sirven a muchas gentes pobres de Castilla la Nueva para
socorrer las necesidades de su casa. En las *Relaciones* se alude alguna
vez a la penuria de las familias que se dedican a estos menesteres.
En *Santos de la Humosa* (Madrid), por ejemplo:

> ...la gente desta dicha villa parte de ella es rica y parte de ella mediana
> y la mayor parte de toda pobres, y el trato y granjería común que traen
> es labrar esparto los pobres... [33].

El trabajo artesanal, que sirve también para abastecer el hogar familiar, es labor pesada y de poca ganancia, que desempeñan a menudo
las mujeres y las niñas. En *Alcorcón* (Madrid):

---

[29] C. Viñas Mey y Ramón Paz, *Relaciones, Reino de Toledo,* primera parte, pág. 31.
[30] Cit. por Noël Salomon, *op. cit.,* pág. 272.
[31] El dato no es casual: Tembleque, con una producción anual de doce mil fanegas
de trigo y cuatro o cinco mil arrobas de vino, es en aquella época uno de los principales
centros agrícolas de la Meseta sur, el segundo en importancia dentro de la zona de Toledo, y el quinto de Castilla la Nueva (Noël Salomon, *op. cit.,* pág. 387).
[32] *Ibíd.,* págs. 72 y sigs.
[33] C. Viñas Mey y Ramón Paz, *Relaciones, Madrid,* pág. 598.

...lo que suele y se labra en el dicho lugar mejor que en otra parte es cántaros, ollas, jarros y puchericos, y esto se labra tan bien y es el barro tan a propósito para el menisterio que son, que se llevan a muchas partes lejos, y se tienen en mucho en todo el reino, hacen esto las mujeres, es granjería de mucho trabajo y poco provecho... [34].

En *Getafe* (Madrid):

...hay otra labor de hacer redes labradas para arreos de camas y almohadas; hay hombres en el pueblo que las sacan por la mayor parte del reino, porque en este pueblo se hace mucha, y mucha de la gente pobre gana a esto su vida, y muchos de los que algo tienen también las hacen por dar que hacer a niñas que han de andar jugando [35].

También la mujer y la hija de Sancho ayudan a la economía familiar con este tipo de trabajo. La primera se nos presenta, en ocasiones, «rastrillando una libra de lino» (II, 25) o «hilando un copo de estopa» (II, 50); y Sanchica:

...hace puntas de randas; gana cada día ocho maravedís horros, que los va echando en una alcancía para ayuda a su ajuar... (II, 52).

La pobreza de las gentes que viven de un jornal, se traduce, lógicamente, en unas deplorables condiciones de vida, y el primer exponente de ello suele ser la vivienda. A los labradores, explica fray Benito de Peñalosa, se les atribuyen:

...las choças, y cauañas, las casas de tapias desmoronadas y caýdas... [36].

Y según el testimonio de las *Relaciones,* las casas de los vecinos de *Arroba* (Toledo):

...son pobres, y de madera de encina y madroño y jara, y cubiertas con teja y escoba [37].

El interior de la vivienda, que suele constar de una sola habitación, es igualmente miserable: una mesa tosca, un banco de madera, un ho-

---

[34] *Ibíd.,* pág. 43.
[35] *Ibíd.,* pág. 294.
[36] *Op. cit.,* fol. 169.
[37] C. Viñas Mey y Ramón Paz, *Relaciones, Reino de Toledo,* primera parte, pág. 97.

gar en que arden unos puñados de paja [38]. La cama suele faltar en la morada del jornalero, y la familia duerme, en confuso hacinamiento, sobre el suelo apisonado [39]. Alonso Remón se refiere a:

> ...los labradores que en las aldeas no saben qué cosa es dormir vna noche en cama, ni comer vn día a la sombra a trueco de conseruar aquella poca hazienda que heredaron de sus aguelos y padres [40].

Los cabreros duermen en chozas y usan como mantel unas pieles de oveja (I, 10 y 11). Los segadores que contrata Peribáñez pasan la noche recostados en el portal de la casa [41]. Sancho explica que los criados de labradores, por mal que suceda, a la noche cenan olla y duermen en cama (II, 28); aunque en otro momento afirma:

> ...más quiero recostarme a la sombra de una encina en el verano, y arroparme con un zamarro de dos pelos en el invierno, en mi libertad, que acostarme con la sujeción del gobierno entre sábanas de holanda... (II, 53).

Pero la pobreza significa, ante todo, para las gentes del campo, hambre y carencia de lo más indispensable. Las *Relaciones* son, en este aspecto, un testimonio patético: en muchos lugares, los informantes distinguen dos categorías sociales: de un lado, los jornaleros y labradores pobres; y, de otro, «los que tienen que comer» [42]. En *Esquivias* (Toledo), por ejemplo:

> ...los cien vecinos del dicho pueblo ternán de comer, y los demás son pobres jornaleros... [43].

En *Carabaña* (Madrid), los testigos:

> ...declararon que hay gente que tienen de comer para pasar su vida, y que también hay gente pobre... [44].

---

[38] Marcellin Defourneaux, *op. cit.*, pág. 117.

[39] Noël Salomon, *op. cit.*, pág. 271.

[40] *Entretenimientos y juegos honestos, y recreaciones christianas,* Madrid, 1623, folio 78.

[41] BAE, XLI, pág. 290.

[42] Noël Salomon, *op. cit.*, págs. 270 y 273-274.

[43] C. Viñas Mey y Ramón Paz, *Relaciones, Reino de Toledo,* primera parte, página 402.

[44] *Ibíd., Madrid,* pág. 172.

No es extraño, por ello, que don Quijote aconseje al futuro gobernador de la ínsula Barataria:

> ...procurar la abundancia de los mantenimientos; que no hay cosa que más fatigue el corazón de los pobres que la hambre y la carestía (II, 51).

Los años de carestía, en que la escasez y el hambre diezman a la población, suelen dejar en la memoria colectiva de los pueblos recuerdos angustiosos [45]. En *Getafe* (Madrid), por ejemplo, según las *Relaciones,* hubo:

> ...una muy gran hambre en que no se podía hallar trigo, y vínose a comer pan de grama que lo secaban, cortaban muy menudo, y lo molían, y de esta manera pasaron muchas gentes hasta que hubo pan... [46].

Pero incluso en épocas de abundancia, la búsqueda del sustento suele ser un arduo problema, y la comida de las gentes pobres del campo, escasa e incompleta [47]. El pan, el aceite y el vino, son, según indicaba un procurador en las Cortes de 1595, el:

> ...mantenimiento y principal alimento de pobres, de labradores, de pastores, de gañanes, y de gente miserable, que el invierno viven con unas migas de aceite, y el verano con unas de aceite y vinagre, y con él guisan sus legumbres y pasan su miserable vida [48].

Aunque las comidas habituales del labriego son:

> ...los ajos, y cebollas, las migas, y cecina dura la carne mortecina, el pan de cebada, y centeno [49].

---

[45] Noël Salomon, *op. cit.,* págs. 271-273 y n. 75.

[46] C. Viñas Mey y Ramón Paz, *Relaciones, Madrid,* pág. 291.

[47] José Luis Peset y Manuel Almela, *op. cit.,* págs. 247 y sigs.

[48] *Actas de las Cortes de Castilla,* XIV, págs. 62-63. Pedro de Valencia indicaba, en una carta dirigida a fray Gaspar de Córdoba, que «el pan, el vino y el aceyte son los mantenimientos que más gasta la gente pobre y más bebe un cavador...» (cit. por José Antonio Maravall, «Reformismo socialagrario en la crisis del siglo XVII. Tierra, trabajo y salario, según Pedro de Valencia», *Utopía y reformismo en la España de los Austrias,* pág. 294, n. 115). Según Sancho de Moncada «... el rico come poco pan, como come otras cosas, y todo lo que come el pobre es pan...» (*Restauración política de España,* ed. de Jean Vilar, Madrid, Instituto de Estudios Fiscales, 1974, pág. 183).

[49] Fray Benito de Peñalosa, *op. cit.,* fol. 169.

El ajo es, según Covarrubias:

> ...socorro grande de la gente trabajadora y que anda al campo, pues les
> da calor y fuerça y despide el cansancio, y es la triaca ordinaria suya...
> Es la perdiz y el capón de los segadores y todo su regalo [50].

Igual que la cebolla:

> Manjar de rústicos son las cebollas, las cuales dan sustento pésimo al
> cuerpo, poco y flemático [51].

Los manjares que Sancho Panza lleva consigo, al iniciar la primera
salida, son:

> ...una cebolla, y un poco de queso, y no sé cuántos mendrugos de pan... (I, 10).

Para resarcirse de los terribles ayunos que le impone el doctor Recio, Sancho se conforma con «un pedazo de pan y obra de cuatro
libras de uvas» o «un pedazo de pan y una cebolla» (II, 47); a Andrés
le obsequia con un pedazo de pan y otro de queso (I, 31); y, antes
de hacerse cargo del gobierno de la ínsula Barataria, afirma:

> ...así me sustentaré Sancho a secas con pan y cebolla como gobernador con
> perdices y capones (II, 43).

Don Quijote, que al ayudar a la falsa Dulcinea a subir a su cabal-
gadura, recibió un olor a ajos crudos que le encalabrinó y atosigó el
alma (II, 10), recomienda a su escudero:

> No comas ajos y cebollas, porque no saquen por el olor tu villanería (II, 43).

El pan, el aceite y el ajo son los ingredientes básicos de un plato
típico de las gentes del campo: los *gazpachos,* «comida de segadores
y de gente grosera» [52], a la que también está habituado Sancho Panza:

---

[50] *Tesoro de la lengua castellana,* ed. cit., pág. 60.
[51] Juan Sorapán de Rieros, *Medicina española contenida en proverbios vulgares de
nuestra lengua,* cit. por J. L. Peset y M. Almela, *op. cit.,* pág. 258.
[52] Sebastián de Covarrubias, *Tesoro de la lengua castellana,* pág. 635.

Mejor me está a mí una hoz en la mano que un cetro de gobernador; más quiero hartarme de gazpachos que estar sujeto a la miseria de un médico impertinente que me mate de hambre (II, 53).

En fin, la dieta cotidiana del labrador es, en conjunto, muy poco variada y escasamente nutritiva:

Los labradores se sustentan [según un confesor del rey Felipe IV] almorzando unas migas o sopas con un poco de tocino. A mediodía comen un poco de pan con cebollas, ajos o queso, y así pasan hasta la noche, en que tienen olla de berzas o nabos, o cuando más un poco de cecina, con alguna res mortecina [53].

Sancho Panza, cuando sirve a algún labrador, tiene a la cena olla (II, 28), y su estómago está acostumbrado:

...a cabra, a vaca, a tocino, a cecina, a nabos, y a cebollas (II, 49).

Su glotonería, vicio en apariencia, es consecuencia de una alimentación deficiente, producto del hambre acumulada durante años:

La mejor salsa del mundo es la hambre; y como ésta no falta a los pobres, siempre comen con gusto (II, 5).

Las ocasiones, escasas para su desgracia, en que Sancho puede embaularse una olla abundante o desayunarse con tres gallinas y dos gansos (II, 20), quedan grabadas en la memoria con letras de oro:

¡Ah, bodas de Camacho y abundancia de la casa de don Diego, y cuántas veces os tengo de echar menos! (II, 24).

Y lo que desea Sancho, al hacerse cargo del gobierno de la ínsula Barataria, es «comer caliente y... beber frío» (II, 51):

Y denme de comer, o si no, tómense su gobierno; que oficio que no da de comer a su dueño no vale dos habas... porque tripas llevan corazón, que no corazón tripas (II, 47).

---

[53] Cit. por A. Domínguez Ortiz, *El Antiguo Régimen,* pág. 162.

La búsqueda cotidiana del pan, las jornadas agotadoras y la incertidumbre forman el horizonte inmediato en la vida del labriego. Sus ratos de ocio son, en cambio, muy pocos, y las diversiones escasas:

> Con pocos juegos [señalaba Alonso Remón] se deuen contentar, los que están atareados toda la semana para ganar un pobre jornal... conténtense con el juego de los bolos, de la argolla, y tirar al canto o la barra, saltar o correr... [54].

Aldonza Lorenzo «tira tan bien una barra como el más forzudo zagal» (I, 25); Basilio, el pretendiente de Quiteria, es:

> ...el más ágil mancebo que conocemos, gran tirador de barra, luchador extremado y gran jugador de pelota; corre como un gamo, salta más que una cabra, y birla a los bolos como por encantamiento (II, 19).

Sancho Panza, acostumbrado a trabajar sin descanso, e ignorante de otros placeres más sutiles, se conforma, para el día en que sea gobernador, con practicar los únicos entretenimientos que conoce:

> ...jugar al triunfo envidado las pascuas, y a los bolos los domingos y fiestas (II, 34).

La cultura, igual que las diversiones refinadas y el ocio, es un artículo de lujo que no puede poseer el labrador. En las aldeas, si exceptuamos al cura, a los nobles y a los labradores ricos, nadie sabe leer; y hay muchos lugares en que los padrones confeccionados en el reinado de Felipe II carecen de firma, o están avalados por una simple cruz hecha por el alcalde, porque en el pueblo no hay nadie que sepa escribir su nombre [55]. Don Quijote ha de discutir sobre cuestiones de caballerías con el Cura, el Barbero o el Bachiller, porque la mayoría de sus vecinos son analfabetos. Recordemos que para descifrar la carta de su padre, Sanchica piensa ir:

---

[54] *Op. cit.,* fol. 78. Sobre las diversiones de la gente aldeana, véanse más datos en Ricardo del Arco, *op. cit.,* págs. 742 y sigs.

[55] Richard L. Kagan, *Students and Society,* págs. 23-24.

...a llamar quien la lea, ora sea el Cura mesmo, o el bachiller Sansón Carrasco, que vendrá de muy buena gana (II, 50).

Si quiere hacer llegar a Dulcinea la carta de su enamorado, Sancho ha de recurrir a algún maestro de escuela o sacristán que se la traslade (I, 25). La propia Aldonza Lorenzo:

...no sabe escribir ni leer, y en toda su vida ha visto letra mía ni carta mía (I, 25).

Y Sancho Panza reconoce:

La verdad sea... que yo no he leído ninguna historia jamás, porque ni sé leer ni escrebir (I, 10).

La ignorancia y la simplicidad de la gente aldeana quedan en parte atenuadas por el caudal de saber popular y gramática parda que el labriego hereda de sus antepasados a través del refranero. Sancho, desprovisto de otro bagaje cultural, suele emplear los refranes a cada paso, y, cuando don Quijote le afea esta costumbre, él contesta:

Por Dios, señor nuestro amo..., que vuesa merced se queja de bien pocas cosas. ¿A qué diablos se pudre de que yo me sirva de mi hacienda, que ninguna otra tengo, ni otro caudal alguno, sino refranes y más refranes? (II, 43).

Sancho Panza concede un gran valor a los refranes, porque en el ambiente de analfabetismo e ignorancia que le rodea, la literatura oral adquiere, como compensación, un desarrollo muy importante [56]. Las gentes del campo repiten durante siglos los proverbios, canciones y cuentos tradicionales [57] —recordemos el de la pastora Torralba, que narra Sancho (I, 20)—, que han aprendido de sus mayores, o conser-

---

[56] Véase Federico Sánchez Escribano, «Sancho Panza y su cultura popular», *Asomante,* n.° 3, 1948, págs. 33-40.

[57] Es éste un tema que ha suscitado gran interés en los últimos años: véase Maxime Chevalier, *Folklore y literatura: el cuento oral en el Siglo de Oro,* Barcelona, Edit. Crítica, 1978; «Literatura oral y ficción cervantina», en *Prohemio,* ya citado; *Cuentecillos tradicionales en la España del Siglo de Oro,* Madrid, Gredos, 1975; Mauricio Molho, *op. cit.,* págs. 217 y sigs.; Mac E. Barrick, «The form and function of folktales in *Don Quijote»*, *JMRS,* VI, 1976, págs. 101-138.

van en la memoria los pasajes más significativos del romancero: Maese
Pedro parece conocer los gustos del público que contempla su retablo,
y elige, para representar en ventas y aldeas, la historia de don Gaiferos
y Melisendra:

> ...sacada al pie de la letra de las corónicas francesas y de los romances espa-
> ñoles que andan en boca de las gentes, y de los muchachos, por esas calles
> (II, 26).

El labriego que don Quijote encuentra en El Toboso, a pesar de
ser un pobre jornalero, conoce, gracias a la secular pervivencia de los
romances, uno de los más famosos temas de la épica europea:

> Venía el labrador cantando aquel romance que dice:
>
> *Mala la hubisteis, franceses,*
> *En esa de Roncesvalles* (II, 9).

El propio Sancho está muy familiarizado con este tipo de historias
legendarias: en el episodio de El Toboso cita el romance de Calaínos
(II, 9), y en otros pasajes de la novela alude a las «trovas y romances
antiguos» que hablan del rey Wamba y de don Rodrigo (II, 33), o
recuerda un episodio de la leyenda de los Infantes de Lara:

> *Aquí morirás traidor,*
> *Enemigo de doña Sancha* (II, 60).

El labriego conoce, además, aunque de manera rudimentaria e im-
perfecta, una pequeña parte de la literatura destinada al público de
las ciudades y a los lectores cultos. En la venta, por ejemplo, hay
algunos libros de caballerías, y los segadores se reúnen allí los días
de fiesta para recrearse con sus aventuras (I, 32).

Hasta las aldeas, ventas y cortijos llegan también los cómicos de
la legua, para representar ante los labradores su reducido repertorio
de autos, entremeses y loas, o algunos retazos de las comedias que
han pasado con éxito por los corrales de la gran ciudad. La representación se organiza en el patio de una posada o casa particular, en la
plaza mayor, o, si se trata de un pueblo importante, en el corral de

comedias [58]. El aderezo escénico es, por lo general, muy tosco, y los actores, pobres gentes que deambulan:

> ...hechos perpetuos gitanos de lugar en lugar, y de mesón en venta, desvelándose en contentar a otros, porque en el gusto ajeno consiste su bien propio [59].

En un conocido pasaje de su *Viaje entretenido,* Agustín de Rojas nos da algunas noticias interesantes sobre la actividad y la vida de estas gentes en el medio rural: el *bululú,* por ejemplo:

> ...es un representante solo, que camina a pie y pasa su camino, y entra en el pueblo, habla al cura, y dícele que sabe una comedia y alguna loa: que junte al barbero y sacristán y se la dirá porque le den alguna cosa para pasar adelante [60].

La *gangarilla* «es compañía más gruesa»:

> ...éstos comen asado, duermen en el suelo, beben su trago de vino, caminan a menudo, representan en cualquier cortijo y traen siempre los brazos cruzados [61].

El *cambaleo* está formado por una mujer y cinco hombres que:

> ...representan en los cortijos por hogaza de pan, racimo de uvas y olla de berzas; cobran en los pueblos a seis maravedís, pedazo de longaniza, cerro de lino y todo lo demás que viene aventurero... están en los lugares cuatro a seis días [62].

En fin, las gentes de la *farándula,* que:

> ...es víspera de compañía... caminan en mulos de arrieros y otras veces en carros, entran en buenos pueblos, comen apartados, tienen buenos vestidos, hacen fiestas de Corpus a doscientos ducados [63].

---

[58]   Véase, sobre este punto, Noël Salomon, «Sur les représentations theâtrales dans les *pueblos* des provinces de Madrid et de Tolède (1589-1640)», *BHi,* LXII, 1960, páginas 398-427; y Ricardo del Arco, *op. cit.,* págs. 501 y sigs.

[59]   *El Licenciado Vidriera,* BAE, I, pág. 164.

[60]   Agustín de Rojas Villandrando, *El viaje entretenido,* ed. cit., pág. 159.

[61]   *Ibíd.,* pág. 160.

[62]   *Ibíd.*

[63]   *Ibíd.,* pág. 162.

Don Quijote y Sancho encuentran, cerca de El Toboso, un carro donde viajan «personas de diferentes trajes y rostros»: entre ellas figuran Cupido, el Demonio, la Muerte, un emperador y un caballero. A las preguntas de don Quijote, el cochero responde:

> —Señor, nosotros somos recitantes de la compañía de Angulo el Malo; hemos hecho en un lugar que está detrás de aquella loma, esta mañana, que es la octava de Corpus, el auto de *Las Cortes de la muerte,* y hémosle de hacer esta tarde en aquel lugar que desde aquí se parece; y por estar tan cerca y excusar el trabajo de desnudarnos y volvernos a vestir, nos vamos vestidos con los mesmos vestidos que representamos (II, 11).

La visita de este tipo de compañías de teatro ambulante debía de ser frecuente en las aldeas, y por eso don Quijote, que apenas se ha movido de su pueblo, puede afirmar:

> ...desde mochacho fui aficionado a la carátula, y en mi mocedad se me iban los ojos tras la farándula (II, 11).

También Sancho ha visto:

> ...representar alguna comedia adonde se introducen reyes, emperadores y pontífices, caballeros, damas y otros diversos personajes. Uno hace el rufián, otro el embustero, éste el mercader, aquél el soldado, otro el simple discreto, otro el enamorado simple; y acabada la comedia y desnudándose de los vestidos della, quedan todos los recitantes iguales (II, 12).

La representación puede estar organizada por las propias gentes del pueblo, y de Grisóstomo, por ejemplo, sabemos que:

> ...fue grande hombre de componer coplas; tanto, que él hacía los villancicos para la noche del Nacimiento del Señor, y los autos para el día de Dios, que los representaban los mozos de nuestro pueblo, y todos decían que eran por el cabo (I, 12).

El vacío cultural en que viven los hombres del campo, es consecuencia evidente de la pobreza y el desamparo de los pueblos. Pero la ignorancia no significa necesariamente estupidez, y el labriego, a pesar de ser analfabeto, posee una astucia y una inventiva proverbiales. El motivo es que la necesidad y el hambre son capaces, según un viejo tópico, de despertar el entendimiento de los hombres y avivar su sagacidad:

No se puede creer bien [escribe Lope de Deza] el ingenio, y industria que cría la necessidad, que como dixo el otro, enseña a hablar a los papagayos, y hurracas... [64].

Y Sebastián de Covarrubias comenta:

...la necessidad despierta los ingenios y halla camino a lo que parecía imposible [65].

Cervantes sabe también que «la necesidad, según se dice, es maestra de avivar los ingenios» [66], y que:

...esto de la hambre tal vez hace arrojar los ingenios a cosas que no están en el mapa [67].

El talento y la sagacidad con que el gobernador de la ínsula Barataria asombra a cuantos le rodean, son las cualidades que el pobre labriego ha adquirido en la escuela de la necesidad, el resultado de una larga y áspera lucha por la supervivencia. Sancho está convencido de poseer «caletre para gobernar todo un reino» (II, 45), y afirma, seguro de sí mismo:

...aunque zafio y villano, todavía se me alcanza algo desto que llaman buen gobierno (I, 23).

Rústico soy; pero no tanto que no entienda cómo se ha de tratar con los hombres y con las bestias (I, 50).

También don Quijote sabe que su escudero tiene «buen natural» (II, 20), y, al reprender su locuacidad, asegura:

...eres muy grande hablador y... aunque de ingenio boto, muchas veces despuntas de agudo (I, 25).

---

[64] Lope de Deza, *Gouierno polýtico de la agricultura,* Madrid, 1618, fol. 73. Cfr.: «La necesidad y pobreza, la hambre, que no hay mejor despertadora y avivadora de ingenios. ¿Quién mostró a las picazas y papagayos imitar nuestra propia habla con sus arpadas lenguas, nuestro órgano y voz, sino ésta?» (*La Celestina,* ed. cit., pág. 183).
[65] Sebastián de Covarrubias, *Emblemas morales,* ed. cit., fol. 159.
[66] *Persiles,* BAE, I, pág. 662.
[67] *La Gitanilla,* BAE, I, pág. 101.

Pero del ingenio y la astucia a la bellaquería no hay más que un paso, y, aunque en la literatura del Renacimiento y el Barroco abundan las imágenes idealizadas de la vida rural y las alabanzas de la bondad aldeana, muchos autores insisten en la proverbial malicia de los labriegos. Así, Alonso Remón afirma que:

> La malicia, y la ignorancia... particularmente suele hallar grandes puertas abiertas en los coraçones de la gente de aldea... en los labradores y aldeanos, no sólo la ignorancia, pero la rustiquez de su trato, y viuienda campestre, se les suele connaturalizar mucho de la malicia... [68].

Incluso un defensor del estado de los labradores, como Lope de Deza, piensa que:

> ...los labradores se han fabricado su mismo menosprecio, porque... ha sucedido a su inocencia, malicia, a su senzillez engaño, a su liberalidad escaseza, a su misericordia codicia [69].

Y en el *Quijote* leemos:

> La gente labradora... de suyo es maliciosa, y dándole el ocio lugar es la misma malicia... (I, 51).

Sancho, hombre bondadoso e ignorante, es también con harta frecuencia un «costal lleno de refranes y de malicias» (II, 43), un «socarrón de lengua viperina» (II, 43), un «tonto aforrado de lo mismo, con no sé qué ribetes de malicioso y de bellaco» (II, 58), y un:

> ...bellaco villano, mal mirado, descompuesto, ignorante, infacundo, deslenguado, atrevido, murmurador y maldiciente (I, 46).

Un hombre, en fin, que sabe disfrazar su malicia con una fingida estupidez, y que adopta, cuando hace falta, una conducta ambigua y llena de dobleces:

> ...tiene a veces unas simplicidades tan agudas, que el pensar si es simple o agudo causa no pequeño contento: tiene malicias que le condenan por bellaco, y descuidos que le confirman por bobo; duda de todo y créelo todo;

---

[68] *Op. cit.,* fol. 74.
[69] *Op. cit.,* fol. 8.

cuando pienso que se va a despeñar de tonto, sale con unas discreciones que le levantan al cielo (II, 32).

Esa combinación genial de agudeza y estupidez, malicia y bondad, ingenio e ignorancia [70], con que Cervantes traza el perfil de su personaje, es el fruto de un ambiente social que obliga al hombre a recubrirse de un caparazón de recelo, bellaquería y agresividad para poder subsistir. El labriego está condenado a sufrir la pobreza, la arbitrariedad de propietarios y señores, y el menosprecio de las demás categorías sociales; no es capaz de analizar y comprender su situación dentro del conjunto social, y carece de medios para defenderse en este mundo hostil. La socarronería, la malicia y el recelo son su único escudo protector frente a un orden social injusto, el fruto de un resentimiento acumulado durante toda una vida de esclavitud y de resignada sumisión.

«VUELVO A SALIR CON ÉL, PORQUE
LO QUIERE ASÍ MI NECESIDAD»

Durante el reinado de Felipe II habían surgido los primeros síntomas de debilidad en el mundo rural: efectos negativos de la tasa del pan [71], estancamiento de la demanda interior, cierre del mercado americano, que empieza a autoabastecerse, desvalorización de un suelo artificialmente encarecido por la revolución de los precios [72]. Pero es en la última década del siglo XVI cuando la pobreza del campo se torna realmente dramática: la Corona, perdida en un laberinto financiero,

---

[70] Esa mezcla de bobería y agudeza, que da a Sancho su verosimilitud y originalidad, procede de una imagen colectiva del campesino comúnmente aceptada por las gentes y fijada en una tradición oral (Maxime Chevalier, «Literatura oral y ficción cervantina», página 195; y Mauricio Molho, *op. cit.,* págs. 217 y sigs).

[71] Para limitar el coste de los productos agrícolas y mantener abastecidos a los sectores populares de las ciudades, el gobierno fijó a lo largo del siglo XVI los precios del trigo y de otros productos de primera necesidad. (Véase Carmelo Viñas Mey, *El problema de la tierra,* págs. 104 y sigs.; y Jaime Vicens Vives, *Historia económica de España,* páginas 314-315.) Las medidas fueron perjudiciales para el labriego, «porque sus frutos en años fértiles no tienen valor, y en los estériles no pueden exceder del punto fijo que les tiene puesta la tasa; de modo que es forzoso pasar por una de dos calamidades, o de mala cosecha o de barata» (Pedro Fernández de Navarrate, *op. cit.,* pág. 534).

[72] J. Vicens Vives, *op. cit.,* págs. 314-315.

aumenta constantemente los impuestos [73]; la carcoma de los censos destruye el corto caudal de los labradores [74]; las malas cosechas [75], la carestía y el hambre descargan sus golpes sobre una población atacada por la peste [76]; los precios crecen de manera espectacular desde 1590

[73] Los pilares del sistema fiscal en la España de los Austrias fueron las *alcabalas* y los *servicios*. La primera es un impuesto sobre la producción y venta de todo tipo de artículos; el segundo, la cantidad que el Reino, a través de las Cortes, otorgaba periódicamente al monarca para determinados gastos. Véase Modesto Ulloa, *La Hacienda Real de Castilla en el reinado de Felipe II*, Madrid, Fundación Universitaria Española, 1977, páginas 171 y sigs., y 467 y sigs.; y J. L. Sureda Carrión, *op. cit.*, págs. 129 y sigs. Los sectores menos afortunados del Reino de Castilla, y especialmente los labradores, fueron las principales víctimas de este incremento de las cargas tributarias: «... los labradores que labran las tierras y lo cogen, por pequeña cantidad que vendan, es intolerable para ellos el derecho que pagan; y que los prelados, grandes señores y caballeros, que son los que recogen todo el pan en grano que los dichos labradores labran y cultivan, no pagan ninguna cosa... y carga todo sobre los labradores, los quales no pueden escapar de pagar de un grano que venden» (*Actas de las Cortes*, VI, pág. 396).

[74] El *censo*, según explicaba Fray Tomás de Mercado, «consiste en dar a uno sobre unas casas, o heredades, o sobre otras posesiones mil ducados, más o menos, con tal que le dé cada año tanto de renta...» (*Suma de tratos y contratos*, ed. de Restituto Sierra Bravo, Madrid, Editora Nacional, 1975, pág. 418). Con la introducción de los censos, el campo se convirtió en objeto de especulación, pues los intereses elevadísimos que se pagaban —a veces alcanzaban el 50 por 100— empujaron a muchos a esta clase de inversiones. Aunque los censos ayudaron en cierto momento a ampliar y mejorar los cultivos, acabaron por fomentar la ruina de los campesinos y el absentismo de las clases medias. (Véase: J. Vicens Vives, *op. cit.*, pág. 314; C. Viñas Mey, *El problema de la tierra*, págs. 32 y sigs.; Noël Salomon, *La vida rural castellana*, págs. 251 y sigs.). En las *Relaciones* es frecuente que los vecinos aludan al endeudamiento del pueblo por culpa de los censos: *Camuñas* (Toledo) «es pueblo muy adeudado, pobre por razón de que para pagar la juridición que Su Magestad le dio tomaron censo tres mil ducados, y ansí se han ido muchos vecinos, y nunca han podido redimir ni quitar el censo»; *Cobeña* (Madrid), es villa que «está cargada de mucho número de censos sobre sus haciendas» (C. Viñas Mey y Ramón Paz, *Relaciones, Reino de Toledo*, primera parte, pág. 212; y *Madrid*, pág. 182).

[75] J. Vicens Vives, *op. cit.*, pág. 379.

[76] La epidemia se inició en 1596 en la zona cantábrica, y alcanzó tres años después la Corte y las zonas de Toledo y Talavera, dejando a su paso un reguero de hambre, miseria y destrucción (Bartolomé Bennassar, *Recherches sur les grandes épidémies dans le Nord de l'Espagne à la fin du XVIe siècle*, París, 1969, págs. 40 y sigs., y 51 y sigs.). Burgos, en mayo de 1599 «... está por todas partes cerrada de lugares de su jurisdición de que se probee y ua cesando este y el comercio y trato de manera que se ua perdiendo y de todo punto destruyendo la hacienda, alcaualas y seruicios de V. Mag.» (*ibíd.*, página 130). La Junta de Asturias comunicaba al Rey en abril de 1600: «Señor: esta antigua y noble tierra se despuebla y acaba, porque la peste fue con grande exceso más rigurosa

—la fanega de trigo pasa de 204 maravedís en 1602, a 1.301 en 1605 [77]—, y los ingresos reales de los trabajadores sufren, en consecuencia, una reducción drástica, de tal forma que el salario de un jornalero había disminuido en un 12 por cien entre 1551 y 1600 [78]. El campo, que había sido hasta entonces una fuente segura de lucro, empieza a perder interés. Los grandes señores invaden la Corte en busca de cargos y mercedes. El labrador acomodado invierte su dinero en censos e intenta ennoblecerse; y el que posee alguna yunta o un poco de ganado, incapaz de hacer frente a las dificultades, ha de vender su modesto caudal y unirse a los desheredados. El propietario que comparece ante Sancho Panza en la ínsula Barataria, por ejemplo, a pesar de ser un «ganadero rico», confiesa:

> —Señores, yo soy un pobre ganadero de ganado de cerda, y esta mañana salía de este lugar de vender, con perdón sea dicho, cuatro puercos, que me llevaron de alcabalas y socaliñas poco menos de lo que ellos valían (II, 45).

En efecto, más de la mitad de lo que produce el labrador va destinado a mantener a la clase no campesina, en forma de rentas, censos, tributos y cargas señoriales. Con el resto, el labriego ha de alimentar a su familia, atender a los gastos de la explotación y renovar el material de labranza [79]. Unos años de esterilidad, o un aumento excesivo de las cargas, podían provocar un desastre, y esto es lo que ocurrió en los últimos años del siglo XVI.

---

que en ninguna otra parte de estos Reinos, que duró casi dos años, y de tres partes murieron las dos de toda la gente...» (cit. por A. Domínguez Ortiz, *El Antiguo Régimen,* página 360). Es la época en que Mateo Alemán escribe: «Dábase muy poca limosna y no era maravilla, que en general fue el año estéril y, si estaba mala la Andalucía, peor cuanto más adentro del reino de Toledo y mucha más necesidad había de los puertos adentro. Entonces oí decir: Líbrete Dios de la enfermedad que baja de Castilla y de hambre que sube del Andalucía» (*Guzmán de Alfarache,* ed. cit., vol. II, pág. 24).

[77]   Earl J. Hamilton, *op. cit.,* apéndices IV y V.

[78]   *Ibíd.,* pág. 296. El aumento de la pobreza campesina fue un rasgo característico de esta época en toda Europa. En Midlands, por ejemplo, el coste de la vida para un jornalero se multiplicó por seis entre 1500 y 1640, mientras que en esa misma época su salario real descendía alrededor de un 50 por 100. Todo ello contribuyó a la proliferación de vagabundos, que a menudo no eran sino jornaleros sin tierra ni trabajo (Henry Kamen, *El Siglo de Hierro,* pág. 248).

[79]   Noël Salomon, *op. cit.,* pág. 257.

Ya en la época en que se confeccionaron las *Relaciones,* la renta
de la tierra, que arrebata a los labriegos entre un tercio y la mitad
de la cosecha [80], era considerada una carga insoportable [81]. En las
Cortes de 1593 aumentan las quejas acerca de:

> ...la poca y mala cosecha de pan que este año hay en el Andalucía y Mancha,
> y cómo los labradores, que es la gente que sustenta este reyno, están tan
> perdidos y destruidos como es notorio, y quán pocos han quedado que ten-
> gan bienes propios ni les hayan quedado de la harina de los años pasados,
> y quántos menos se espera quedarán de la deste año, y quán cargados y
> miserables están de pechos, imposiciones que pagan generalmente de servicio
> ordinario y extraordinario, alcaualas, millones, repartimientos de soldados
> y sustentarlos, proveer de bastimentos a armadas y fronteras, galeras y ga-
> leones, y las demasiadas vexaciones que de ordinario reciuen... [82].

Y en 1600 la situación es ya dramática:

> ...porque los que pueden no quieren: y los que quieren no pueden, y ansí
> se está la lauor de por hazer: que es dezir, que los que tienen con que poder
> sustentar las costas de la labrança, y con ella sacar fructo la rehúsan, y
> los que por el contrario siendo renteros, o siendo gente pobre, que no alcan-
> çan el caudal necessario, aunque lo quieren, y más procuran, no pueden...
> Porque después de auer pagado el diezmo deuido a Dios, pagan otro muy
> mayor a los dueños de la heredad: tras lo qual se les siguen innumerables
> obligaciones, imposiciones, censos, y tributos: demás de los pechos, cargas
> reales y personales, a que los más dellos son obligados. Y quando acierta
> a faltar el fructo: o a faltar los ganados con que le benefician, es cierto
> el desamparo de todo, y seguro el mendigar... [83].

---

[80] *Ibíd.,* pág. 248; y Francis Brumont, *op. cit.,* pág. 110.

[81] En *Cobeja de la Sagra* (Toledo), las gentes afirman que muchos labradores, «pa-
gada la renta que les cuestan las tierras en que labran, no les queda qué comer...»; en
Pantoja (Toledo), los informantes se quejan de que «las rentas son muy caras»; y en
Bugés (Madrid), de que «son crecidos los arrendamientos» (C. Viñas Mey y Ramón Paz,
Relaciones, Reino de Toledo, primera parte, pág. 316; segunda parte, pág. 209; y *Madrid,*
página 122, respectivamente).

[82] *Actas,* XII, pág. 505. Ya en 1558, el *Memorial* de Luis Ortiz señalaba que «así
mesmo ay grande suma de hijosdalgo, monesterios, clérigos y otras personas de orden
que son libres, y todo lo bienen a pagar los labradores, que los más son pobres y desben-
turados, en lo qual se rreçiue gran escrúpulo de conçiençia» (ed. de Manuel Fernández
Álvarez, *Economía, sociedad, Corona,* Madrid, Cultura Hispánica, 1963 (págs. 375-462),
página 387).

[83] Martín González de Cellorigo, *op. cit.,* fol. 24.

Las posibilidades de subsistir en la aldea son cada vez menores, y el campo empieza a despoblarse [84]. En las Cortes de 1593 se dice que faltan ya más de las dos tercias partes de los labradores [85]; y en las de 1617, el Presidente del Consejo de Castilla dejó constancia de cómo:

> ...se iban despoblando y asolando lugares enteros, y que el mayor aprieto del Rey no nacía de los enemigos que tenía, sino de los vasallos que iba perdiendo [86].

En esta misma época, el clamor y la queja por la ruina del campo, y la pintura patética de los males del campesino, inundan los escritos de los economistas y hombres de estado:

> El campo está erial [escribe Sancho de Moncada], huidos los labradores de pobreza, cargados de censos y ejecutores [87].
> En las tierras llanas es la quiebra aun mayor, que en las sierras [constata Caxa de Leruela]. Porque en muchos lugares, ya no ha quedado sino la memoria de su vecindad, las ruinas yacen sin gente, los campos desmontados, y vacíos de ganado... [88].

---

[84] C. Viñas Mey, *El problema de la tierra,* pág. 28 y sigs. Un caso dramático, pero bastante habitual, pese a las exageraciones con que los labriegos pintan sus desgracias, es el de Peñaflor (Valladolid), que hacia 1565 tenía alrededor de 300 vecinos, «la mayor parte de ellos ricos y hacendados», y no tiene más que 150 en 1595, «casi todos pobres y jornaleros»; donde 40 casas se hunden porque sus habitantes se han ido o muerto, donde más de la mitad de las tierras son baldías en este momento, pues ni se labran ni se siembran (Bartolomé Bennassar, *Valladolid en el Siglo de Oro,* pág. 304). Véanse más ejemplos en Francisco Brumont, *op. cit.,* págs. 87 y sigs.

[85] *Actas,* XIII, pág. 136.

[86] Cit. por J. L. Sureda Carrión, *op. cit.,* pág. 91.

[87] *Op. cit.,* pág. 193.

[88] *Restauración de la abundancia en España,* ed. de Jean Paul Le Flem, Madrid, Instituto de Estudios Fiscales, 1975, pág. 44. Cfr: «Las casas y tiendas se han caído, las ventas y mesones, los cortijos se yerman, y nada se vuelve a reedificar, siendo los fundamentos de sus crecidas rentas. Los lugares se despueblan, los vecinos se ausentan y se huyen... de donde procede el haber tanta multitud de mujeres perdidas, la inmensidad de vagabundos, que a la sombra de otros andan como camaleones» (*Memoriales y discursos de Francisco Martínez de Mata.* ed. de Gonzalo Anes, Madrid, Edit. Moneda y Crédito, 1971, pág. 296).

En Cataluña, el labriego de escasos recursos suele unirse a las partidas de bandoleros [89]. En Castilla, y en general en el resto de España, el campesino arruinado y el jornalero sin empleo imitan a los vagabundos y a los mendigos, e invaden las ciudades en busca de la sopa boba de los conventos o la limosna de los poderosos. En *Dosbarrios de Ocaña* (Toledo), por ejemplo, hay, según las *Relaciones,* «más de doscientos vecinos tan pobres que les dan por amor de Dios limosna cuando hay quien se la dé» [90], y años más tarde, en 1631, Miguel Caxa de Leruela señala que los labriegos:

> ...cuando se hallan quebrantados, y envejecidos del trabajo de la labranza, son forzados a salir de sus aldeas a mendigar por no morir de hambre en ellas [91].

Este incremento de la mendicidad suele ir acompañado de un desarrollo simultáneo de la prostitución. Durante su visita a España, Antoine de Brunel pudo comprobar el «grande y prodigioso número de mujeres abandonadas que hay en Madrid» [92]; y Pedro Fernández de Navarrete observa:

> ...es cosa digna de reparar el ver que todas las calles de Madrid están llenas de holgazanes y vagamundos, jugando todo el día a los naipes, aguardando la hora de ir a comer a los conventos y las de salir a robar las casas; y lo que peor es, el ver que, no sólo siguen esta holgazana vida los hombres, sino que están llenas las plazas de pícaras holgazanas, que con sus vicios inficionan la corte y con su contagio llenan los hospitales [93].

La mayoría de estas desdichadas son pobres labradoras, víctimas de la despoblación del campo y la miseria de las aldeas. Las más afortunadas pueden ir a la Corte, obtener la protección de un señor, o ejercer su oficio bajo la supervisión de las autoridades municipales [94].

---

[89] Recordemos que Roque Guinart era «un pobre labrador y sin parientes». Véase antes, cap. II, pág. 97.

[90] C. Viñas Mey y Ramón Paz, *Relaciones, Reino de Toledo,* primera parte, página 364.

[91] *Op. cit.,* págs. 177-178.

[92] José García Mercadal, *op. cit.,* vol. II, pág. 448.

[93] *Op. cit.,* pág. 471.

[94] «Las llaman *cantoneras* —explica Brunel—, como si se dijera putas de encrucijada; reciben algún sueldo de la villa, lo que hace que un empleo tan infame sea buscado,

Las demás tendrán que sobrevivir en condiciones mucho más lamentables: son las «mozas del partido» que acompañan a los arrieros que quieran servirse de ellas (I, 2); las servidoras de posadas y mesones que, como Maritornes en la venta (I, 16) o la Argüello y la Gallega en la posada del Sevillano [95], ofrecen sus encantos a los huéspedes; o las mozas que abandonan los lugares para seguir a las compañías de soldados (II, 52).

La abundancia de mendigos, tullidos falsos o auténticos, vagabundos y gentes desocupadas, es una de las consecuencias de la crisis del campo y un fenómeno característico de la Europa barroca [96]. Los mendigos son objeto de disposiciones especiales dictadas por la Corona, y no falta incluso una importante bibliografía sobre el tema de la pobreza y la reglamentación de la mendicidad [97]. Recordemos, por ejemplo, que este asunto figura entre las preocupaciones del gobernador de la ínsula Barataria, quien:

,,,hizo y creó un alguacil de pobres, no para que los persiguiese, sino para que los examinase si lo eran; porque a la sombra de la manquedad fingida y de la llaga falsa andan los brazos ladrones y la salud borracha (II, 51) [98].

hasta el extremo de que cuando vaca alguno de esos puestos por muerte de las maldecidas mujeres o por estar enfermas, el puesto es disputado cerca del magistrado... Pecan de ese modo impunemente con el consentimiento de la autoridad pública» (J. García Mercadal, *op. cit.*, vol. II, pág. 448).

[95] *La ilustre fregona*, BAE, I, págs. 183 y sigs.

[96] Henry Kamen, *El Siglo de Hierro*, págs. 455 y sigs.; y J. A. Maravall, «Pobres y pobreza del medievo a la primera modernidad», ya citado.

[97] Véase Henry Kamen, *op. cit.*, págs. 476 y sigs.; y B. Bennassar, *La España del Siglo de Oro*, págs. 203 y sigs.

[98] Loaysa, de *El celoso extremeño*, confesaba: «... mi cojera y estropeamiento no nace de enfermedad, sino de industria, con la cual gano de comer pidiendo por amor de Dios, y ayudándome della y de mi música paso la mejor vida del mundo» (BAE, I, pág. 176). «... se hacen llagas fingidas, y comen cosas que les hacen daño a la salud para andar descoloridos, y mover a piedad, fingiendo otras mil invenciones para este efeto y haciéndose mudos y ciegos no lo siendo...» (Cristóbal Pérez de Herrera, *Amparo de pobres*, ed. cit., pág. 27). «... con belo de pobreza y lisión en las partes de sus cuerpos, encubren grandes maldades, y de tantos millares de personas, que siguen este modo de vida, no ay pobres legítimos, si no muy pocos» (M. González de Cellorigo, *op. cit.*, folio 23). Guzmán de Alfarache, durante su estancia en Roma, aprendió a «fingir lepra, hacer llagas, hinchar una pierna, tullir un brazo, teñir el color del rostro, alterar todo el cuerpo y otros primores curiosos del arte, a fin que no se nos dijese que, pues teníamos fuerza y salud, que trabajásemos» (*ed. cit.*, vol. II, pág. 197).

Pero no todos los desposeídos tuvieron que pedir limosna o vivir de la caridad de los conventos. La Corte es un ancho campo donde todos tienen cabida, y las gentes abatidas que abandonan la labranza, encuentran en ella muchas posibilidades de sobrevivir y de medrar. Allí están los grandes que saquean las arcas del rey, los señores de vasallos que buscan un título, los caballeros que pretenden un cargo lucrativo, los funcionarios de la Corona, los clérigos y los letrados; y a su sombra vive una multitud de parásitos dedicados a los más variados servicios:

> ...gente ociosa y perdida, que andan tras señores, atados al comer y triste salario, que llaman pages, lacayos o moços d'espuelas, rascamulas, escuderos [99].

La mayoría de ellos son labriegos sin tierra, gañanes y jornaleros, que huyen del trabajo agotador, el hambre y las desdichas, y que desamparan una tierra que apenas ofrece medios para sobrevivir. Ya en las Cortes de 1559 se indicó que el excesivo número de criados de muchos caballeros era perjudicial para la agricultura:

> ...porque por andar en este hávito [de lacayos] mayormente quando les dan libreas, muchos dexan sus officios y otros las labores del campo, lo cual ha venido a tanto que ya no se hallan peones para cavar y segar ni hazer las otras cosas del campo, sino a muy excesivos precios [100].

Pero al comenzar el siglo XVII el problema es mucho más grave: las aldeas se quedan sin gente porque las tierras están yermas, los labradores hundidos y los peones sin trabajo. En una premática de 1623 se fijó el número máximo de lacayos que podían tener los señores, para que no se quitasen brazos a la agricultura [101]; pero estas medidas eran inútiles, porque no llegaban a las raíces del problema: Sancho de Moncada señalaba con acierto, en 1619, la verdadera causa de la despoblación del campo:

---

[99] Juan de Mal Lara, *Filosofía vulgar,* ed. de Antonio Vilanova, Barcelona, Selecciones Bibliófilas, 1958, vol. II, pág. 283. Véase antes cap. I, págs. 51 y sigs.

[100] Cit. por José Antonio Maravall, «Relaciones de dependencia e integración social...», pág. 14.

[101] Marcellin Defourneaux, *op. cit.,* pág. 63.

...de todas partes se acogen a la Corte a ganar de comer, porque no tienen en qué en sus tierras, y así la culpa es de lo que les obliga a dejar sus casas, y no la Corte [102].

En este mismo año, la *Consulta* presentada al Rey por el Consejo de Castilla señalaba que el motivo por el que los campesinos dejan sus casas desamparadas:

> ...no es la dulzura de la corte, porque en ella vemos que trabajan muchos y ganan de comer con sus manos, sino el no tener con que sustentarse en ellas [103].

Y Pedro Fernández de Navarrete explicaba:

> ...los lugares particulares se van despoblando de los vecinos ricos y poderosos que los habían de ilustrar y ennoblecer; a que se junta que, como los pobres (que son los que se quedan a cultivar las tierras) las tienen cargadas con diferentes censos que han tomado de los ricos y caudalosos, en cuya imposición han cometido mil estelionatos, viendo que sin la sombra de los poderosos y ricos no pueden esperar el remedio de sus necesidades, teniéndole librado en el incierto retorno de sus acensuadas hipotecas, las desamparan con mucha facilidad, viniéndose al ancho campo de la corte, donde los que no pueden servir de pajes o escuderos, sirven de lacayos, cocheros, mozos de sillas, suplicacioneros o esportilleros [104].

Sancho Panza, igual que tantos hombres sin caudal, sólo sabe «arar y cavar, podar y ensarmentar las viñas» (II, 53), trabajar de sol a sol para los labradores ricos del lugar (II, 28), o buscar el jornal en los pueblos vecinos (II, 31). Aunque su mezquino salario permanezca invariable, Sancho es cada día más pobre, porque —ya lo hemos visto— el campo apenas ofrece trabajo y los precios suben sin cesar [105]. A Teresa Panza le asusta abandonar el pueblo, porque:

---

[102] *Op. cit.*, pág. 135.

[103] *Consulta del Consejo Supremo de Castilla,* 1 de febrero de 1619, BAE, XXV, página 454.

[104] *Op. cit.*, págs. 475-476.

[105] La elevación de los precios, fenómeno estudiado por E. J. Hamilton, fue una de las grandes preocupaciones de la época: Pedro Fernández de Navarrete comentaba que «todas las especies de las cosas han subido a precios, no sólo excesivos, sino tiranos» (*op. cit.*, pág. 535). Tomé Cano observó que un navío costaba en su época (1612)

...en la Corte son los gastos grandes: que el pan vale a real, y la carne, la libra, a treinta maravedís, que es un juicio (II, 52).

Pero incluso en zonas alejadas de la capital, la capacidad adquisitiva de un salario como el de Sancho es mínima, y no deja margen para muchos lujos: un vestido cuesta veinte ducados, el producto de diez meses de trabajo [106]; y con los 51 maravedís diarios de que dispone la familia Panza, se puede adquirir en 1600 muy poca cosa: una libra de queso, comida habitual entre jornaleros y gañanes, al precio de cuarenta maravedís; una libra de manteca, a cincuenta maravedís; o, si es tiempo de Cuaresma, unas cuantas sardinas, a sesenta maravedís la libra [107].

No es extraño que Sancho, igual que los jornaleros y labradores pobres que iban a la Corte para servir a un señor, decida abandonar la aldea, desamparar a su familia, y seguir a un hidalgo que le ha contratado como *escudero* —un oficio propio de nobles y gentes honradas, aunque pobres [108]— y que le ofrece —al menos eso cree él— una recompensa con la que poder sacar el pie del lodo. Sancho no busca, como don Quijote, la gloria, la honra, o la fama de valiente guerrero. Sueña a veces con el gobierno de una ínsula, pero se conformaría con un salario fijo, o con las mercedes suficientes para remediar el quebranto de su hogar [109]. Ya al comenzar sus aventuras, el escudero desea saber:

...(por si acaso no llegase el tiempo de las mercedes, y fuese necesario acudir al de los salarios) cuánto ganaba un escudero de un caballero andante en

---

cinco veces más que en el reinado de Carlos V (F. Braudel, *op. cit.,* vol. II, pág. 708). Entre las medidas que adopta el gobernador de la ínsula Barataria, cabe destacar que «... moderó el precio de todo calzado, principalmente el de los zapatos, por parecerle que corría con exorbitancia» (II, 51).

[106] «... la primera satisfación que se haga quiero que sea pagar el salario que debo del tiempo que mi ama me ha servido, y más veinte ducados para un vestido» (II, 74). Sirviendo a Tomé Carrasco, Sancho ganaba dos ducados al mes (II, 28).

[107] Véase E. J. Hamilton, *op. cit.,* apéndices III y IV, y antes, págs. 166-167.

[108] Véase antes, cap. II, págs. 114 y sigs.

[109] Para un examen de los conceptos de *salario* y *merced* y su papel en las relaciones de Sancho con don Quijote, véase Charles V. Aubrun, «Sancho Panza, paysan pour de rire, paysan pour de vrai», *RCEH,* I, 1976, págs. 16-29.

aquellos tiempos, y si se concertaban por meses, o por días, como peones de albañir (I, 20).

Antes de iniciar la segunda salida, solicita:

...que vuesa merced me señale salario conocido de lo que me ha de dar cada mes el tiempo que le sirviere, y que el tal salario se me pague de su hacienda; que no quiero estar a mercedes, que llegan tarde, o mal, o nunca (II, 7).

Y más adelante, con espíritu resignado, explica:

Cuando yo servía... a Tomé Carrasco, el padre del Bachiller Sansón Carrasco, que vuesa merced bien conoce, dos ducados ganaba cada mes, amén de la comida... con dos reales más que vuesa merced añadiese cada mes me tendría por bien pagado (II, 28).

En fin, Sancho vive con la esperanza de que el futuro deje de estar ensombrecido por el hambre, el trabajo mal pagado y la necesidad; y esta ilusión es la que explica la conducta del escudero y la que hace verosímiles sus andanzas:

...tengo determinado de volver a servir a mi amo don Quijote [explica Sancho a su mujer] el cual quiere la vez tercera salir a buscar las aventuras; y yo vuelvo a salir con él, *porque lo quiere así mi necesidad,* junto con la esperanza, que me alegra, de pensar si podré hallar otros cien escudos como los ya gastados, puesto que me entristece el haberme de apartar de ti y de mis hijos; y *si Dios quisiera darme de comer a pie enjuto y en mi casa,* sin traerme por vericuetos y encrucijadas, pues lo podría hacer a poca costa y no más de quererlo, claro está que mi alegría fuera más firme y valedera, pues que la que tengo va mezclada con la tristeza del dejarte (II, 5) [110].

Los lamentos de Sancho no son fingidos. Todos en la aldea saben los apuros que padece el pobre labriego, y conocen las miserias de

---

[110] Cfr.: «... vos me veréis presto conde o gobernador de una ínsula, y no de las de por ahí, sino la mejor que puede hallarse. —Quiéralo así el cielo, marido mío; que bien lo habemos menester» (I, 52) «... el amor de mis hijos y de mi mujer me hace que me muestre interesado» (II, 71). Sobre este punto véase Ludovik Osterc, *op. cit.,* páginas 139-140.

su hogar. El morisco Ricote, por ejemplo, le ofrece, a cambio de su ayuda y su complicidad:

> ...docientos escudos con que podrás remediar tus necesidades, que ya sabes que sé yo que las tienes muchas (II, 54).

«TENER POR AMO Y SEÑOR AL REY, Y SERVIRLE EN LA GUERRA»

Sancho se comporta como muchos labriegos que, empujados por la ruina del campo y agobiados por la necesidad, abandonaron sus lugares para buscar la vida holgada de la Corte o un hueco entre la servidumbre de un señor. Pero ni el atrayente influjo de la gran ciudad, ni el excesivo número de criados de las casas nobles, fueron los únicos motivos de la despoblación de las aldeas. En el capítulo anterior nos hemos referido al espíritu aventurero de los hidalgos rurales y a su participación en la conquista de América. Pues bien, cuando estos hombres concluyeron su misión, se inició el esfuerzo, mucho más amplio y sostenido, de los colonizadores, hombres del campo, sin fortuna ni esperanza, que huyen de una tierra en la que ya no les queda nada que perder. Cervantes llama a las Indias:

> ...refugio y amparo de los desesperados de España, iglesia de los alzados, salvoconducto de los homicidas, pala y cubierta de los jugadores... añagaza general de mujeres libres, engaño común de muchos y remedio particular de pocos [111].

Aunque la opinión más común en la época debía ser la que se recoge en el *Lazarillo de Manzanares:*

> ...dar conmigo en las Indias, donde hombres baxos vienen de ordinario ricos, aunque vayan sin oficio, porque llevando consigo el poderse aplicar a mercaderes de cosas baxas, nunca se vienen sin dineros [112].

---

[111] *El celoso extremeño,* BAE, I, pág. 172. Según Luis Ortiz, los que marchan a las Indias acostumbran a ser «gente ynábil, ynútil y sedisiosa, como los que asta aquí an pasado, que son causa de los leuantamientos que en ellas a abido» (*Memorial,* cit., página 388).

[112] Juan Cortés de Tolosa, *Lazarillo de Manzanares,* ed. de Giuseppe E. Sansone, Madrid, CC, 1974, vol. I, pág. 38.

Durante años, miles de labradores abandonaron sus aldeas y se embarcaron con destino a las Indias, con el fin de hacer fortuna en una tierra que prometía libertad, dignidad y holgura económica [113]. Ya a principios de siglo, según explica fray Bartolomé de las Casas, la palabra de los frailes despertaba la curiosidad de los labriegos, y eran muchos los que decidían emigrar a las tierras recién descubiertas:

> ...llegando a algunos lugares, hacía juntar las gentes dellos en las iglesias, donde les denunciaba, lo primero, la intención del Rey, que era poblar aquestas tierras; lo segundo, la felicidad, fertilidad, sanidad y riqueza dellas; lo tercero, las mercedes que el Rey les hacía, con las cuales podrían ser con verdad, cuanto a los bienes temporales desta vida, sin cuasi trabajo, bienaventurados... Después de avisados e informados, poco tardaban en venirse a escrebir para ir a poblar a las Indias, y en breves días allegó gran número de gente, mayormente de Berlanga, que sin entrar en ella, teniendo la villa docientos vecinos, se escribieron más de los setenta dellos [114].

Cien años más tarde, Fray Benito de Peñalosa achacaba la despoblación del campo al excesivo número de labradores que habían emigrado al Nuevo Mundo, ya que:

> ...casi los más Españoles que han passado a la América en estos tiempos han sido labradores, y de los dichos lugares que están faltos de gente... [115].

En las Indias se puede prosperar como mercader o como señor de vasallos, pero también se puede medrar como soldado; y, aunque siga muy viva la idea de que las armas son propias de los bien nacidos y de ilustre sangre [116], la guerra ya no es un ejercicio exclusivo de la clase noble, y en su lugar visten la armadura gentes que en el Medievo

---

[113] Noël Salomon, *Recherches sur le thème paysan,* págs. 780 y sigs. Carlos V ofreció mercedes a los labradores que fuesen a poblar el Nuevo Mundo, porque de ello «redunda mucha utilidad y provecho común, así para las dichas Indias como para los dichos labradores que las querrán ir a grangear, especialmente para algunos que habrá que viven en necesidad e en gran trabajo e probeza por falta de no saber la groseza e virtud de la tierra de las dichas Indias e la abundancia que hay de tierras para labranza...» (*CDI,* II, pág. 205).
[114] *Historia de las Indias,* en *Obras escogidas,* BAE, XCVI, págs. 426-27.
[115] *Op. cit.,* fol. 170.
[116] Véase antes, cap. II, págs. 128 y sigs.

estaban excluidas de la función de combatir [117]. El soldado raso que
milita en los tercios, es frecuentemente un campesino hambriento, que
prefiere los peligros y rigores del combate a la esclavitud y las privaciones de la aldea, y que abandona las labores del campo con la esperanza
de lograr una vida digna y segura en el ejercicio de la guerra, por
el que «vienen... a hacerse ilustres aun los de oscuro linaje» [118].

En las *Relaciones* se nos dan algunas noticias sobre la participación
de los lugareños en empresas de tipo militar. En *Campo de Criptana*
(Ciudad Real), por ejemplo, ha habido y hay:

> ...hombres que han ido a todas las guerras que Su Majestad ha tenido y
> en la Goleta y en Flandes y en Italia y en las Indias han ido muchos y
> en la toma de la Goleta de ahora quedaron más de treinta mancebos hijos
> de vecinos desta villa... [119].

Y fray Benito de Peñalosa considera que la vocación guerrera de
los labriegos es una de las consecuencias del agotamiento y abandono
del campo, porque:

> Considerando los Españoles altiuos, y honrosos, quán auatido es el oficio
> de Labradores en España, por marauilla se inclinan a él, ni se precian des-
> cender de la antiguedad dellos, y si por la necessidad alguno se aplica, ape-
> nas lo fueron los padres, quando todos los hijos, o siguen las letras, o las
> armas, y sino aprenden algún oficio se van huyendo del trabajo de la cultura
> del campo más costoso, y menos honroso a las Indias, y otros Reynos desta
> Monarquía [120].

Recordemos que Tomás Rodaja, hijo de un labrador pobre, mar-
chó a Flandes, y «la vida que había comenzado e eternizar por las
letras, la acabó de eternizar por las armas» [121]. El labrador que ha-

---

[117] Véase J. A. Maravall, *Poder, honor y élites,* pág. 101. La incorporación de los
plebeyos al ejército, como fuerza de choque de la infantería, supuso, según ha señalado
Raffaele Puddu, además de una importante novedad táctica, una auténtica subversión
de ciertos valores sociales: Paolo Giovio, cronista de las guerras de Italia, lamentaba,
en este sentido, que en la batalla de Pavía, los caballeros franceses, tantas veces cubiertos
de honra, hubieran caído abatidos «a manos de soldados rasos, faltos de nobleza» (cit.
por R. Puddu, *El soldado gentilhombre,* pág. 33).
[118] *Las dos doncellas,* BAE, I, pág. 203.
[119] C. Viñas Mey y Ramón Paz, *Relaciones, Ciudad Real,* págs. 169-170.
[120] *Op. cit.,* fol. 175.
[121] *El Licenciado Vidriera,* BAE, I, pág. 166.

bía burlado a la hija de doña Rodríguez, huyó a Flandes para evitar las consecuencias de su fechoría (II, 54). El barbero amigo de don Quijote había sido soldado en su juventud (I, 45). Aunque es Vicente Roca, el seductor de Leandra, el mejor ejemplo de la fanfarronería y el orgullo con que algunos labradores pobres viven la profesión de las armas:

> En esta sazón vino a nuestro pueblo un Vicente de la Roca, hijo de un pobre labrador del mismo lugar; el cual Vicente venía de las Italias y de otras diversas partes, de ser soldado. (...) Sentábase en un poyo que debajo de un gran álamo está en nuestra plaza, y allí nos tenía a todos la boca abierta, pendientes de las hazañas que nos iba contando. No había tierra en todo el orbe que no hubiese visto, ni batalla donde no se hubiese hallado; había muerto más moros que tiene Marruecos y Túnez, y entrado en más singulares desafíos, según él decía, que Gante y Luna, Diego García de Paredes y otros mil que nombraba; y de todos había salido con vitoria, sin que le hubiesen derramado una sola gota de sangre. Por otra parte, mostraba señales de heridas que, aunque no se divisaban, nos hacía entender que eran arcabuzazos dados en diferentes rencuentros y faciones. Finalmente, con una no vista arrogancia, llamaba de *vos* a sus iguales y a los mismos que le conocían, y decía que su padre era su brazo, su linaje sus obras, y que debajo de ser soldado, al mismo Rey no debía nada (I, 51).

Pero la existencia del soldado acostumbra a ser sórdida y brutal, y se parece muy poco al brillante espectáculo que Vicente Roca describía ante los boquiabiertos labriegos de su lugar:

> ¡Cuánto pasa un soldado, pobre o rico [escribía Diego Duque de Estrada], en servicio de su Rey! El pobre sufre hambre, desnudez, sed, cansancio, frío intolerable, calor incomportable, hambrientos días y soñolientas noches, inquietudes diurnas, desvelos nocturnos, y todo esto por la miserable paga, tan mal pagada [122].

En *El Licenciado Vidriera,* el capitán Valdivia hizo para Tomás Rodaja una sugestiva descripción de la vida de los soldados y de la libertad de Italia:

> ...pero no le dijo nada del frío de las centinelas, del peligro de los asaltos, del espanto de las batallas, de la hambre de los cercos, de la ruina de las

---

[122] *Op. cit.,* pág. 336.

minas, con otras cosas deste jaez, que algunos las toman y tienen por añadi-
duras del peso de la soldadesca, y son la carga principal della [123].

Y don Quijote, por su parte, en el *Discurso de las armas y las
letras,* afirma que no hay nadie tan pobre como el soldado:

> ...porque está atenido a la miseria de su paga, que viene o tarde o nunca,
> o a lo que garbeare por sus manos, con notable peligro de su vida y de
> su conciencia. Y a veces suele ser su desnudez tanta, que un coleto acuchilla-
> do le sirve de gala y de camisa, y en la mitad del invierno se suele reparar
> de las inclemencias del cielo, estando en campaña rasa, con sólo el aliento
> de su boca, que, como sale del lugar vacío, tengo por averiguado que debe
> de salir frío, contra toda naturaleza. Pues esperad que espere que llegue la
> noche, para restaurarse de todas estas incomodidades en la cama que le aguar-
> da, la cual, si no es por su culpa, jamás pecará de estrecha; que bien puede
> medir en la tierra los pies que quisiere, y revolverse en ella a su sabor, sin
> temor que se le encojan las sábanas (I, 38).

Sólo las gentes más abatidas del campo, acostumbradas a todo tipo
de penalidades, eran capaces de soportar las privaciones y fatigas de
la vida en campaña, y los peligros y sufrimientos del combate [124]. Algunos buscaban en la guerra la gloria y la nobleza, pero la mayoría
sentaba plaza para evitar una vida perpetuamente asediada por la necesidad. Recordemos, en este sentido, las razones que alegaba aquel mancebo que encontraron don Quijote y Sancho cuando viajaban acompañados por el Primo:

> ...iba cantando seguidillas, para entretener el trabajo del camino. Cuando
> llegaron a él acababa de cantar una, que el primo tomó de memoria, que
> dicen que decía:
>
> *A la guerra me lleva mi necesidad;*
> *Si tuviera dineros no fuera, en verdad* (II, 24).

---

[123]   BAE, I, pág. 159. Véase Ludovik Osterc, *op. cit.,* pág. 148.
[124]   Gaspar Gutiérrez de los Ríos establecía el siguiente parangón entre la vida del
soldado y la del labrador: «El arte Militar principalmente reyna en los campos: La Agricultura también reyna en ellos. La Milicia ha menester hombres fuertes: La Agricultura
haze que lo sean. Los soldados duermen al sol, a la elada, y al granizo: Los labradores
también de la misma manera...» (*op. cit.,* fol. 239).

Interrogado acerca de sus proyectos, el muchacho responde:

> ...voy desta manera, hasta alcanzar unas compañías de infantería que no están doce leguas de aquí, donde asentaré mi plaza, y no faltarán bagajes en que caminar de allí adelante hasta el embarcadero, que dicen ha de ser en Cartagena. Y más quiero tener por amo y señor al Rey, y servirle en la guerra, que no a un pelón en la Corte *(ibíd.)*.

Sancho se alquila como escudero de un hidalgo, pacífico y cuerdo hasta entonces, para obtener un salario con el que sacar a su familia de apuros. Al iniciar sus andanzas, se da cuenta de los desvaríos y el extraño proceder de su señor, pero decide, a pesar de todo, continuar el viaje emprendido e incluso acompañar a don Quijote en su segunda salida. Su fidelidad es consecuencia del afecto y la gratitud [125], pero hay también razones históricas que explican la firmeza con que Sancho, ilusionado unas veces y escéptico otras, se niega a abandonar esa disparatada guerra privada en que su amo le ha embarcado: Sancho, pobre jornalero de escasas letras y una gran carga de buena fe, convive con labriegos que han servido en el ejército o han emigrado a las Indias en busca de nuevos horizontes, y, aunque sólo conoce la pobreza del campo manchego, ha oído hablar a menudo de Flandes e Italia, del oro y la plata de América, y de las leyendas fantásticas de aquel mundo lejano. Su escasa instrucción y su credulidad sin límites no le permiten distinguir las ínsulas y reinos de Tierra Firme, ni las riquezas y honores que don Quijote le ofrece, de aquellas otras maravillas auténticas que describen sus vecinos. Las increíbles aventuras que dice haber vivido Vicente Roca y las que Alonso Quijano piensa protagonizar, tienen para él los mismos visos de autenticidad, porque en su época, aunque la miseria siga siendo el triste sino de las gentes sin fortuna, todos los sueños parecen realizables; y el desdichado labriego prefiere seguir a don Quijote, y aceptar con los ojos cerrados sus promesas de riqueza y prosperidad, antes que padecer el sudor y la penuria hasta el final de sus días en los estrechos límites de una aldea castellana.

---

[125] «... seguirle tengo: somos de un mismo lugar; he comido su pan; quiérole bien; es agradecido; dióme sus pollinos, y, sobre todo, yo soy fiel; y así, es imposible que nos pueda apartar otro suceso que el de la pala y azadón» (II, 33).

Don Quijote persigue en sus aventuras fines desinteresados o sueña con la gloria y el honor; su escudero, en cambio, sólo trata de obtener un provecho material como recompensa de los golpes y calamidades que se ve obligado a padecer. Recordemos, por ejemplo, lo que ocurrió en Sierra Morena tras el hallazgo de una maleta que guardaba unas camisas, unos papeles manuscritos y más de cien escudos de oro: don Quijote se dedicó a leer los versos y cartas que el librillo contenía, al tiempo que Sancho revisó la maleta:

> ...sin dejar rincón en toda ella... que no buscase, escudriñase e inquiriese, ni costura que no deshiciese, ni vedija de lana que no escarmenase, porque no se quedase nada por diligencia ni mal recado: tal golosina habían despertado en él los hallados escudos, que pasaban de ciento. Y aunque no halló más de lo hallado, dio por bien empleados los vuelos de la manta, el vomitar del brebaje, las bendiciones de las estacas, las puñadas del harriero, la falta de las alforjas, el robo del gabán, y toda la hambre, sed y cansancio que había pasado en servicio de su buen señor, pareciéndole que estaba más que rebién pagado con la merced recibida (I, 23).

El caballero desprecia «la hacienda, pero no la honra» (II, 32); Sancho, en cambio, sólo aspira a tener un salario conocido (II, 7), un talego lleno de oro (II, 13), o un título de conde para gozar de la renta a pierna suelta (I, 50). Esta encontrada actitud de Sancho y su señor nos parece una divertida parodia de las intenciones que la ideología dominante asignaba al noble y al plebeyo que marchaban a la guerra: el caballero combate de manera generosa, el villano persigue fines egoístas; éste busca riquezas, aquél sólo desea la honra. Nuñez de Alba comentaba, por ejemplo, que los mozos de espuela, los oficiales y los pastores que se alistaban en los tercios, iban a la guerra:

> ...no por viuir, o ganar honra en ella, sino para recoger algún dinero con que boluerse a sus casas [126].

El Duque de Alba hablaba al Rey, en 1567, de la necesidad de:

> ...introducir caballeros y gentes de bien en la Infantería, y no dejarla toda en poder de labradores y lacayos [127].

---

[126] Diego Núñez de Alba, *Diálogos de la vida del soldado,* Cuenca, 1589, fols. 7-8.
[127] Cit. por A. Salcedo Ruiz, *op. cit.,* pág. 44. Véase también Raffaele Puddu, *op. cit.,* págs. 198-199.

Y el Consejo de Guerra consideraba que «sin nobles y señores no se puede hacer cosa bien hecha en la guerra», porque:

...la gente baja no tiene presunción, y con su pobreza no atiende a otra cosa que a mantenerse de las pagas, y hurtar las que puede [128].

Pero la presencia de «gente baja» y «sin presunción» en las filas del ejército tiene motivos muy claros, que tal vez no alcanzaban a comprender el Duque de Alba y los componentes del Consejo de Guerra, y que se resumen en los versos que don Quijote y sus amigos escucharon a aquel mozo:

A la guerra me lleva mi necesidad;
Si tuviera dineros no fuera, en verdad (II, 24).

Sancho, igual que los pobres labriegos con que se nutría la infantería española, podría haber hecho suyas las seguidillas que entonaba aquel muchacho, porque la necesidad, que es sinónimo de hambre y privaciones sin número, es, según él mismo confiesa, lo único que le mueve a abandonar su hogar (II, 5).

La crisis agrícola, unida al desbarajuste económico de los últimos años del siglo XVI, había dejado al país extenuado y, en muchos lugares, por debajo de sus condiciones mínimas de subsistencia. Los propietarios se veían obligados a vender sus tierras y a abandonar la labranza, y a los jornaleros que no encontraban un señor a quien servir, no les quedaba otro recurso que el ejército, la Iglesia o los barcos que zarpaban hacia América. Las clases dominantes eran conscientes del problema y comprendieron que, para salvar sus propios intereses, era necesario restaurar la vida rural, repoblar las aldeas y acrecentar la producción agrícola. Y así, cuando el Ama recomienda a don Quijote que permanezca en su casa y atienda a su hacienda (II, 73), y a Sancho: «id a gobernar vuestra casa y a labrar vuestros pegujares...» (II, 2), sus consejos coinciden, tal vez sin saberlo ella, con las opiniones de los economistas y gobernantes que, en la misma época, proponían el retorno del labrador a la tierra, la concesión de recompensas especiales para los que se dedicasen a la agricultura, y, en definitiva,

[128] Cit. por A. Salcedo Ruiz, *ibíd.*

la reconstrucción y pervivencia de un sistema señorial de base económica agraria. La voz de los arbitristas, los eclesiásticos y los hombres de estado se une a esta campaña de regeneración del campo y dignificación de la figura del labrador [129]. El propio Consejo de Castilla, en la *Consulta* solicitada por el Rey y presentada el 1 de febrero de 1619, señalaba que la Corte estaba excesivamente cargada de gente y que era preciso obligar a los grandes, caballeros y señores a volver a sus tierras, única manera de salvar «los lugares que hoy no tienen caudales, ni personas, ni lustre, ni cosa que pueda ayudarles a levantar cabeza» [130]; y en el mismo documento se recomendaba:

> ...que a los labradores (cuyo estado es el más importante de la república, porque ellos la sustentan, conservan y cultivan la tierra, y dellos pende la abundancia de los frutos y aun la contribución de las cargas reales y personales...), para que no vengan en tanta diminución, conviene animarlos y alentarlos, dándoles privilegios, y tales, que les estén bien y que les puedan ser guardados... [131].

Los dramaturgos, y especialmente Lope de Vega, no fueron ajenos a estas preocupaciones: durante los primeros años del siglo XVII, el teatro contribuye, con su eficaz sistema de propaganda, a exaltar la frugalidad, la disciplina y la resignación del labriego, y a glorificar el trabajo del vasallo que hace crecer las mieses y vides con su callada labor, que desprecia los honores y riquezas de la corte [132], y que afirma con orgullo:

---

[129] Noël Salomon, *Recherches sur le thème paysan,* págs. 197 y sigs. Cfr.: «Con razón la Agricultura excede en nobleza a los demás artificios, y adquisiciones, pues ella sola es natural, digna de nobles, de virtuosos, y de sabios: las demás suertes de grangear son inuención humana, muchas dignas de odio, y de infamia...» (Lope de Deza, *Gouierno polýtico de la agricultura,* fol. 2). Gaspar Gutiérrez de los Ríos pedía exenciones para la agricultura «mouido de verla tan abatida, y oluidada en estos Reynos, para que boluiendo por su honra, y mostrando quán liberal y digna de todos estados es... nos animemos sobre porfía a amarla, honrarla, y exercitarla...» (*op. cit.,* pág. 228). También Fray Benito de Peñalosa pedía que se otorgase a los labriegos una parte del honor que gozan los nobles «para que en todos tiempos sea igual la justicia» (*op. cit.,* fol. 176).

[130] BAE, XXV, pág. 454.

[131] *Ibíd.,* pág. 455.

[132] Noël Salomon, *Recherches sur le thème paysan,* págs. 250 y sigs.; y José María Díez Borque, *Sociología de la comedia española del siglo XVII,* Madrid, Cátedra, 1976, páginas 315 y sigs.

> Yo he sido rey, Feliciano,
> En mi pequeño rincón;
> Reyes los que viven son
> Del trabajo de su mano [133].

«TU VECINO RICOTE, EL MORISCO»

En la mayoría de las aldeas manchegas, y en muchos otros pueblos de España, hay gentes más abatidas y despreciadas, si cabe, que los jornaleros y campesinos pobres: los moriscos. Cervantes no parece compartir el odio que algunos profesan contra esta minoría, ni acepta los argumentos con que se justificó su expulsión [134]; pero recoge, en algunos pasajes de sus obras, la opinión negativa que ciertos contemporáneos suyos tenían de este desdichado pueblo. En *El coloquio de los perros,* por ejemplo, se dice:

> Por maravilla se hallará entre tantos uno que crea derechamente en la sagrada ley cristiana: todo su intento es acuñar y guardar dinero acuñado, y para conseguirle trabajan y no comen: en entrando el real en su poder, como no sea sencillo le condenan a cárcel perpetua y a escuridad eterna: de modo que ganando siempre, y gastando nunca, llegan y amontonan la mayor cantidad de dinero que hay en España: ellos son su hucha, su polilla, sus picazas y sus comadrejas: todo lo llegan, todo lo esconden y todo lo tragan... todos se casan, todos multiplican, porque el vivir sobriamente aumenta las causas de la generación; no los consume la guerra, ni ejercicio que demasiadamente los trabaje; róbannos a pie quedo, y con los frutos de nuestras heredades que nos revenden se hacen ricos; no tienen criados, porque todos lo son de sí mismos; no gastan con sus hijos en los estudios, porque su

---

[133] Lope de Vega, *El villano en su rincón,* BAE, XXXIV, pág. 138.
[134] Véase acerca de este tema: Américo Castro, *El pensamiento de Cervantes,* páginas 280 y sigs.; Ludovik Osterc, *op. cit.,* págs. 219 y sigs.; Ángel González Palencia, «Cervantes y los moriscos», *BRAE,* XXVII, 1947-1948, págs. 107-122; Francisco Giner, «Cervantes y los moriscos valencianos», *Anales del Centro de Cultura Valenciana,* XXIII, 1962, págs. 131-149; Gustaf Fredén, «Cervantes y los moriscos», *Tres ensayos cervantinos,* Madrid, Ínsula-Instituto Ibero-Americano de Gotemburgo, 1964, págs. 7-31; R. Osuna, «La expulsión de los moriscos en el *Persiles*», *NRFH,* XIX, 1970, págs. 388-93; Antonio Oliver, «El morisco Ricote», *ACerv,* V, 1955-56, págs. 249-255. El trabajo más reciente y completo es el de Francisco Márquez Villanueva, «El morisco Ricote o la hispana Razón de Estado», *Personajes y temas del «Quijote»,* págs. 229-335.

ciencia no es otra que la del robarnos: de los doce hijos de Jacob que he
oído decir que entraron en Egipto, cuando los sacó Moysén de aquel cautiverio, salieron seiscientos mil varones sin niños y mujeres. De aquí se podrá
inferir lo que multiplicarán las de estos, que sin comparación son en mayor
número... Como mi amo era mezquino, como lo son todos los de su casta,
sustentábame con pan de mijo, y con algunas sobras de zahínas, común sustento suyo [135].

Berganza, lejos de exponer opiniones propias, se limita a repetir
aquí las acusaciones más frecuentes contra las gentes de origen musulmán: la ruindad del morisco es proverbial y se manifiesta, según sus
detractores, en una alimentación extremadamente frugal:

Comían cosas viles: legumbres, lentejas, panizo, habas, mijo y pan de
lo mismo. Con este pan juntaban los que podían pasas, higos, arrope, miel,
leche, y en Valencia todos los días comían arroz. Eran grandes amigos de
frutas y hortalizas. Hartábanse de pepinos, berenjenas y melones. Sus carnes
ordinarias eran de cabra y de oveja. Eran grandes amigos de pescados bara-
tos, de abadejo, sardinas y ensalada cruda [136].

Sancho Panza trueca el nombre del autor de su historia en el de
Cide Hamete Berenjena:

...porque por la mayor parte he oído decir que los moros son amigos de
berenjenas (II, 2).

El morisco es frugal y ahorrativo, trabaja sin descanso, no gasta
un maravedí, y su única obsesión parece ser la de guardar dinero. Para
Berganza, según hemos visto, los moriscos son huchas, polillas, picazas y comadrejas; y con palabras parecidas nos los describe Cristóbal
Pérez de Herrera:

...sólo trataban de recogernos el dinero, siendo arrieros y revendedores en
tiendas de comer, chupando nuestros caudales, ayudándose unos a otros para que entre ellos no hubiese pobres, quitando este aprovechamiento a los

---

[135] BAE, I, pág. 242. Aunque Cervantes recoge opiniones bastante extendidas, tales
sentimientos no eran unánimes. Véase por ejemplo el testimonio de Pedro de León recogido por Pedro Herrera Puga (*Sociedad y delincuencia*, págs. 458-459).
[136] Cit. por Antonio Domínguez Ortiz, *El Antiguo Régimen*, págs. 185-86. La cita
procede de Jaime Bleda, *Corónica de los moros de España*, Valencia, 1618.

cristianos viejos... y ellos no gastaban nada de lo que entraba en su poder [137].

El pueblo morisco, según la opinión común compartida por Berganza, es además enormemente prolífico, hasta el punto de que su acelerado crecimiento, unido a la longevidad de sus gentes, es visto con recelo por algunos cristianos viejos. Pérez de Herrera observaba, por ejemplo, que los moriscos, igual que los gitanos, «van creciendo y multiplicándose mucho, y nosotros disminuyéndonos muy aprisa en guerras y religiones» [138]. El jadraque que aparece en el *Persiles,* explica que a las gentes de su linaje:

> No los esquilman las religiones, no los entresacan las Indias, no los quintan las guerras, todos se casan, todos o los más engendran, de do se sigue y se infiere que su multiplicación y aumento ha de ser innumerable [139].

Y de manera similar se pronuncia fray Agustín de Salucio:

> Corto de vista es el que no alcanza a ver el peligro que amenaza a la República de la infidelidad de los moriscos, porque el número de estos enemigos crece dentro del reyno sin comparación más que el de los amigos... porque no hay persona de ellos que no se case antes de los veinte años, y ni los consumen las guerras, ni las Indias, ni los presidios de Flandes, ni de Italia, ni de su casta hay Frayle, ni Monja, ni Clérigo, ni Beata. Todos multiplican como conejos, y por esta cuenta parece que no es mucho que se doble el número cada diez años, y siendo así, de cada mil se harán más de un millón dentro de cien años [140].

---

[137] Cit. por Antonio Domínguez Ortiz y Bernard Vincent, *Historia de los moriscos. Vida y tragedia de una minoría,* Madrid, Edit. Revista de Occidente, 1978, pág. 201. La misma opinión la encontramos en un informe de 1588: «Estos moriscos poseen grandes riqueças, aunque no lo muestran exteriormente por ser como son generalmente mezquinos, y el real que una bez entra en su poder no saven trocarle, y en esta sevilla y andalucía compran y venden cossas de comer y masan y venden la mayor parte del pan que se come que lo uno y lo otro es el trato que más enriqueçe. Tienen officios de esparteros, cordeleros y otros de mucha ganancia, y esta riqueza es en ellos sospechosa y muy odiosa» (cit. por P. Boronat y Barrachina, *Los moriscos españoles y su expulsión,* Valencia, 1901, 2 vols., vol. I, pág. 635).

[138] Cristóbal Pérez Herrera, *Amparo de pobres,* ed. cit., pág. 177.

[139] BAE, I, pág. 646.

[140] *Discurso acerca de la justicia y buen gobierno de España en los estatutos de limpieza de sangre,* Valencia, 1600, cit. por Albert Sicroff, *Les controverses des status de pureté de sang en Espagne du XVe au XVIIe siècle,* París, 1960, pág. 202, n. 73.

Aunque las actitudes de recelo o de franca aversión hacia los moriscos fueron muy frecuentes, muchos de los testimonios adversos que acabamos de citar pueden ser fruto de la ignorancia, la pasión o la generalización apresurada. El morisco del *Coloquio de los perros* es, en este sentido, la figura prototípica del enemigo temido y odiado, y no se ajusta necesariamente y en todos sus detalles a la realidad. Entre los musulmanes convertidos hay, en efecto, diferencias sustanciales, porque el nivel de integración en la sociedad cristiana varía en cada región, y porque en este proceso de asimilación intervienen factores sociales, demográficos, religiosos y profesionales que es necesario tener en cuenta.

En las tierras de la Corona de Aragón la población morisca es muy numerosa, vive sometida al régimen señorial y se dedica al cultivo de la tierra, especialmente en las zonas de regadío: hay siete u ocho mil moriscos catalanes, agrupados en los pueblos del Bajo Ebro; 63.000 aragoneses, el 21 por ciento de la población en 1609; y 143.000 moriscos valencianos, un 30 por ciento, aproximadamente, de la población total de aquellas comarcas [141].

En el Reino de Valencia, donde la minoría conversa es más numerosa, los moriscos conservan casi intactas su cultura y su religión ancestrales, viven al margen de la sociedad oficial, y la sinceridad de la mayoría de las conversiones es más que dudosa. Esta situación es la que se describe en un capítulo del *Persiles,* con datos que reflejan fielmente la realidad histórica: los peregrinos se detienen en un pueblo morisco de la costa levantina en que los únicos cristianos viejos son el cura y el escribano. Esa misma noche hay tramada una fuga de todo el pueblo a Berbería en las naves de unos corsarios turcos. El cura y los peregrinos se hacen fuertes en la torre de la iglesia, mientras los moriscos incendian el pueblo, destruyen una cruz de piedra, y se embarcan, con grandes muestras de júbilo, invocando el nombre de Mahoma [142].

En el Reino de Granada la proporción de moriscos es la más elevada del territorio español. En 1568, en vísperas de la sublevación y de

---

[141]   A. Domínguez Ortiz y B. Vincent, *op. cit.,* págs. 75 y sigs.
[142]   BAE, I, págs. 644 y sigs. Todas las comarcas del Mediterráneo habitadas por moriscos conocieron este tipo de evasiones masivas. Véase sobre este aspecto A. Domínguez Ortiz y B. Vincent, *op. cit.,* págs. 86-87.

la posterior expulsión decretada por Felipe II, hay en las tierras de Andalucía Oriental alrededor de 140.000 moriscos, algo más de la mitad de la población total [143]. El prototipo del morisco granadino es aquel hortelano al que sirvió Berganza: dedicado al cultivo de su tierra, y con un régimen de vida extremadamente frugal, ha conservado intactas sus creencias religiosas, sus costumbres, y sus hábitos alimenticios y laborales.

En la Corona de Castilla, en cambio, la situación es muy distinta. Los antiguos mudéjares bautizados, junto con los moriscos procedentes del Reino de Granada, representan una minoría reducida; el grado de integración de los convertidos en la sociedad cristiana, es, lógicamente, mayor que en otras zonas, y la convivencia más fácil [144]. La situación que se describe en el *Persiles* —un puñado de cristianos viejos asediados en la iglesia de un pueblo mayoritariamente morisco—, hubiera sido inconcebible en las tierras de la Meseta o el Guadalquivir. En estas comarcas los moriscos ocupan los escalones sociales más bajos, carecen de tierra, y suelen emplearse como braceros, jornaleros o siervos [145]. En las ciudades y lugares populosos, trabajan como hortelanos, sastres, panaderos, carniceros, aguadores, tejedores, esparteros o criados [146]. En Sevilla, por ejemplo, ejercen de hortelanos, vendedores y servidores domésticos [147]. En Toledo habitan en determinados barrios, ejercen actividades artesanales y conservan muy viva la lengua árabe: recordemos que el presunto autor del *Quijote* encontró la historia de su héroe en la Alcaná de Toledo, en la tienda de un sedero, y no tuvo ninguna dificultad para hallar un morisco aljamiado que se la trasladase a cambio de dos arrobas de pasas y dos fanegas de trigo (I, 9).

Dos ocupaciones típicas de los moriscos en el medio rural son el transporte y el comercio al por menor, actividades en las que, con

---

[143] *Ibíd.*, págs. 78-79; y Julio Caro Baroja, *Los moriscos del Reino de Granada,* Madrid, Edit. Istmo, 1976, págs. 81 y sigs.

[144] A. Domínguez Ortiz y B. Vincent, *op. cit.,* págs. 80-81.

[145] En Carmona, por ejemplo, según el testimonio de su corregidor, los moriscos son todos «gente miserable, trabajadora, jornaleros del campo con tan mísera pasada, que no pienso tendrán caudal para salir de sus casas los más de ellos» (en A. Domínguez Ortiz y B. Vincent, *op. cit.,* pág. 115).

[146] *Ibíd.*, págs. 109 y sigs., y J. Caro Baroja, *op. cit.,* págs. 98 y sigs. y 145.

[147] Ruth Pike, *Aristocrats and Traders,* págs. 160-161.

habilidad y dedicación, podían atesorar una pequeña fortuna [148]. El huésped con el que se solaza Maritornes, era «uno de los ricos harrieros de Arévalo», y, aunque no se dice expresamente que fuera morisco, el historiador arábigo Cide Hamete Benengueli hace especial mención de él, «porque le conocía muy bien y aun quieren decir que era algo pariente suyo» (I, 16). Tampoco es despreciable la fortuna del morisco Ricote, el tendero vecino de Sancho Panza: aparte de las muchas perlas y dinero en oro que su mujer y su cuñado llevaban por registrar cuando partieron al destierro, Ricote dejó escondidas muchas riquezas, que espera desenterrar, y ofrece a Sancho doscientos escudos a cambio de su silencio y ayuda (II, 54).

Cervantes debió conocer a muchos moriscos en su dilatada vida andariega, y siguió de cerca, en Valladolid y Madrid, las discusiones y preparativos que precedieron a la expulsión. El tema era de candente actualidad en 1615, y Cervantes, aunque pone en boca de sus personajes palabras inverosímiles y alabanzas grandilocuentes en favor del destierro [149], expresa en la historia del morisco Ricote la tristeza y el asombro con que muchos españoles vivieron las consecuencias de la impopular medida, y reproduce además, con extraordinaria fidelidad, algunos detalles de este penoso episodio [150].

El bando por el que se ordenaba la expulsión de los moriscos valencianos se hizo público en septiembre de 1609. Aunque el decreto no

---

[148] Según Alonso Fernández, cronista de Plasencia, los moriscos «tenían tiendas de cosas de comer en los mejores puestos de las ciudades y villas, viviendo la mayor parte dellas por su mano. Otros se empleaban en oficios mecánicos, caldereros, herreros, alpargateros, jaboneros y arrieros» (cit. por A. Domínguez Ortiz y B. Vincent, pág. 115). El morisco, según Caro Baroja, buscaba la base de su sustento y el de su familia en el desarraigo mismo: se dieron a oficios que suponían gran movilidad y escasos bienes inmuebles. Entre ellos los más característicos fueron los de arriero y trajinero (*op. cit.*, página 213).

[149] «¡Heroica resolución [comenta Ricote] del gran Filipo Tercero, y inaudita prudencia el haberla encargado el tal don Bernardino de Velasco!» (II, 65); y el jadraque del *Persiles*: «Ea, mancebo generoso, ea, rey invencible, atropella, rompe, desbarata todo género de inconvenientes y déjanos a España tersa, limpia y desembarazada desta mi mala casta, que tanto la asombra y menoscaba: ea, consejero tan prudente como ilustre, nuevo Atlante del peso desta Monarquía, ayuda y facilita con tus consejos a esta necesaria transmigración; llénense estos mares de tus galeras cargadas del inútil peso de la generación agarena...» (BAE, I, pág. 646).

[150] Véase A. Castro, *op. cit.*, págs. 280 y sigs.; y F. Márquez Villanueva, *op. cit.*, páginas 229 y sigs.

afectaba todavía a los castellanos, los más perspicaces comprendieron «que aquellos pregones no eran amenazas, como algunos decían, sino verdaderas leyes, que se habían de poner en ejecución a su determinado tiempo» (II, 54), e iniciaron el éxodo voluntario [151]. Ricote, antes de verse empujado a un destierro apresurado y forzoso, decidió abandonar su pueblo, y tras una larga peregrinación llegó a Alemania:

> ...allí me pareció que se podía vivir con más libertad, porque sus habitadores no miran en muchas delicadezas: cada uno vive como quiere, porque en la mayor parte della se vive con libertad de conciencia (II, 54).

La elección de Ricote sirve a Cervantes para demostrar que no todos los moriscos eran apóstatas o descreídos, y para socavar así uno de los principales argumentos con que se justificó la expulsión [152]. Lo que Ricote busca no es la herejía, ni el retorno al mundo islámico, sino el lugar idóneo para practicar el cristianismo en libertad o para esperar sin angustias la luz de la verdadera fe, porque:

> ...yo sé cierto que la Ricota mi hija y Francisca Ricota mi mujer son católicas cristianas, y aunque yo no lo soy tanto, todavía tengo más de cristiano que de moro, y ruego siempre a Dios me abra los ojos del entendimiento y me dé a conocer cómo le tengo de servir (II, 54).

Cervantes derriba en este breve episodio otro de los mitos que una historia apologética ha tejido en torno a la expulsión: el de su pretendida popularidad. El decreto fue obra de unos pocos y nunca contó con las simpatías y el apoyo del resto de la población [153]: de ahí que los moriscos no estén solos el día del destierro, y que a sus lágrimas y lamentos se una, en muchos lugares, el desconsuelo de los cristianos que los ven marchar [154]. En el pueblo de Don Quijote las relaciones

---

[151] Véase A. Domínguez Ortiz y B. Vincent, *op. cit.,* págs. 177 y sigs.; y F. Márquez Villanueva, *op. cit.,* págs. 248-249.

[152] F. Márquez Villanueva, *ibíd.,* págs. 285, y 304 y sigs.

[153] *Ibíd.,* págs. 275-276; y A. Domínguez Ortiz y B. Vincent, *op. cit.,* pág. 169.

[154] Así vio Pedro de Valencia la expulsión: «¿Qué corazón christiano havría de haver que sufriere ver en los campos y en las playas, una tan grande muchedumbre de hombres y mugeres bauptizados y que dieren vozes a Dios y al mundo que eran christianos y lo querían ser, y les quitaban sus hijos y haciendas, por avaricia y por odio, sin oírlos, ni estar con ellos a juicio, y los enviaban a que se tornasen moros?» (F. Márquez

entre ambas comunidades son cordiales, y el episodio de la expulsión adquiere, según el relato de Sancho, perfiles trágicos:

> ...salió tu hija tan hermosa, que salieron a verla cuantos había en el pueblo, y todos decían que era la más bella criatura del mundo. Iba llorando y abrazada a todas sus amigas y conocidas, y a cuantos llegaban a verla, y a todos pedía la encomendasen a Dios y a Nuestra Señora su madre; y esto, con tanto sentimiento, que a mí me hizo llorar, que no suelo ser muy llorón. Y a fee que muchos tuvieron deseo de esconderla y salir a quitársela en el camino; pero el miedo de ir contra el mandato del Rey los detuvo. Principalmente se mostró más apasionado don Pedro Gregorio, aquel mancebo mayorazgo rico que tú conoces, que dicen que la quería mucho, y después que ella se partió, nunca más él ha parecido en nuestro lugar, y todos pensamos que iba tras ella para robarla; pero hasta ahora no se ha sabido nada (II, 54).

El destierro es doloroso porque los moriscos, aunque no acepten del todo la fe y las costumbres cristianas, se sienten españoles, y experimentan la pesadumbre de quien se ve obligado por la fuerza a abandonar su tierra:

> Doquiera que estamos lloramos por España: que, en fin, nacimos en ella y es nuestra patria natural; en ninguna parte hallamos el acogimiento que nuestra desventura desea; y en Berbería, y en todas partes de África donde esperábamos ser recebidos, acogidos y regalados, allí es donde más nos ofenden y maltratan (II, 54).

Efectivamente, al desembarcar en África muchos moriscos fueron despojados de sus bienes, maltratados y asesinados:

> Se sabe que en tierras de Tetuán [refiere Cabrera de Córdoba], han apedreado y muerto con otros géneros de martirios a algunos moriscos que no habían querido entrar en las mezquitas con los moros [155].

Villanueva, *op. cit.*, pág. 332). «Todos lloraban —escribe otro testigo— y no hubiera corazón que no enterneciera ver arrancar tantas casas y desterrar tantos cuitados, con la consideración de que iban muchos inocentes, como el tiempo ha mostrado» (cit. por A. Domínguez Ortiz y B. Vincent, *op. cit.*, pág. 189).

[155] *Ibíd.*, pág. 233, n. 18. El mismo Cabrera de Córdoba refiere: «Escribe el Conde de Aguilar, general de Orán, que es grande la cantidad de moriscos que se han quedado en aquella comarca, por el miedo que tienen de los alarbes si entran la tierra adentro;

El recuerdo del hogar perdido se vuelve obsesivo, y son muchos los que, aun a costa de sufrir los más terribles castigos, intentan regresar a su tierra. Jorge Mascarenhas conoció a un morisco al que preguntó si recordaba su patria:

> ...con lágrimas me dijo que era cristiano y que confiaba en Dios que había de morir en España [156].

Pedro de León refiere el caso de Luis López, morisco condenado en 1610:

> ...porque quebrantó el bando que dentro de treinta días se fuesen de España. Murió como muy buen cristiano y decía que más quería morir ahorcado en tierra de cristianos, que en su cama en tierra de moros [157].

Y así lo confirman las conmovedoras palabras del morisco Ricote:

> Doquiera que estamos lloramos por España... No hemos conocido el bien hasta que le hemos perdido; y es el deseo tan grande que casi todos tenemos de volver a España, que los más de aquellos (y son muchos) que saben la lengua como yo, se vuelven a ella, y dejan allá sus mujeres y sus hijos desamparados: tanto es el amor que la tienen; y agora conozco y experimento lo que suele decirse: que es dulce el amor de la patria (II, 54).

El amor entre Ana Félix y don Gaspar Gregorio, y el abrazo de Sancho y Ricote, son otras tantas manifestaciones de Cervantes en favor de la convivencia en paz de cristianos viejos y moriscos, y en contra de la absurda brutalidad con que se concluyó la expulsión. Ricote es la víctima inocente de ese espíritu intolerante, y por eso su nombre no está elegido al azar: el valle de Ricote, en la Vega del Segura, albergaba en 1609 a 2.500 moriscos sobre cuya sincera cristiandad no

---

porque los roban y maltratan y les quitan las mujeres, y así perecen de hambre y otras calamidades...» (*ibíd.*, pág. 238). Véase Martine Ravillard, «Los moriscos en Berbería», *NRFH*, XXX, 1981, págs. 617-629.

[156] En carta dirigida a Felipe III, el 4 de febrero de 1619 (*ibíd.*, págs. 236-237). Cabrera de Córdoba refiere, el 29 de junio de 1613: «Comenzaban a volverse muchos moriscos de la expulsión a los lugares de donde los habían echado, y se ha dado comisión al conde Salazar para el castigo de ellos...» (en J. Caro Baroja, *Los moriscos del Reino de Granada*, pág. 237, n. 1).

[157] *Grandeza y miseria en Andalucía*, pág. 546.

cabía la menor duda [158], pero que fueron, no obstante, incluidos en el decreto de expulsión. Cervantes elige precisamente el nombre de este valle murciano, escenario del último y el más lamentable capítulo del destierro, para bautizar a su personaje, a fin de recordarnos «toda la crueldad inútil de la expulsión de unos españoles por otros» y advertirnos «del torvo ensombrecerse del horizonte vital del país» [159].

«UN LABRADOR RIQUÍSIMO»

En el mundo rural castellano de aquellos años encontramos, junto a los trabajadores, moriscos y jornaleros, a los labradores que poseen una o más yuntas y cultivan tierras propias o tomadas en arriendo [160]. En la mayoría de los lugares de Castilla la Nueva los labradores representan un tercio, aproximadamente, de la población rural [161], y sus propiedades, gravadas con pesadas cargas, no sobrepasan por lo general el 25 ó 30 por ciento de la superficie cultivada [162]. Entre estos pequeños propietarios hay algunos que viven acosados por la pobreza y próximos a la condición de los jornaleros, pero otros gozan de un mediano pasar, y constituyen una sólida y laboriosa clase media rural. Dentro de esta categoría social podríamos incluir a Lorenzo Corchuelo, padre de Dulcinea, que cuenta con alguna hacienda y varios mozos que trabajan para él. Recordemos que su hija:

> ...se puso un día encima del campanario del aldea a llamar unos zagales suyos que andaban en un barbecho de su padre... (I, 25).

Aldonza Lorenzo ha de ayudar, no obstante, al sustento de la hacienda familiar, igual que Teresa Panza o cualquier labradora pobre,

---

[158]   A. Domínguez Ortiz y B. Vincent, *op. cit.,* págs. 198-199. Véase también, Antonio Oliver, «El morisco Ricote», ya citado.

[159]   F. Márquez Villanueva, *op. cit.,* pág. 256.

[160]   Noël Salomon, *La vida rural,* págs. 275 y sigs.

[161]   *Ibíd.,* pág. 278. El número de labradores debió de ser parecido en tierras de Castilla la Vieja: en la Bureba, al menos, según los datos reunidos por Francis Brumont, los labradores constituyen en 1586, un poco más de la tercera parte de la población (35 %) de la comarca (*op. cit.,* pág. 214).

[162]   Noël Salomon, *op. cit.,* pág. 180.

con el trabajo de sus manos: el narrador o Sancho nos la pintan «rastrillando lino o trillando en las eras» (I, 25), y «ahechando dos hanegas de trigo en el corral de su casa» (I, 31). Otro labrador medianamente rico es Bartolomé Carrasco, padre del Bachiller, que tiene algunos trabajadores a su servicio, Sancho entre ellos, y puede dar a su hijo estudios universitarios (II, 28).

Sólo un pequeño grupo de propietarios rurales logró elevarse sobre la masa de cultivadores y alcanzar una posición acomodada: se trata de los campesinos ricos [163], sector reducido y poderoso del estado de los labradores —un 5 por 100 aproximadamente de la población rural [164]—, que llegó a constituir una auténtica oligarquía del campo, equiparable a la nobleza de sangre. La existencia histórica de estos personajes, dueños de un considerable caudal y de extensas propiedades, está atestiguada en numerosos documentos. En las *Relaciones* de *Daimiel* (Ciudad Real), se explica, por ejemplo, que la elección de alcaldes se hace:

...por cinco años tomando para la dicha eleción votos de regidores e diez clérigos y de diez hijosdalgo y de veinte labradores ricos, pecheros, y de otros veinte pobres... [165].

Un embajador veneciano, Leonardo Leonato, observó en 1583 que:

...especialmente en Andalucía se encuentran muchos labradores ricos, propietarios de tierras, ganados, dinero... [166].

Y en las *Cortes,* reunidas en Madrid en 1624:

El señor Alonso Sánchez Hurtado propuso y dijo que, como es notorio, los lugares que llaman de Mancha, que son los del priorato de San Juan, sustentan con su labrança y criança mucha parte de estos Reinos, así por

---

[163] Véase Noël Salomon, «Sobre el tipo de labrador rico en el *Quijote*», *Beiträge zur Romanischen Philologie,* Berlín, 1967, págs. 105-113; y E. H. Templin, *op. cit.,* páginas 45 y sigs.

[164] Noël Salomon, *La vida rural castellana,* pág. 287.

[165] C. Viñas Mey y Ramón Paz, *Relaciones, Ciudad Real,* pág. 234.

[166] Cit. por Noël Salomon, «Sobre el tipo de labrador rico», pág. 109.

la fertilidad de las tierras como por los grandes y caudalosos labradores que hay en ellas... [167].

Don Quijote encuentra, ya en su primera salida, a uno de estos acaudalados campesinos manchegos: es Juan Haldudo el rico, un labrador, vecino de Quintanar de la Orden [168], que maltrataba al mozo encargado de vigilar uno de sus rebaños (I, 4). Riquísimo es también Andrés Perlerino, labrador natural de Miguelturra, del que Sancho oyó hablar durante su gobierno (II, 47). Ganaderos ricos son el padre de la pastora Torralba (I, 20), y un personaje que declara ante el gobernador de la ínsula Barataria (II, 45).

El enorme caudal de estos labradores, superior al de muchos hidalgos, contribuye a derribar las barreras sociales, tira por tierra muchos prejuicios, y facilita los lazos matrimoniales entre familias de nacimiento desigual. Recordemos, por ejemplo, la historia de Grisóstomo, un hidalgo rural que había heredado, al morir su padre:

> ...mucha cantidad de hacienda, ansí en muebles como en raíces, y en no pequeña cantidad de ganado, mayor y menor, y en gran cantidad de dineros (I, 12).

En el mismo lugar donde vive este adinerado hidalgo:

> ...hubo un labrador aún más rico que el padre de Grisóstomo, el cual se llamaba Guillermo, y al cual dio Dios, amén de las muchas y grandes riquezas, una hija *(ibíd.).*

Marcela es el nombre de esta joven, que heredó, junto a la cuantiosa hacienda familiar, toda la perfección y belleza de su madre. Los mozos que la solicitan son muchos, porque:

---

[167] *Actas,* XL, pág. 298. Cfr.: «Convidóle a hacer colación un labrador rico, el cual tenía en su aposento detrás de la cama una tinajuela de arrope...» (Juan Rufo, *Las seiscientas apotegmas,* ed. cit., pág. 54). «Casóse un caballero pobre con una mujer rica, si rica se puede llamar para mujer una labradora vieja, fea y celosa...» *(ibíd.,* pág. 125).

[168] La localización geográfica del episodio refleja también una realidad histórica perfectamente comprobable: *Quintanar de la Orden* produce anualmente unas veinte mil fanegas de trigo, centeno y avena, quinientas de aceituna y cuarenta mil arrobas de vino. El pueblo tiene además importantes rebaños de ganado lanar, que dan a sus propietarios unas dos mil setecientas crías cada año. Entre los labradores y ganaderos del lugar hay algunos cuya hacienda se aproxima a los seis mil ducados. Véase el capítulo de las *Relaciones* dedicado a *Quintanar,* y N. Salomon, «Sobre el tipo del labrador rico», pág. 108.

...la fama de su mucha hermosura se extendió de manera, que así por ella como por sus muchas riquezas, no solamente de los de nuestro pueblo, sino de los de muchas leguas a la redonda, y de los mejores dellos, era rogado, solicitado e importunado su tío se la diese por mujer *(ibíd.).*

Pero Marcela decidió hacerse pastora «con las demás zagalas del lugar, y dio en guardar su mesmo ganado»; y desde entonces:

...no os sabré buenamente decir cuántos ricos mancebos, hidalgos y labradores, han tomado el traje de Grisóstomo y la andan requebrando por esos campos *(ibíd.).*

En Andalucía, como en la Mancha, hay ricos y poderosos labradores. La villa de *Osuna,* por ejemplo:

...es una de las mejores del Andalucía, y tiene labradores muy ricos que cogen en ella mucha cantidad de trigo, cebada y aceite... [169].

Vasallos de un grande de España —probablemente el Duque de Osuna—, y vecinos de una importante ciudad andaluza, son los padres de Dorotea, labradores riquísimos y muy honrados, a quienes la hacienda y buen trato van poco a poco igualando con los que descienden de sangre ilustre:

Ellos son, en fin, labradores, gente llana, sin mezcla de alguna raza mal sonante y, como suele decirse, cristianos viejos ranciosos; pero tan ricos, que su riqueza y magnífico trato les va poco a poco adquiriendo nombre de hidalgos, y aun de caballeros (I, 28).

Dorotea, hija del matrimonio, es la encargada de administrar el extenso patrimonio familiar con «un verdadero sentido burgués de la propiedad estricta» [170]:

...del mismo modo que yo era señora de sus ánimos, ansí lo era de su hacienda: por mí se recebían y despedían los criados; la razón y cuenta de lo que se sembraba y cogía pasaba por mi mano; los molinos de aceite, los lagares del vino, el número del ganado mayor y menor, el de las colmenas. Finalmente, de todo aquello que un tan rico labrador como mi padre puede tener

[169] Agustín de Rojas Villandrando, *El viaje entretenido,* ed. cit., pág. 147.
[170] Noël Salomon, *op. cit.,* pág. 110.

> y tiene, tenía yo la cuenta, y era la mayordoma y señora, con tanta solicitud
> mía y con tanto gusto suyo, que buenamente no acertaré a encarecerlo (I, 28).

La belleza, limpia sangre y enorme fortuna autorizan a Dorotea, igual que a Marcela, a no temer dificultades para elegir marido:

> ...ellos me casarían luego con quien yo más gustase, así de los más principa-
> les de nuestro lugar como de todos los circunvecinos, pues todo se podía
> esperar de su mucha hacienda y de mi buena fama *(ibíd.)*.

Cuando don Quijote, después de su segunda salida, volvía a su pueblo escoltado por sus acompañantes, conoció a un cabrero que le habló de:

> ...una aldea que, aunque pequeña, es de las más ricas que hay en todos
> estos contornos; en la cual había un labrador muy honrado, y tanto, que
> aunque es anexo al ser rico el ser honrado, más lo era él por la virtud que
> tenía que por la riqueza que alcanzaba (I, 51).

Leandra, la hija de este labrador rico, se hallaba, antes de dejarse seducir por las arrogantes galas de Vicente de la Roca, en las mismas condiciones que Marcela y Dorotea para tomar esposo:

> La riqueza del padre y la belleza de la hija movieron a muchos, así del
> pueblo como forasteros, a que por mujer se la pidiesen; mas él, como a
> quien tocaba disponer de tan rica joya, andaba confuso, sin saber determi-
> narse a quién la entregaría de los infinitos que le importunaban *(ibíd.)*.

Pero la hacienda de estos villanos debía ser escasa en comparación con la de Camacho, el labrador manchego considerado por sus vecinos como «el más rico de toda esta tierra» (II, 19). Su boda está próxima, y la prometida, Quiteria, es la labradora «más hermosa que han visto los hombres»; aunque, en este caso, son las riquezas del novio las que facilitan un enlace entre dos linajes desiguales:

> ...aunque algunos curiosos que tienen de memoria los linajes de todo el mun-
> do quieren decir que el de la hermosa Quiteria se aventajaba al de Camacho;
> pero ya no se mira en esto: que las riquezas son poderosas de soldar muchas
> quiebras (II, 19).

Con su enorme fortuna, Camacho puede organizar:

> ...una de las mejores bodas y más ricas que hasta el día de hoy se habrán
> celebrado en la Mancha, ni en otras muchas leguas a la redonda *(ibíd.)*.

Para el convite con el que se obsequia a los invitados, el novio
ha mandado preparar un novillo asado, seis ollas como seis tinajas,
una muralla de quesos, vinos generosos, frutas de sartén, e incontables
carneros, liebres, gallinas y pájaros:

> Los cocineros y cocineras pasaban de cincuenta, todos limpios, todos dili-
> gentes y todos contentos. En el dilatado vientre del novillo estaban doce
> tiernos y pequeños lechones, que, cosidos por encima, servían de darle sabor
> y enternecerle. Las especias de diversas suertes no parecía haberlas comprado
> por libras, sino por arrobas, y todas estaban de manifiesto en una grande
> arca. Finalmente, el aparato de la boda era rústico; pero tan abundante,
> que podía sustentar a un ejército (II, 20).

Pero la ropa y los adornos que luce Quiteria son, seguramente,
la prueba más clara de la riqueza de los contrayentes:

> —A buena fe que no viene vestida de labradora, sino de garrida palacie-
> ga. ¡Pardiez, que según diviso, que las patenas que había de traer son ricos
> corales, y la palmilla verde de Cuenca es terciopelo de treinta pelos! ¡Y mon-
> tas que la guarnición es de tiras de lienzo blanco! ¡Voto a mí que es de
> raso! Pues ¡tomadme las manos, adornadas con sortijas de azabache! No
> medre yo si no son anillos de oro, y muy de oro, y empedrados con perlas
> blancas como una cuajada, que cada una debe de valer un ojo de la cara
> (II, 21).

A pesar de su apariencia hiperbólica, en la descripción de estas
bodas hay muy poca exageración: existen pueblos, como *Cobeña* (Madrid), en que, según las *Relaciones,* los vecinos se han endeudado para
pagar los gastos de sus casamientos:

> ...ha venido en gran perdimiento y diminución esta dicha villa por los trajes
> que los vecinos de esta villa han usado y usan por los gastos excesivos que
> facen e vestidos que sacan cuando se desposan e casan, porque sacan gran
> número de joyas, como es plata labrada blanca y dorada y corales y paños
> finos y sedas de tal suerte que se ha visto sacar joyas algunas personas en
> más cantidad que valían todos los bienes que tenían, por donde esta villa

está cargada de mucho número de censos sobre sus haciendas... Ansimismo al tiempo que se casaban en las bodas había muy grandes y excesivos gastos de convites y banquetes, de que se seguía muy grande perdición por gastar como gastaban muy gran parte de sus haciendas sin ningún provecho... [171].

Y doña Oliva Sabuco creía necesario que se promulgase una ley para que los labradores y pastores:

...no puedan tomar fiado sedas ni paños para casamiento, porque después el mercader les vende los mismos vestidos, y para acabarse de pagar les vende los bueyes; que si las sedas y otros superfluos se quitasen, no habría pobres en las repúblicas [172].

En las tierras de Aragón que forman el estado de los Duques, hay, igual que en la Mancha, varios labradores acaudalados: uno de ellos es el hombre que comparece ante Sancho Panza, durante el gobierno de la Barataria, «vestido de ganadero rico» (II, 45); otro es el burlador de la hija de doña Rodríguez, un mozo que, gracias a las riquezas de su padre, logra la más absoluta impunidad:

En resolución, desta mi muchacha [explica doña Rodríguez] se enamoró un hijo de un labrador riquísimo que está en una aldea del Duque mi señor, no muy lejos de aquí. En efecto, no sé cómo ni cómo no, ellos se juntaron, y debajo de la palabra de ser su esposo, burló a mi hija, y no se la quiere cumplir; y aunque el Duque mi señor lo sabe, porque yo me he quejado a él, no una, sino muchas veces, y pedídole mande que el tal labrador se case con mi hija, hace orejas de mercader y apenas quiere oírme; y es la causa que como el padre del burlador es tan rico, y le presta dineros, y le sale por fiador de sus trampas por momentos, no le quiere descontentar ni dar pesadumbre en ningún modo (II, 48).

«NIETOS QUE SE LLAMEN SEÑORÍA»

La aparición de una clase social como la de los villanos ricos, que poseía un sólido poder económico desligado de la propiedad territorial

---

[171] C. Viñas Mey y Ramón Paz, *Relaciones, Madrid,* págs. 182-183.
[172] Oliva Sabuco, *Coloquio de las cosas que mejoran este mundo y sus repúblicas,* BAE, LXV, pág. 374.

feudal, podría haber creado las condiciones para una auténtica transformación del orden estamental [173]. Pero, en la España de 1600, la
burguesía de los primeros años del siglo XVI estaba ya definitivamente
ausente, la alta nobleza parece haber consolidado su poder absoluto,
y los labriegos ricos con deseos de promoción social no tendrán otra
vía para el ascenso que la entrada en las filas de la clase aristocrática [174].

El villano rico desea ser noble porque apetece las ventajas, el lustre
y la consideración social que proporciona la hidalguía. El ahogo financiero de la Corona, que se vio obligada a vender ejecutorias, señoríos
y títulos, se unió al deseo de ennoblecimiento de estos pecheros, y
muchos aprovecharon la oportunidad para entrar por la puerta falsa
en el estamento noble. En las Cortes de 1618 se elevaron protestas
contra la venta de privilegios, y:

> Vióse una condición que traen ordenada los caballeros comisarios de las
> condiciones, que es nueva y trata de que no se vendan privilegios de hidal-
> guías ni en otra forma, que es como se sigue: «Que atento el daño que
> sienten los pobres labradores de la venta de hidalguías mediante la cual se
> exentan los ricos de la paga de los pechos y tributos y cae toda la carga
> de ellos sobre los pobres, S. M. no pueda vender, donar, ni hacer merced
> por vía de declaración, ni en otra manera alguna de privilegio de hidalguía
> para que lo goce ninguna persona en estos reinos» [175].

Aunque la venta de hidalguías debió estar, según se deduce de este
testimonio, muy extendida, el camino más rápido y cómodo para alcanzar la nobleza, es el matrimonio con el miembro de una familia
hidalga. Fray Juan Benito Guardiola advertía, en este sentido, que:

> La muger del mercader, que casa a su hija con cauallero, y el rico labra-
> dor que consuegra con algún hidalgo, digo y affirmo, que ellos metieron
> en su casa vn pregonero de su infamia, vna polilla para su hazienda, vn
> atormentador de su fama, y aun abreuiador de su vida [176].

---

[173] En Inglaterra, por ejemplo, durante la revolución de 1640, el campesino libre
(yeoman) fue uno de los principales aliados del ejército de Cronwell (Maurice Dobb,
Estudios sobre el desarrollo del capitalismo, Buenos Aires, Edit. Siglo XXI, 1972, pág. 206).

[174] Véase Noël Salomon, *Recherches sur le thème paysan*, págs. 780 y sigs.

[175] *Actas*, XXXII, pág. 52.

[176] *Op. cit.*, fol. 22.

Un interesante ejemplo de estos enlaces nos lo ofrece Cervantes en la primera parte del *Quijote:* Dorotea, a pesar de ser rica, honrada y hermosa, ha sido engañada por don Fernando y ve difícil que el burlador cumpla su promesa de matrimonio, aunque intuye, no obstante, en el momento de ceder a los ruegos de su enamorado, que la boda puede llegar a hacerse realidad:

> Yo, a esta sazón, hice un breve discurso conmigo, y me dije a mí mesma: «Sí, que no seré yo la primera que por vía de matrimonio haya subido de humilde a grande estado, ni será don Fernando el primero a quien hermosura, o ciega afición (que es lo más cierto), haya hecho tomar compañía desigual a su grandeza. Pues si no hago ni mundo ni uso nuevo, bien es acudir a esta honra que la suerte me ofrece, puesto que en éste no dure más la voluntad que me muestra de cuanto dure el cumplimiento de su deseo; que, en fin, para con Dios seré su esposa» (I, 28).

Dorotea razona como los personajes de los dramas coetáneos [177], y funda sus esperanzas en la riqueza de sus padres, en su mucha hermosura, y en la palabra de su seductor. Pero también la condición de segundón de don Fernando, por la que queda excluido de los derechos de mayorazgo, haría verosímil el enlace entre la sangre ilustre de un grande y el grueso caudal de una familia humilde [178].

También los estudios universitarios, o la carrera de las armas, proporcionan al hijo de una familia labradora la posibilidad de subir algunos escalones dentro de la jerarquía social, o de lograr una existencia cómoda en la Iglesia, los tribunales o la burocracia del Estado [179], en una época en que, incluso para un labrador acomodado, la agricultura no era un medio seguro de vida. Un viajero inglés observaba, a principios del siglo XVII, que:

> ...la falta de hombres en España hace que la tierra se quede sin cultivar... y la causa es en parte el orgullo de la gente, que alimenta ambiciones superiores a su condición, y desdeña ser lo que nosotros llamamos labradores o campesinos, si tiene la esperanza de ponerse, mediante la espada o la toga, al mismo nivel que cualquier otro compatriota suyo [180].

---

[177] Véase más adelante, pág. 222.

[178] N. Salomon, «Sobre el tipo de labrador rico», pág. 112.

[179] Sobre juristas de origen campesino puede verse: Jean Marc Pelorson, *Les letrados,* págs. 241 y sigs.; y Ludovik Osterc, *op. cit.,* págs. 102 y sigs.

[180] En Patricia Shaw Fairman, *op. cit.,* pág. 155.

Las facultades de leyes preparan a los futuros servidores de la maquinaria judicial y administrativa del Estado. La Iglesia, por su parte, acoge a los segundones y bastardos de familias nobles en sus puestos más altos, a los hidalgos, mercaderes y campesinos ricos, en los empleos intermedios, y a los hijos de los labradores pobres y de los artesanos entre el bajo clero regular y secular:

> ...personas que más se entran huyendo de la necesidad, y con el gusto y dulzura de la ociosidad, que por la devoción que a ello les mueve [181].

En las Cortes de 1617, el doctor Cristóbal Pérez de Herrera solicitó:

> ...que se mire cómo se remediará no entren en religión o se hagan clérigos tanto número de gente ordinaria, hijos de labradores y de oficiales mecánicos que, dejando las obligaciones y ministerios de sus padres, estudian o se hacen religiosos o se ordenan [182].

Y Lope de Deza denunciaba:

> Quitan muchos moços robustos a la Agricultura las vniuersidades de leyes donde son muchos los que acuden, y siendo sus padres labradores, ellos se crían allí afeminadamente, riéndose ellos después de las comidas, y trages de sus casas, pareciéndoles a ellos que han medrado en salir de aquella virtuosa rusticidad que da de comer a todos... [183].

Las *Relaciones* se refieren a algunos hijos de labradores que han destacado en letras. En *Santa María del Campo* (Cuenca), por ejemplo:

---

[181] *Consulta del Consejo Supremo de Castilla,* BAE, XXV, pág. 455.

[182] En Américo Castro, *La realidad histórica de España,* México, Edit. Porrúa, 1962, página 296. El franciscano Luis de Miranda lamenta en un *Memorial* dirigido al rey: «... la grande falta de gente que hay en nuestra España para el comercio... y que no haya quien labre las tierras, cultive las viñas y heredades, por haberse acogido a sagrado (como dicen) los que podían trabajar... todo para tener por este camino una vida honrada» (*ibíd.,* págs. 296-297).

[183] *Op. cit.,* fol. 26. Cfr.: «Viendo pues los Españoles quán importantes, y necessarias son estas ciencias, quán honradas son en España, los primores en que se hallan, los premios que tienen de tanta calidad y renta, casi todos las estudian ya, hasta el más pobre oficial, y labrador desde muy niños encaminan a sus hijos a los estudios dellas» (Fray Benito de Peñalosa, *op. cit.,* fol. 52).

...hay de presente un hombre, llamado por su nombre el dotor Andrés Martínez de Campos, dotor en Santa Teología, catedrático de la insigne universidad de Alcalá, el cual está tenido por hombre de muchas letras, aunque
mozo de edad de poco más de treinta años, hijo de un hombre particular,
labrador de esta villa... [184].

Y aunque el estudiante ha de padecer, igual que el soldado, hambre, frío, desnudez, falta de camisas y no sobra de zapatos (I, 37),
varios personajes cervantinos han sustituido la labranza por los estudios universitarios y la carrera eclesiástica: el Bachiller Sansón Carrasco era hijo de un labrador a quien servía Sancho Panza; la Pastora
Marcela quedó, al morir su padre:

...muchacha y rica, en poder de un tío suyo sacerdote y beneficiado en nuestro lugar (I, 12).

Teresa informa en la carta que envía a su marido:

El hijo de Pedro Lobo se ha ordenado de grados y corona, con intención
de hacerse clérigo (II, 52).

Y el campesino manchego al que recibe Sancho durante el gobierno
de la ínsula Barataria, explica:

Yo, señor, soy labrador, natural de Miguelturra, un lugar que está dos
leguas de Ciudad Real... tengo dos hijos estudiantes, que el menor estudia
para bachiller y el mayor para licenciado... (II, 47).

La sociedad de 1600 no era, por lo que muestran estos testimonios,
un mundo completamente inmóvil. Los individuos menos favorecidos,
aunque carezcan de un proyecto coherente de transformación social,
tratan de romper los estrechos límites del orden estamental, e intentan
mejorar su suerte ocupando puestos hasta entonces reservados a personas de sangre noble. Esta ascensión económica y social de los villanos
ricos, aunque no tenga caracteres revolucionarios, no se ajusta tampo-

---

[184]   Eusebio J. Zarco Bacas y Cuevas, *Relaciones de los pueblos del obispado de
Cuenca hechas por orden de Felipe II,* Cuenca, Biblioteca Diocesana Conquense, volúmenes I y II, 1927, vol. I, pág. 273.

·co a los rígidos cuadros de la sociedad medieval [185], y contribuye, en muchos lugares, a demoler los privilegios de los hidalgos de viejo cuño, y a transformar de manera radical el régimen de vida y los esquemas mentales de las gentes del campo. Las decisiones de un duque pueden estar ahora sometidas a los deseos de un labriego acaudalado, que «le presta dineros, y le sale por fiador de sus trampas por momentos» (II, 48); los villanos empadronan a los nobles como pecheros o se adueñan del gobierno municipal [186]; don Quijote, hidalgo de solar conocido, es el hazmerreír de sus vecinos desde que:

> ...se ha puesto *don* y se ha arremetido a caballero con cuatro cepas y dos yugadas de tierra, y con un trapo atrás y otro adelante (II, 2).

A los padres de Dorotea, en cambio, a pesar de ser villanos:

> ...su riqueza y magnífico trato les va poco a poco adquiriendo nombre de hidalgos, y aun de caballeros (I, 28).

Sancho Panza, en fin, por el hecho de ser labriego, puede exhibir con orgullo sus «cuatro dedos de enjundia de cristianos viejos» (II, 4); mientras que el pobre hidalgo tiene que comer «duelos y quebrantos los sábados», para que nadie ponga en duda la limpieza de su sangre [187].

La alteración que todo ello produce en los viejos esquemas y doctrinas, y la amenaza que representa para la existencia misma del orden estamental, parece evidente. De ahí que, para asegurar la supervivencia del vigente sistema de poder, se haga preciso integrar estos cambios dentro de las jerarquías tradicionales, y convertir a los villanos que han conquistado la nobleza, en defensores fieles del orden inconmovible de los estamentos: para ello se requiere una amplia labor de propaganda, en la que el teatro llegará a ser un elemento fundamental [188].

---

[185] José Antonio Maravall, *Teatro y literatura en la sociedad barroca,* Madrid, Seminarios y Ediciones, 1972, pág. 46.
[186] Véase antes, cap. II, págs. 119-120.
[187] Véase cap. IV, págs. 272 y sigs.
[188] N. Salomon, *Recherches sur le thème paysan,* págs. 780 y sigs.; J. A. Maravall, *Teatro y literatura,* págs. 73 y sigs.; J. M. Díez Borque, *op. cit.,* págs. 254 y sigs, 309 y sigs.

El labrador, que aparecía como personaje cómico en el teatro pre-lopista, se convierte, bajo la figura barroca del villano rico, en el héroe de algunas comedias de Lope y sus seguidores. Los dramaturgos alaban la riqueza increíble de estos labriegos [189] y la paciente labor con que hacen crecer sus cosechas, y convierten al villano en un modelo ejemplar de sumisión, modestia y lealtad. Pero los deseos de ennoblecimiento de muchos pecheros son evidentes, y el teatro, al no poder soslayarlos, intentará armonizar los elementos de cambio que se manifiestan en la sociedad rural, y los deseos de medro del labriego rico, con una concepción conservadora del orden social, a fin de lograr un equilibrio entre el proceso histórico real y las normas feudales de distinción entre nobles y plebeyos [190]. El tema del enlace entre un señor y una labradora, por ejemplo, aparece planteado con cierta frecuencia en la comedia. La aldeana y su consejera piensan:

> BELISA: No es imposible tu amor
>   Como título no sea.
> LISARDA: Púedele mi padre dar
>   De dote cien mil ducados.
> BELISA: Ducados hacen ducados;
>   Con duque te han de casar [191].

Y el caballero argumenta:

> Pero tampoco seré
> El primer noble que esposa
> Llame a una aldeana hermosa:
> Ni mi sangre afrentaré;
> Que al fin es cristiana vieja
> De todos cuatro costados [192].

---

[189] Noël Salomon, *op. cit.*, págs. 275 y sigs. Cfr.: «Pero si cuando del cielo / En copos la nieve baja, / No cubre más destos montes / Que con las guedejas blancas / Vuestro ganado menor; / Y si de ovejas y cabras / Parecen los prados pueblos, / Y yerbas y agua les falta; / Si tenéis de plata y oro / Tantos cofres, tantas arcas, / Y tiran cien hombres sueldo / De vuestra familia y casa...» (Lope de Vega, *Los Tellos de Meneses,* primera parte, BAE, XXIV, pág. 512). «Es espantosa su riqueza. / Tiene de su labor más de cien hombres, / Ochenta bueyes y cincuenta mulas» (*El villano en su rincón,* BAE, XXXIV, pág. 140).

[190] Noël Salomon, *op. cit.*, pág. 804.

[191] Lope de Vega, *El villano en su rincón,* BAE, XXXIV, pág. 139.

[192] Tirso de Molina, *La Villana de la Sagra,* BAE, V, pág. 314.

Los villanos defienden, en fin, su legítimo derecho a la prosperidad, el respeto y la elevación social:

> Carece de entendimiento
> (Perdóname, padre, ahora),
> Quien en algo no mejora
> Su primero nacimiento [193].
>
> Por dicha en el mundo ¿es nuevo
> Que quien tiene hacienda emprenda
> Ser algo más de lo que es?
> (...)
> El que su casa no aumenta
> Y la deja como estaba,
> No es hombre digno de honor,
> Antes de perpetua infamia [194].

Junto a estas opiniones, la comedia recoge el inmovilismo y el apego a la tradición de los labradores de más edad, que arguyen:

> ¡Ay, Tello! la perdición
> De las repúblicas causa
> El querer hacer los hombres
> De sus estados mudanza.
> (...)
> De aquí nace aquella mezcla
> De cosas altas y bajas,
> Que los matrimonios ligan,
> Con que sangres y honras andan
> Revueltas; de aquí los pleitos,
> Las quejas y las espadas [195].

El teatro acepta los desplazamientos que se han venido produciendo desde la centuria anterior, a fin de demostrar el carácter excepcional de los mismos, y suscitar así la adhesión de los nuevos nobles al sistema social que ha hecho posibles cambios tan afortunados [196]. El

---

[193] *El villano en su rincón,* loc. cit., pág. 150.
[194] *Los Tellos de Meneses,* loc. cit., pág. 512.
[195] *Ibíd.*
[196] J. A. Maravall, *Teatro y literatura,* pág. 63.

labrador logra hacerse caballero porque, con su conducta honrada y
leal, ha probado poseer las cualidades propias de un noble: honor,
riqueza y limpia sangre; y el rey, que simboliza la autoridad indiscutible y la dignidad máxima, puede conceder los privilegios de la hidalguía a un villano dotado de virtudes tan extraordinarias, sin poner
en peligro el orden tradicional.

Sancho Panza, que sólo es un pobre jornalero harto de su triste
condición, se comporta a veces como los villanos ricos que vivían des-
lumbrados por los valores nobiliarios y deseaban usar su riqueza para
medrar en una sociedad de jerarquías inflexibles. Ya al poco tiempo
de empezar a servir a don Quijote, Sancho queda encandilado con
la posibilidad de verse gobernador de una ínsula, o de recibir:

> ...algún título de conde, o, por lo mucho, de marqués, de algún valle o
> provincia de poco más a menos (I, 7).

Desde aquel momento, el escudero acompaña a su señor:

> ...sobre su jumento como un patriarca, con sus alforjas y bota, con mucho
> deseo de verse ya gobernador de la ínsula que su amo le había prometido *(ibíd.).*

Y afirma ante la ventera:

> Verdad es que si mi señor don Quijote sana desta herida o caída y yo
> no quedo contrecho della, no trocaría mis esperanzas con el mejor título
> de España (I, 16).

La fortuna que Sancho piensa acumular durante su gobierno, será,
igual que para muchos villanos ricos, el mejor certificado con que obtener la nobleza:

> ...de cuyo dinero podré comprar algún título, o algún oficio, con que vivir
> descansado todos los días de mi vida (I, 29).

Con la riqueza y el buen nombre que el cabeza de familia está
labrando en sus correrías escuderiles, la segunda generación de Panzas
se encuentra en condiciones de abandonar definitivamente el campo
y alcanzar puestos elevados en la escala social. A Mari Sancha se la
reserva, igual que a cualquier labradora rica, para un matrimonio
ventajoso:

...tengo de casar, mujer mía, a Mari Sancha tan altamente, que no la alcancen sino con llamarla señora (II, 5).

Sanchico cursará estudios y llegará a clérigo:

> Advertid que Sanchico tiene ya quince años cabales, y es razón que vaya a la escuela, si es que su tío el abad le ha de dejar hecho de la Iglesia (II, 5).

Y el propio Sancho sueña a veces con lograr los mismos éxitos que desea para sus hijos: medrar a la sombra de la Iglesia o casarse con una dama de sangre ilustre:

> —Señores, si la fortuna rodease las cosas de manera que a mi amo le viniese en voluntad de no ser emperador, sino de ser arzobispo, querría yo saber agora: ¿qué suelen dar los arzobispos andantes a sus escuderos?
>
> —Suélenles dar —respondió el Cura— algún beneficio, simple o curado, o alguna sacristanía, que les vale mucho de renta rentada, amén del pie de altar, que se suele estimar en otro tanto (I, 26).
>
> ...se había de poner en camino a procurar cómo ser emperador, o, por lo menos, monarca; que así lo tenían concertado entre los dos, y era cosa muy fácil venir a serlo, según era el valor de su persona y la fuerza de su brazo; y que en siéndolo, le había de casar a él, porque ya sería viudo, que no podía ser menos, y le había de dar por mujer a una doncella de la Emperatriz, heredera de un rico y grande estado de tierra firme... *(ibíd.).*
>
> ...casa a su escudero con una doncella de la Infanta... que es hija de un duque muy principal.
>
> —Eso pido y barras derechas —dijo Sancho (I, 21).

Trastornado por esta arrolladora fiebre de riqueza y honores, y guiado por la fe ciega que ha depositado en su señor, Sancho despliega ante su incrédula esposa un amplio panorama de prosperidad y éxito:

> —Ven acá, bestia y mujer de Barrabás —replicó Sancho—; ¿por qué quieres tú ahora, sin qué ni para qué, estorbarme que no case a mi hija con quien me dé nietos que se llamen *señoría?*.
>
> Mira, Teresa: siempre he oído decir a mis mayores que el que no sabe gozar de la ventura cuando le viene, que no se debe quejar si se le pasa (...).
>
> —Y cásese Mari Sancha con quien yo quisiere, y verás como te llaman a ti *doña Teresa Panza*, y te sientas en la iglesia sobre alcatifa, almohadas y arambeles, a pesar y despecho de las hidalgas del pueblo. ¡No, sino estaos siempre en un ser, sin crecer ni menguar, como figura de paramento! (II, 5).

Sancho es partidario, a lo que parece, de la promoción individual de los plebeyos más afortunados, y razona como los campesinos jóvenes que, en las comedias, oponen sus deseos de ennoblecimiento al espíritu conservador de los mayores [197]. Teresa representa, por el contrario, igual que algunos labradores que aparecen en la escena [198], la voz de la sumisión, y la aceptación resignada de la pobreza y la dependencia:

> —Medíos, Sancho, con vuestro estado —respondió Teresa—; no os queráis alzar a mayores, y advertid al refrán que dice: «Al hijo de tu vecino, límpiale las narices y métele en tu casa».
> (...)
> Siempre, hermano, fui amiga de la igualdad, y no puedo ver entonos sin fundamentos. Teresa me pusieron en el bautismo, nombre mondo y escueto, sin añadiduras ni cortapisas, ni arrequives de *dones* ni *donas*... y no quiero dar que decir a los que me vieren andar vestida a lo condesil o a lo de gobernadora, que luego dirán: «¡Mirad qué entonada va la pazpuerca! Ayer no se hartaba de estirar de un copo de estopa, y iba a misa cubierta la cabeza con la falda de la saya, en lugar de manto, y ya hoy va con verdugado, con broches y con entono, como si no la conociésemos» *(ibíd.).*

Pero cuando Teresa recibe la carta de la Duquesa, y se convence de que los éxitos que su marido está cosechando no son quimeras ni vanidades, da un radical giro a sus convicciones, y se deja arrastrar entusiasmada por los desorbitados deseos de «entonos sin fundamentos» que hasta entonces había criticado:

> ...cuando te dieren la vaquilla, corre con soguilla; cuando te dieren un gobierno, cógele; cuando te dieren un condado, agárrale; y cuando te hicieren tus, tus, con alguna buena dádiva, envásala. ¡No, sino dormíos, y no respondáis a las venturas y buenas dichas que están llamando a la puerta de vuestra casa! (II, 50).

Locas de alegría, y dispuestas a dar una lección a las estiradas hidalgas del pueblo, Teresa y Sanchica se imaginan libres ya de la esclavitud del campo, envidiadas de conocidos y extraños, y orgullosas como la más fatua señora de la Corte:

---

[197] Véanse, antes, las págs. 222-223.
[198] *Ibíd.*

—Y ¡como madre! —dijo Sanchica—. Pluguiese a Dios que fuese antes hoy que mañana, aunque dijesen los que me viesen ir sentada con mi señora madre en aquel coche: «¡Mirad la tal por cual, hija del harto de ajos, y cómo va sentada y tendida en el coche, como si fuera una papesa!» Pero pisen ellos los lodos, y ándeme yo en mi coche, levantados los pies del suelo. ¡Mal año y mal mes para cuantos murmuradores hay en el mundo; y ándeme yo caliente, y ríase la gente! ¿Digo bien, madre mía? *(ibíd.).*

Pero los Panza fracasan, y sus sueños se transforman pronto en humo que lleva el viento. Ni don Quijote, pobre hidalgo con un trapo atrás y otro adelante, consigue escapar del tedio de la aldea y hacerse caballero; ni Sancho, jornalero encadenado a la tierra y sujeto a un corto salario, logra ninguna de las quimeras que le rondan en la cabeza. La historia de Sancho concluye, tras la burla de los Duques y el desastroso final del gobierno de la ínsula Barataria, con el desengaño y el fracaso al que irremisiblemente se ven empujadas las gentes humildes que, deslumbradas por el señuelo de unos falsos valores y una imposible manumisión individual, han soñado prosperar en una sociedad inmóvil, regida por un puñado de aristócratas ociosos, y fortalecida con el apoyo y la ascensión de unos cuantos villanos acaudalados. Sancho vuelve a su aldea cabizbajo, pero con la lección bien aprendida: que ha de conocerse el hombre a sí mismo y buscar en su interior la razón de su existencia [199]; y, sobre todo, que no se debe medir a los hombres por su cuna o sus riquezas, sino por su capacidad de ejercitar la virtud, obrar con justicia y hacer el bien:

> Haz gala, Sancho, de la humildad de tu linaje, y no te desprecies de decir que vienes de labradores; porque viendo que no te corres, ninguno se pondrá a correrte, y préciate más de ser humilde virtuoso que pecador soberbio. Innumerables son aquellos que de baja estirpe nacidos, han subido a la suma dignidad pontificia e imperatoria; y desta verdad te pudiera traer tantos ejemplos, que te cansaran. Mira, Sancho: si tomas por medio a la virtud y te precias de hacer hechos virtuosos, no hay para qué tener envidia a los que los tienen príncipes y señores; porque la sangre se hereda, y la virtud se aquista, y la virtud vale por sí sola lo que la sangre no vale (II, 42).

---

[199] Véase más adelante, cap. V, págs. 311 y sigs.

Capítulo IV

HONOR Y LIMPIEZA DE SANGRE

«HONOR» Y «OBLIGACIONES»

José Antonio Maravall, siguiendo a Max Weber, ha definido la sociedad estamental como «una organización social de acuerdo con el honor y un modo de vivir según las normas correlativas a esa organización» [1]. El honor es, en efecto, un importantísimo mecanismo ideológico de la sociedad tradicional: funciona como factor de cohe-

---

[1] José Antonio Maravall, *Poder, honor y élites,* pág. 22. La crítica tradicional ha tratado de delimitar y diferenciar los conceptos de *honor* y *honra.* Américo Castro distinguió, por ejemplo, entre el sentimiento de la honra y el concepto del honor («Algunas observaciones acerca del concepto del honor en los siglos xvi y xvii», *RFE,* III, 1916, página 15). Años más tarde el propio Castro ha precisado: «No hubiera debido yo hablar de *concepto del honor* en 1916, sino de la vivencia de la *honra* y de su expresión dramática. El idioma distinguía entre la noción ideal y objetiva del «honor», y el funcionamiento de esa misma noción, vitalmente realizada en un proceso de vida. El honor *es,* pero la honra pertenece a alguien, actúa y se está moviendo en una vida. La lengua literaria distinguía entre el *honor* como concepto, y los *casos de honra*» (*De la edad conflictiva,* Madrid, Taurus, 1972, págs. 57-58). A. van Beysterveldt establece un paralelismo entre *ser-honor* y *estar-honra,* y concluye que, gracias a la distinción vigente en castellano entre *ser* y *estar,* era posible introducir una diferencia entre el aspecto permanente y transitorio de un mismo concepto (*Répercussions du souci de la «pureté de sang» sur la conception de l'honneur dans la «comedia nueva» espagnole,* Leiden, 1966, págs. 36-37). Para José Antonio Maravall, tal distinción no parece necesaria, pues lo más común es el uso indiferenciado de ambos términos (*Poder, honor y élites,* págs. 28-29); y a las mismas conclusiones ha llegado Claude Chauchadis en un trabajo reciente (*Honneur, morale et société dans l'Espagne de Philippe II,* Paris, C.N.R.S., 1984, páginas 7 y sigs.). Para Sebastián

sión social, conforma las conciencias, determina las conductas, impone
obligaciones, asigna al individuo la dignidad y estimación que socialmente le corresponden, y actúa como un auténtico principio constituti-
vo y organizador del sistema social tripartito vigente en la Europa del
Antiguo Régimen [2].

El noble, que hereda en la sangre las virtudes de sus antepasados,
y disfruta del poder, la riqueza y los privilegios propios de su categoría, posee también el honor en su más alto grado. El honor es, por
tanto, el reconocimiento y la reverencia que la sociedad otorga al individuo de linaje ilustre, o elevada posición, que responde adecuadamente a las obligaciones de su rango. La honra tiene, por ello, un doble
aspecto: supone, de un lado, la consideración de los superiores, el respeto de los iguales y la sumisión de los inferiores; e implica, además,
un conjunto de deberes y normas de conducta que el sujeto debe cumplir y observar si no quiere verse infamado. Es cierto que podrían
encontrarse ejemplos de un concepto democrático de la honra, entendi-
da como la dignidad innata en cada individuo, o identificada con la
gloria que un hombre, aunque sea plebeyo, puede alcanzar con sus
actos heroicos; pero, en sentido estricto, el único honor auténtico es
el del noble, y su posesión guarda relación directa con el rango social [3]. En el teatro, por ejemplo, el honor se presenta, salvo las ex-

---

de Covarrubias, en efecto, honor «vale lo mesmo que honra» (*Tesoro de la lengua,* pág.
696). Juan de Valdés advertía, por su parte, una diferencia insignificante entre ambos
términos: «*Humil,* por *humilde,* se dize bien en verso, pero parecería muy mal en prosa.
Lo mesmo digo de *honor,* por *honra*» (*Diálogo de la lengua,* ed. cit., págs. 123-124).
En las páginas que siguen, los dos términos, honor y honra, serán empleados como
sinónimos.

[2]   J. A. Maravall, *Poder, honor y élites,* págs. 23 y sigs.

[3]   En las *Siete Partidas* se dice que honra «... tanto quiere decir como adelanta-
miento señalado con loor, que gana hombre por razón del lugar que tiene, o por hacer
hecho conocido que hace, o por bondad que en él ha» (*ed. cit.,* pág. 194). Para Sebastián
de Covarrubias «honra vale reverencia, cortesía que se haze a la virtud, a la potestad;
algunas vezes se haze al dinero» (*Tesoro de la lengua,* pág. 697). Henry Méchoulan define
la honra como «la excelencia del noble reconocida por sus pares y fundamentada en
la virtud» (*El Honor de Dios. Indios, judíos y moriscos en el Siglo de Oro,* Barcelona,
Argos Vergara, 1981, pág. 116). Para Julian Pitt-Rivers, «honor es el valor de una persona a sus propios ojos, pero también a los ojos de su sociedad. Es su estimación de su
propio valor o dignidad, su *pretensión* al orgullo, pero es también el reconocimiento
de esa pretensión, su excelencia reconocida por la sociedad, su *derecho* al orgullo» («Ho-

cepciones que hemos de señalar [4], como patrimonio exclusivo de la
nobleza [5], y Moreno de Vargas señala que «hidalguía y honra es vna
misma cosa» [6].

La doctrina de la honra, como todas las representaciones de carácter ideológico, ayuda a santificar el orden establecido, y a hacer excel-
so y deseable todo aquello que, en la práctica, es socialmente ejercido
y aceptado [7]. El honor hace grande al noble e infame al plebeyo, contribuyendo así a perpetuar la situación de privilegio de los grupos dominantes; vincula la dignidad al rango, y el ser social del hombre a
la sanción de sus superiores jerárquicos; convierte las ideas comúnmente aceptadas en el espejo donde el individuo debe calibrar la validez de sus propios actos; y nos ofrece, en fin, una imagen invertida
y sublimada de la vida social.

El hombre es honrado en la medida en que participa de la dignidad, el poder y los privilegios del grupo. De esta forma, el honor establece una relación fuertemente solidaria entre los miembros del estamento privilegiado: asegura la solidez de la pirámide social, y crea
un vínculo estrecho entre los ideales colectivos y la conducta del indivi-

---

nor y categoría social», en J. G. Peristiany, *El concepto del honor en la sociedad mediterránea*, Barcelona, Edit. Labor, 1968, pág. 22). Arco y Garay considera que el honor
es «el poder y su reconocimiento por las gentes» (*op. cit.*, pág. 278). Juan Ignacio Gutiérrez Nieto explica la honra como «la participación o virtual participación en el patrimonio social del rango, parte de cuyo contenido lo constituyen la diversidad de cargos estimados socialmente» («La estructura castizo-estamental de la sociedad castellana del siglo
XVI», *Hispania*, n.º 125, 1973 (págs. 519-563) pág. 559). Para J. A. Maravall, el honor
es «resultado de una inquebrantable voluntad de cumplir con el modo de comportarse
a que se está obligado por hallarse personalmente con el privilegio de pertenecer a un
alto estamento» (*Poder, honor y élites*, pág. 32). Para Arlette Jouanna: «Etre noble,
c'est n'obéir qu'à l'honneur, c'est-à-dire chercher sans cesse à se conformer au modèle
honorable de conduite «vertueuse», collectivement reconnu comme tel, et gagner ainsi
l'estime et la réputation» (*op. cit.*, pág. 65). Claude Chauchadis, en fin, ha señalado:
«c'est dans leur application à l'ordre de la noblesse que les signifiants *honor* et *honra*
trouvent leur plus grande cohérence sémantique» (*op. cit.*, pág. 111 y sigs.).

[4] Véanse más adelante las págs. 272 y sigs.
[5] Véase Américo Castro, «Algunas observaciones...», págs. 21-22; Ramón Menéndez Pidal, «Del honor en el teatro español», en *De Cervantes y Lope de Vega*, páginas 145 y sigs.; J. M. Díez Borque, *Sociología de la comedia española*, págs. 297 y sigs.
[6] *Op. cit.*, fol. 8.
[7] Julian Pitt-Rivers, *op. cit.*, pág. 38.

duo, que se ve obligado a plasmar estos ideales en sus propios actos, y a asumir en cada momento el papel de protagonista del grupo al que pertenece [8]. Por eso el honor, según señaló Menéndez Pidal, es un bien social del que el individuo es simple depositario [9]: quien lo disfruta, aunque tenga que traicionar en ocasiones sus creencias y sentimientos más firmes, está obligado a aceptar y cumplir los penosos deberes que la conservación y defensa de ese patrimonio colectivo traen consigo, y a seguir una conducta acorde con el rango en que se halla situado.

El honor implica, por consiguiente, obligaciones [10]; y éstas son mucho más rígidas e inexcusables para el noble, porque se supone que en el bien nacido se manifiestan con más fuerza las exigencias de la buena sangre, y en él alcanza la honra su nivel más alto. De ahí que Salas Barbadillo afirme: «nobles son los que nacen con obligaciones» [11]; y Alonso Enríquez de Guzmán: «la buena sangre obliga a ser virtuoso» [12]. También el padre Nieremberg, al narrar un gesto de celo cristiano del Conde de Villanova, escribe:

> Esto hizo, porque juzgó que no había allí otro que tuviese mayores obligaciones por su sangre y calidad [13].

Y Lope de Vega pone en boca de uno de sus personajes:

> Caballeros, el que cumple
> con su obligación, no queda
> con nota de infamia entre hombres,
> que saben lo que es nobleza [14].

El honor equivale, por consiguiente, a la reputación y la dignidad; pero también puede definirse como el conjunto de normas y obligaciones derivadas de la sangre y el rango: el sometimiento a la ley o estatu-

[8] J. G. Peristiany, *op. cit.*, pág. 13.
[9] Ramón Menéndez Pidal, *op. cit.*, pág. 151.
[10] J. A. Maravall, *Poder, honor y élites*, págs. 32 y sigs.
[11] *El caballero puntual*, Madrid, 1614, cit. por J. A. Maravall, *ibíd.*, pág. 33.
[12] *Op. cit.*, pág. 265.
[13] Juan Eusebio Nieremberg, *Epistolario*, ed. cit., pág. 134.
[14] *El Brasil restituido*, BAE, CCXXXIII, pág. 264.

to que la propia condición social impone [15]. De ahí que, cuando en el teatro un caballero quiere actuar como un digno representante de su posición estamental, y revestir de honra su conducta, afirme categóricamente: *yo soy quien soy* [16]. Con esta fórmula, el individuo pretende probar su valía y mostrarse digno del honor que disfruta, exhibiendo el repertorio de virtudes propio de un caballero. También don Quijote, persuadido de su propio valor, asegura ante un labrador de su pueblo:

> *Yo sé quién soy...* y sé que puedo ser, no sólo los que he dicho, sino todos los doce Pares de Francia, y aun todos los nueve de la Fama, pues a todas las hazañas que ellos todos juntos y cada uno por sí hicieron se aventajarán las mías (I, 5).

Tras el manteo de Sancho, afirma:

> ...te juro *por la fe de quien soy* que si pudiera subir, o apearme, que yo te hiciera vengado, de manera, que aquellos follones y malandrines se acordaran de la burla para siempre... (I, 18).

Y antes de enfrentarse con los leones:

> Apeaos, buen hombre, y pues sois el leonero, abrid esas jaulas y echadme esas bestias fuera; que en mitad desta campaña les daré a conocer *quién es* don Quijote de la Mancha... (II. 17).

Estas palabras no deben ser interpretadas como una manifestación anormal de orgullo y presunción: las mismas fórmulas que utiliza don Quijote, sirven para calificar a cualquier personaje noble que actúe movido por ese resorte íntimo de la sangre y las exigencias del honor. En *La Gitanilla,* por ejemplo, cuando don Juan recibió un bofetón de un soldado, hubo de recordar su condición de caballero [17], y:

> ...no pudo hacer menos de *mostrar quién era,* y matarle [18].

Y don Quijote dice a la Duquesa:

---

[15] J. A. Maravall, *Poder, honor y élites,* pág. 34.
[16] J. A. Maravall, *Teatro y literatura en la sociedad barroca,* págs. 97 y sigs.
[17] BAE, I, pág. 116.
[18] *Ibíd.,* pág. 117.

—Vuestra altitud ha hablado *como quien es;* que en la boca de las buenas señoras no ha de haber ninguna que sea mala (II, 44).

La necesidad de actuar en todo momento como quien socialmente se es, y las obligaciones ineludibles que la sangre impone, hacen que el honor funcione como un auténtico *código,* en el que se establecen con notable precisión los requisitos necesarios para ser un hombre honrado. Veamos, antes de analizarlas en detalle, cuáles son las líneas maestras de este modelo de conducta:

El depositario del honor ha de ser, ante todo, noble y rico; y debe estar en posesión de esas virtudes y cualidades superiores que la sangre ilustre inculca en el bien nacido [19], y que hacen del caballero un digno representante de su rango. Quien no conoce tales virtudes, o no las exterioriza en su conducta, pierde la estimación y el reconocimiento de los demás, y destruye los pilares en que la honra se sustenta. También los actos ajenos pueden ser motivo de deshonra, y así ocurre con el adulterio de la propia esposa, con la conducta disoluta de las mujeres de la familia, o con todas aquellas ofensas que, al atentar contra la dignidad del individuo, le niegan el derecho al honor [20]: los gestos descorteses, el uso de fórmulas de tratamiento impropias, los palos y bofetones, la injuria de palabra o el *mentís.* Cuando el honor de un caballero ha sido ultrajado, éste tiene que reaccionar de inmediato para restaurar la honra herida [21]: ha de vengar, con la muerte si es preciso, el adulterio de la esposa; debe retar al ofensor noble, o castigarlo si se trata de un plebeyo.

SER «LIBERAL», «VALIENTE», «MANTENEDOR DE LA VERDAD»

Los nobles —según la doctrina de la época— son virtuosos y honrados: descienden de quienes realizaron hechos heroicos, y han merecido, como premio de su excelencia y valor, la hacienda, la honra y la nobleza. Las cualidades del noble son, por consiguiente, las del gue-

---

[19] Véanse antes, cap. I, págs. 71 y sigs.
[20] Véanse, más adelante, las págs. 258 y sigs.
[21] Véanse las págs. 244 y sigs.

rrero medieval [22], trasmitidas por la sangre y conservadas con el ejemplo virtuoso de varias generaciones: la nobleza, según Castillo de Bovadilla, es ocasión de hacer a los hombres altivos, magnánimos, esforzados, liberales, mesurados, sufridos y leales [23]; y Bernabé Moreno de Vargas consideraba a los nobles:

> ...justos, templados, prudentes, sabios, fuertes, animosos, industriosos, y cuidadosos, magnánimos, y dadiuosos, mesurados, y sufridos, tienen gran bondad, y lealtad, sus palabras, y promessas son firmes, y valederas [24].

De entre este conjunto de cualidades, queremos destacar tres que nos parecen esenciales en la concepción caballeresca del honor: la riqueza y la liberalidad, la valentía y el arrojo, la veracidad y el fiel cumplimiento de la palabra dada. Tales son las virtudes que el caballero debe poseer, si quiere llamarse honrado, y a ellas se refiere don Quijote en la conversación con don Diego de Miranda y su hijo: quien profesa la andante caballería:

> ...ha de ser casto en los pensamientos, honesto en las palabras, *liberal* en las obras, *valiente* en los hechos, sufrido en los trabajos, caritativo con los menesterosos, y, finalmente, *mantenedor de la verdad* (II, 18).

Zabaleta, por su parte, señalaba:

> Las virtudes hicieron la primera honra y luego se anda la honra tras de las virtudes, cuando no tras de todas, tras muchas. El hombre noble sabe que es grande mengua el mentir; por esto es tan grande su dolor cuando

---

[22] Según esta concepción, vigente en gran parte hasta los tiempos de Cervantes, el ejercicio de la caballería perfecciona al individuo dotándole de las mejores virtudes. Según Rodrigo de Arévalo, las armas proporcionan al hombre «paciencia e perseverancia, e continua tolerancia de los trabajos... esmerada fortaleza e esfuerço... magnanimidad... liberalidad e franqueza... justicia e temprança...» (*Vergel de los Príncipes,* BAE, CXVI, páginas 319-320). Para Jiménez de Urrea, el caballero ha de ser «virtuoso, justo, sufrido, bien criado, verdadero, liberal, honesto, modesto, fuerte y esforçado, en todas las adversidades...» (*op. cit.,* fol. 7). Don Quijote explica: «De mí sé decir que después que soy caballero andante soy valiente, comedido, liberal, biencriado, generoso, cortés, atrevido, blando, paciente, sufridor de trabajos, de prisiones, de encantos» (I, 50). Véase, sobre este tema, J. A. Maravall, *Utopía y contrautopía en el «Quijote»,* págs. 98 y sigs.

[23] *Op. cit.,* vol. I, pág. 92.

[24] *Op. cit.,* fol. 53.

le desmienten que le impele a castigar con un agravio al que puso en su verdad infame nota... El hombre de linaje ilustre sabe que no vivirá su patria si no hay quien muera por ella, y por esto en la guerra es a los peligros el primero. El hombre de prosapia generosa sabe que la liberalidad es tan bienquista como el sol, y por esto anda como el sol derramándose en beneficios. Todas estas cosas buenas y otras muchas sabe el hombre noble, ya porque en premio de las virtudes del que empezó aquel linaje y de las buenas costumbres de los que le continuaron ilustre se las están dictando, como desde el cielo dentro del corazón, ya porque son muchos los instrumentos que le ayudan para obrar generosamente [25].

La riqueza, como signo externo de la superioridad social, es uno de los requisitos indispensables para poseer honor; y ello es muy lógico, ya que la nobleza, al menos en teoría, aún es la clase propietaria por excelencia: la que monopoliza las principales fuentes de riqueza, prestigio y poder, y, como resultado de todo ello, la principal depositaria de la honra [26]. El doctor Huarte de San Juan señalaba que:

> La segunda cosa que honra al hombre, después del valor de la persona, es la hacienda; sin la cual ninguno vemos ser estimado en la república [27].

Y Moreno de Vargas:

> ...la nobleza sin hazienda, es como muerta: y porque compelidos con la pobreza vienen muchas vezes a hazer cosas viles, y agenas de su calidad... Y la pobreza en los nobles, es causa de que sean desestimados: y aunque sean buenos, y virtuosos, no los estiman los hombres, ni les oyen sus razones por discretas que sean [28].

---

[25] Juan de Zabaleta, *Errores celebrados,* ed. cit., págs. 134-135. En los *abecés* de amor, entretenimiento de moda en los siglos XVI y XVII, las virtudes que suelen atribuirse al caballero enamorado son, precisamente, las que acabamos de señalar: «*a*gradecido, *b*ueno, *c*aballero, *d*adivoso, *e*namorado, *f*irme, *g*allardo, *h*onrado, *i*lustre, *l*eal, *m*ozo, *n*oble, *o*nesto, *p*rincipal, *q*uantioso, *r*ico..., *t*ácito, *v*erdadero...» (*Quijote,* I, 34). En *Peribáñez,* Casilda, al recitar uno de estos abecedarios, pide que su esposo sea, entre otras cosas, altanero, dadivoso, galán, honesto, liberal y verdadero (BAE, XLI, págs. 283-284). En una alegoría escenificada durante las bodas de Camacho, aparecen Discreción, Buen linaje, Valentía, Liberalidad, Dádiva, Tesoro (II, 20).

[26] J A Maravall, *Estado moderno y mentalidad social,* vol. II, pág. 37.

[27] *Examen de ingenios para las ciencias,* ed. de Esteban Torre, Madrid, Editora Nacional, 1977, pág. 277.

[28] *Op. cit.,* fol. 48.

También en el *Quijote* se dice que «es anexo al ser rico el ser honrado» (I, 51), y que:

> El pobre honrado (si es que puede ser honrado el pobre) tiene prenda en tener mujer hermosa... (II, 22).

Ahora bien, esta identificación absoluta de la riqueza y la honra es un arma de doble filo: contribuye sin duda a mantener al noble en su elevado pedestal, pero también puede conducir a afirmaciones tan arriesgadas como la de Sancho Panza: «Dos linajes solos hay en el mundo... que son el tener y el no tener» (II, 20); o la de Mateo Alemán: «¿quién les da la honra a los unos que a los otros quita? El más o menos tener» [29]. La aceptación, sin restricciones, de estas doctrinas entraba en abierto conflicto con la idea del papel socialmente diferenciador de la sangre y el nacimiento, y hubiese permitido al plebeyo rico adueñarse, sin más, de la honra y de los signos distintivos de la nobleza auténtica. De ahí que, para evitar una participación desordenada de los villanos acaudalados en el disfrute de la honra, la riqueza haya de reunir una serie de condiciones que la hagan socialmente estimable, que la conviertan en fuente de honor.

La hacienda adquirida en «oficios indignos» como la artesanía o el comercio, no da honra, e incluso puede llegar a ser motivo de infamia [30]. Ciertos usos inadecuados de la riqueza, y especialmente aquellos que revelan mezquindad, codicia o afán de lucro desmesurado, también son deshonrosos, y pueden tirar por tierra la reputación del más acreditado caballero [31]. Y, al contrario, el gasto ostentoso o el derroche engrandecen al señor, porque son indicio de su poder y espejo en que la honra se refleja acrecentada [32]. Por eso, cuando Sancho es nombrado gobernador, su mujer y su hija se sienten obligadas a sostener carrozas, literas y gran número de sirvientes (II, 50); y Teresa Panza piensa adquirir ropas, adecuadas a su nuevo rango, con las que *honrar* el gobierno de su marido (II, 50). Alonso Enríquez de Guzmán, al iniciar una expedición por tierras americanas, comentaba también:

---

[29] *Op. cit.,* vol. II, pág. 45.
[30] Véase más adelante, pág. 270.
[31] Arlette Jouanna, *op. cit.,* págs. 63 y sigs.
[32] Véase antes, cap. I, págs. 41 y sigs.

...partí desta dicha çiudad para estotra, bien vasteçido de cavallos y negros y cosas nesçesarias para la honra y para el provecho [33].

Y es que, según explica Huarte de San Juan, una de las cosas:

...que honra al hombre es buen atavío de su persona, andar bien vestido y acompañado de muchos criados [34].

En este aspecto, la conducta del burgués y la del noble se diferencian de forma radical: el primero considera su fortuna como un instrumento con el que generar nueva riqueza, y los valores que presiden su actividad suelen ser la usura, el ahorro y el lucro; el caballero, en cambio, gasta las rentas de su mayorazgo en vestidos y banquetes, muestra su liberalidad obsequiando espléndidamente a sus huéspedes y amigos, invierte en todo aquello que dé cumplida muestra de su generoso proceder —criados, libreas, fiestas y torneos—, y procura mostrarse en toda ocasión, «grande, liberal y magnífico» (II, 17).

Don Antonio Moreno empleaba su hacienda en obsequiar a los amigos con saraos, banquetes y justas (II, 62). El Duque, aunque necesitaba el socorro de un villano rico para saldar sus deudas, organizaba monterías tan suntuosas como las de un rey coronado (II, 34). Los mercaderes, en cambio, como no atienden «a otra cosa que a sus tratos y contratos, trátanse modestamente» [35], y el que conoció Berganza en Sevilla, a pesar de su fortuna, iba a negociar en la lonja con gran llaneza:

...porque no llevaba otro criado que un negro, y algunas veces se desmandaba a ir en un machuelo aun no bien aderezado [36].

La actitud del Duque y la del mercader sevillano revelan dos concepciones, diferentes y contrapuestas, de la actividad económica y la vida social: la ostentación frente al ahorro, el gasto incontrolado frente al afán de lucro, las formas de vida aristocráticas enfrentadas al naciente mundo burgués. Los portavoces de las doctrinas nobiliarias,

---

[33] *Op. cit.*, pág. 103.
[34] *Op. cit.*, pág. 278.
[35] *El coloquio de los perros*, BAE, I, pág. 230.
[36] *Ibíd.*

en cambio, no vacilan en considerar honrosa la actitud del primero
y en descalificar la conducta del segundo. Lope de Vega, por ejemplo,
escribe:

> Y ansí, cuando algún señor
> Da en no dar, de serlo deja,
> Y verás que dél se queja
> Desde el pequeño al mayor [37].

En *La Celestina,* Sempronio afirma que la honra:

> ...consiste en la liberalidad y franqueza. A ésta los duros tesoros comunica-
> bles la escurecen y pierden, y la magnificencia y liberalidad la ganan y subli-
> man... ¡Oh qué glorioso es el dar! ¡Oh qué miserable es el recibir! Cuanto
> es mejor el acto de la posesión, tanto es más noble el dante que el recibien-
> te [38].

Y, según explica don Quijote:

> ...por la mayor parte, los que reciben son inferiores a los que dan, y así,
> es Dios sobre todos, porque es dador sobre todos... (II, 58).

Ser noble significa ser liberal, y la liberalidad es, por consiguiente,
requisito indispensable para ser honrado. De esta forma, el código del
honor santifica el comportamiento de los poderosos y desestima aquellos usos de la riqueza que se desvían de este modelo preestablecido.
El noble que derrocha su hacienda en organizar banquetes, que atavía
con costosas libreas a su servidumbre o que regala diamantes a una
dama, es digno de todos los elogios: su riqueza engendra honra. Y,
al contrario, al plebeyo que se trata con llaneza, o que se niega a
malgastar una fortuna adquirida con esfuerzo, se le considera indigno
de poseer honor.

---

[37] *La discreta venganza,* BAE, XLI, pág. 322. Cfr.: «... el magnánimo más se goza y alegra en dar que en recibir; porque como sea a natura señor para mandar a los
que son a natura siervos y pusilánimos, y el recibir es un género de servidumbre y menori-
dad, y el dar sea un género de señorío y mayoridad, más se goza dando que recibiendo...»
(Oliva Sabuco, *Coloquio del conocimiento de sí mismo,* BAE, LXV, pág. 357). «La liberalidad es virtud tan de reyes como la mezquindad vicio de la plebe ínfima» (Juan de
Zabaleta, *Errores celebrados,* ed. cit., pág. 207).

[38] *Ed. cit.,* pág. 92.

El noble, además de generoso y liberal, debe ser enemigo de la mentira y fiel cumplidor de la palabra dada, no por fidelidad a unos principios éticos de carácter abstracto, sino porque, de esta forma, sus acciones se distinguirán claramente del «bajo proceder» de los villanos. En *Los baños de Argel,* por ejemplo, se lee:

> ZAHARA: Ven acá; dime, christiano:
> ¿en tu tierra ay quien prometa
> y no cumpla?
> DON FERNANDO: Algún villano.
> (...)
> ZAHARA: ¿Y guardan essa lealtad
> con los que son enemigos?
> DON FERNANDO: Con todos: que la promessa
> del hidalgo o cauallero
> es deuda líquida expressa,
> y ser siempre verdadero
> el bien nacido professa [39].

En el *Tesoro de la lengua castellana,* para definir la voz *hidalgo,* Covarrubias nos explica que:

> De ninguna cosa se precia tanto el hombre de bien y noble, como de guardar fee y palabra y ser fiel a quien deve [40].

La Duquesa asegura:

> ...lo que una vez promete un caballero, procura cumplirlo, aunque le cueste la vida (II, 33).

Y, a la inversa, según nos dice don Quijote:

> ...no hay villano que guarde palabra que diere, si él vee que no le está bien guardalla (I, 31).

Esta obstinada fidelidad en el cumplimiento de las promesas debe ser, por consiguiente, una constante en la conducta de las gentes nobles. Maritornes, por ejemplo, según nos dice irónicamente Cervantes:

[39] BAE, CLVI, pág. 141.
[40] *Ed. cit.,* pág. 590.

...jamás dio semejantes palabras que no las cumpliese, aunque las diese en un monte y sin testigo alguno, porque presumía muy de hidalga... (I, 16).

Dorotea, a pesar de haber sido engañada, confiaba en que don Fernando, hijo de un duque:

...si se preciaba de caballero y de cristiano... no podía hacer otra cosa que cumplille la palabra dada (I, 36).

Y la Duquesa, para que Sancho no pierda la esperanza de conseguir el gobierno de la ínsula, le recuerda:

El Duque mi señor y marido, aunque no es de los andantes, no por eso deja de ser caballero; y así, cumplirá la palabra de la prometida ínsula, a pesar de la invidia y de la malicia del mundo (II, 33).

También don Quijote aspira a convertirse en dechado de hidalgos y caballeros, y procura ser, además de cortés y valiente, hombre verdadero y cumplidor fiel de su palabra. Frente a los que tienen por fantásticas las aventuras de la Cueva de Montesinos, Cide Hamete asegura:

Pues pensar yo que don Quijote mintiese, siendo el más verdadero hidalgo y el más noble caballero de sus tiempos, no es posible; que no dijera él una mentira si le asaetearan (II, 24).

Por este mismo motivo, antes de combatir con el Caballero de la Blanca Luna, don Quijote se compromete a cumplir las condiciones del reto, «como caballero puntual y verdadero» (II, 64); y, tras ser derrotado, confiesa:

...aunque perdí la honra, no perdí, ni puedo perder, la virtud de cumplir mi palabra (II, 66).

Pero la más importante virtud y la primera obligación de un noble es la valentía [41], y, al contrario, ser notado de cobarde es la más temible mancha que puede caer sobre la fama de un hombre honrado. De esta forma:

---

[41] J. A. Maravall, *Poder, honor y élites,* págs. 35-36.

...la reputación de un caballero que ande en cosas de caballería, si una sola vez un solo punto se daña por cobardía o otra vileza, siempre queda dañada y con mengua [42].

Esta vinculación de la valentía y la honra es una simple consecuencia de la actividad guerrera y el espíritu belicoso que, durante la Edad Media y gran parte de la Edad Moderna, caracterizaron a la nobleza. Aunque en la época de Cervantes hay muchos hombres plebeyos que se alistan en los tercios, sigue muy viva la idea de que el ejercicio de la guerra es propio de caballeros [43], y son muchos los que piensan que:

La honra que se alcanza por la guerra, como se graba en láminas de bronce y con puntas de acero, es más firme que las demás honras [44].

Pero a mayor honor corresponden mayores obligaciones, y, por esta razón, los caballeros, que disfrutan unos privilegios y una dignidad superiores a los de los simples plebeyos, han de velar por la seguridad de los demás estamentos, y mostrar, por consiguiente, una valentía y un vigor adecuados al honroso puesto que ocupan. Y esto es, precisamente, lo que trata de conseguir don Quijote: mostrar «el valor de su brazo» (I, 1), lograr que todos le tengan por valiente y nombrado caballero (I, 4), alcanzar fama imperecedera en el ejercicio de la guerra.

En muchos episodios de la novela, Alonso Quijano pretende socorrer a los oprimidos, batirse con caballeros de su mismo rango, vengar ofensas y castigar alevosías; en otros, en cambio, sus gestos de valor son totalmente injustificados y gratuitos, y lo único que el protagonista desea, es subir algunos peldaños en el camino de la honra, exhibiendo una valentía que raya muchas veces en la temeridad: es lo que ocurre, por ejemplo, en la aventura de la Cueva de Montesinos, en la de los leones o en la del barco encantado. Pero la increíble audacia de don Quijote tiene su justificación:

...porque bien sé lo que es valentía, que es una virtud que está puesta entre dos extremos viciosos, como son la cobardía y la temeridad; pero menos

---

[42] Baltasar de Castiglione, *El Cortesano,* ed. cit., pág. 32.

[43] Véase antes, cap. II, págs. 128 y sigs.

[44] *Persiles,* BAE, I, pág. 662.

mal será que el que es valiente toque y suba al punto de temerario que no
que baje y toque en el punto de cobarde... y en esto de acometer aventuras,
créame vuesa merced, señor don Diego, que antes se ha de perder por carta
de más que de menos, porque mejor suena en las orejas de los que oyen
«el tal caballero es temerario y atrevido» que no «el tal caballero es tímido
y cobarde» (II, 17) [45].

O, como señalaba Alonso Enríquez de Guzmán:

...se suelen estimar más las espadas quando se rompen por fuertes y agudas
que no quando se doblan por blandas y botas [46].

Aunque el episodio de los leones fue, según los testigos, el «último
punto y extremo adonde llegó y pudo llegar el inaudito ánimo de don
Quijote» (II, 17), nuestro caballero se limitó, en aquella ocasión, a
hacer realidad la máxima según la cual, a la hora de exhibir el propio
valor, vale más pecar por exceso que por defecto; y no faltan ejemplos
ilustres que hubieran servido para justificar tal actitud [47]. ¿Qué otra
cosa, sino una muestra de arrojo temerario, son muchas de las diversiones con que honran sus fiestas los nobles de la época? En algunas
de ellas, como las justas y juegos de cañas, el enfrentamiento es ficti-
cio, y el lucimiento personal se realiza sin grave riesgo; mientras que
en las corridas de toros, que cuentan con una importante participación
de los miembros de la nobleza, se pretende que el caballero dé cumpli-
das muestras de su valor, aunque sea a costa de perder la vida [48].
El hecho de que la valentía se considere una virtud propia de la
gente noble, es otra de las consecuencias de esa determinación estamental de las cualidades personales a la que ya nos hemos referido [49]:

---

[45]   Sobre el *esfuerço* —término medio entre la osadía y la vileza— que debe caracterizar al caballero de la época moderna, véase Raffaele Puddu, *op. cit.*, pág. 53.
[46]   *Op. cit.*, pág. 231.
[47]   Véase Miguel Garci-Gómez, «La tradición del león reverente: glosas para los episodios en *Mío Cid, Palmerín de Oliva, Don Quijote* y otros», *KRQ*, XIX, 1972, páginas 255-284.
[48]   Cfr.: «Fueron los toros unos leones —escribe Barrionuevo en 1656—. Nadie les
hizo cocos que no lo pagase. Salieron Melgarejo y Pernia a rejonear, y a entrambos
hirió uno mortalmente... Quedan a la muerte» (*Avisos*, BAE, CCXXII, pág. 26). Más
datos en José Deleito y Piñuela, *También se divierte el pueblo. Recuerdos de hace tres
siglos,* Madrid, Espasa Calpe, 1966, págs. 118 y sigs.
[49]   Véase antes, cap. I, págs. 59 y sigs.

la sangre ilustre inculca en el caballero el ánimo y la gallardía de sus antecesores, y Huarte de San Juan señalaba, en este sentido, que la Orden de Malta:

> ...sabiendo cuanto importa la nobleza para ser un hombre valiente, manda por constitución que los de su hábito todos sean hijosdalgo de padre y de madre [50].

Teodosia, en la novela de *Las dos doncellas,* afirma:

> ...en resolución haré que me cumpla la palabra y fe prometida, o le quitaré la vida, mostrándome tan presta a la venganza, como fui fácil al dejar agraviarme; porque la nobleza de la sangre que mis padres me han dado, va despertando en mí bríos que me prometen o ya remedio, o ya venganza de mi agravio [51].

Y un personaje de Lope confiesa:

> Las guerras me dieron bríos,
> La sangre me dio valor [52].

Y, al contrario, parece muy lógico que el villano, el confeso y el bastardo, que desconocen las «obligaciones» del buen linaje, sean por naturaleza cobardes. Cervantes se burla en *El retablo de las maravillas* de tan peregrina opinión [53], y traza además en el *Quijote* un divertido contraste entre la conducta de los dos protagonistas: el hidalgo, como noble que es, arriesga su vida de forma irreflexiva, y parece dispuesto a tomar a su cargo la venganza de cualquier afrenta real o imaginaria, propia o ajena; Sancho, en cambio, afirma:

> —Señor, yo soy hombre pacífico, manso, sosegado, y sé disimular cualquier injuria, porque tengo mujer y hijos que sustentar y criar. Así... que en ninguna manera pondré mano a la espada, ni contra villano ni contra caballero, y que desde aquí para delante de Dios perdono cuantos agravios me han hecho y han de hacer, ora me los haya hecho, o haga, o haya de hacer, persona alta o baja, rico o pobre, hidalgo o pechero, sin eceptar estado ni condición alguna (I, 15).

---

[50] *Op. cit.,* pág. 261.
[51] BAE, I, pág. 201.
[52] *La mayor virtud de un rey,* BAE, XLI, pág. 91.
[53] BAE, CLVI, págs. 540-541.

Estas palabras, que revelan el espíritu caritativo o, al menos, el saludable sentido común del escudero, son, a los ojos de la época, el resultado de un defecto innato, que hace al villano incapaz de merecer un rango y un honor superiores a los que por su nacimiento le corresponden. «Naturalmente eres cobarde Sancho» (I, 23), dice don Quijote a su escudero después de dar libertad a los galeotes; y en otro momento le reprocha su espíritu pacífico con estas palabras:

> ...si el viento de la fortuna, hasta ahora tan contrario, en nuestro favor se vuelve, llenándonos las velas del deseo para que seguramente y sin contraste alguno tomemos puerto en alguna de las ínsulas que te tengo prometida, ¿qué sería de ti, si, ganándola yo, te hiciese señor della? Pues lo vendrás a imposibilitar, por no ser caballero, ni quererlo ser, ni tener valor ni intención de vengar tus injurias y defender tu señorío (I, 15).

«SEGÚN LAS LEYES DEL MALDITO DUELO»

El signo externo, la materialización misma del coraje y la superioridad del caballero, es su espada. El noble, a diferencia del villano, lleva armas, sabe usarlas, y éstas llegan a ser expresión de la valentía, el honor y la pertenencia al estamento noble [54]. Las armas, según Alonso Enríquez de Guzmán son «mamparo de la honra» [55]; y Baltasar de Castiglione opina que entre:

> ...todas las otras armas se ha de tener principalmente destreza en las que ordinariamente se usan entre caballeros; porque éstas no solamente en las guerras, adonde por ventura no hay necesidad de tantos primores, mas aun en las quistiones particulares, que suelen entre hombres honrados levantarse, son muy necesarias.
> (...)

---

[54] Cfr.: «Don Rodrigo: ¿Quién es / El que con tanta arrogancia / Se atreve a hablar? / Don Alonso: El que tiene / Por lengua, hidalgos, la espada» (Lope, *El caballero de Olmedo,* BAE, XXXIV, pág. 371). «Es la espada, al lado asida, / En el que tiene valor, / Un respeto del honor / Y un resguardo de la vida» (Guillén de Castro, *La fuerza de la costumbre,* en *Dramáticos contemporáneos a Lope de Vega,* BAE, XLIII, página 350). En la comedia de Cervantes *La entretenida,* cuando Cristina reprocha al paje Quiñones su cobardía, éste contesta: «¿Qué tengo de responder? / ¿Ciño la espada? No la ciño» (BAE, CLVI, pág. 364).

[55] *Op. cit.,* pág. 126.

Aprovechan también las armas en tiempo de paz para diversos ejercicios. Muéstranse y hónranse con ellas los caballeros en las fiestas públicas en presencia del pueblo, de las damas y de los príncipes [56].

Don Quijote, antes de iniciar sus aventuras, limpia y aderaza sus armas, emblema del nuevo estado al que aspira, y se dispone a utilizarlas para volver por su honra en todas las pendencias que le salgan al paso: tras responder a las blasfemias proferidas por el Caballero del Bosque, el ofendido hidalgo:

...se levantó en pie y se empuñó en la espada, esperando qué resolución tomaría... (II, 14).

Y su contrincante afirma:

Si todas estas señas no bastan para acreditar mi verdad, aquí está mi espada, que la hará dar crédito a la mesma incredulidad *(ibíd.).*

Los yangüeses, en cambio, como villanos que son, embisten o se defienden con las estacas que utilizan para conducir a sus yeguas; y Sancho Panza confiesa:

...que me imposibilita el reñir el no tener espada, pues en mi vida me la puse *(ibíd.).*

Mientras que Peribáñez, labriego desconocedor de las cosas de la honra, al recibir la espada de manos del Comendador, queda en cierta manera vinculado a los privilegios y las obligaciones de los hombres nobles [57].

Pero las armas no tienen el mismo valor que otras manifestaciones externas del rango, como las joyas, los vestidos o los hábitos de las Órdenes. La espada no es un símbolo, ni aparece en el teatro como una simple trasposición metonímica de la honra y el coraje: el caballe-

---

[56] *El Cortesano,* ed. cit., págs. 36-37. San Ignacio de Loyola «hasta los veintiséis años de su edad fue hombre dado a las vanidades del mundo, y principalmente se deleitaba en ejercicio de armas con un grande y vano deseo de ganar honra» (*Autobiografía,* en *Obras completas,* ed. cit., pág. 118).

[57] «Vos me ceñistes la espada, / Con que ya entiendo de honor; / Que antes yo pienso, Señor, / Que entendiera poco o nada» (BAE, XLI, pág. 295).

ro la posee y la utiliza como instrumento material con el que defender
o restaurar su honor. Y es que el honor se configura como tal porque
cabe contra él el ultraje [58]: el caballero puede ser ofendido mediante
palabras o actos, y, en tal caso, debe recibir una satisfacción justa,
resignarse a sufrir la humillación y perder el honor, o desenvainar su
espada para lavar la afrenta [59].

El castigo violento del ofensor no debe interpretarse como un deseo
de venganza personal, sino como una exigencia del código del honor:
una pesada carga que obliga al caballero a respetar ese vínculo insosla-
yable que la honra, como patrimonio social, impone. Como ha señalado Menéndez Pidal [60], el honor es un bien del que cada uno es
depositario y guardián: «no defender ese patrimonio es cobardía bas-
tarda, es hacerse cómplice del atropello cometido por el ofensor en
daño del honor colectivo, maltrecho en la parte al individuo encomen-
dada» [61]. De esta forma, la venganza del honor es la defensa de un
bien social que hay que anteponer a la propia vida.

En la vida real, y no sólo en el teatro, el derecho de vengar las
afrentas se le reconoce únicamente al noble, e incluso se piensa que
la reputación de un caballero depende en gran medida de su capacidad
para obrar violentamente en los lances de honra. Esta actitud intransi-
gente en la defensa del honor parece ser un resultado del propio instinto de conservación del estamento dominante. Por un lado, cuando la
guerra desaparece del horizonte de la vida nobiliaria y el combate individual pierde la importancia que tenía en tiempos anteriores, la defensa armada del honor cobra un papel mucho más relevante en el para-
digma de la existencia caballeresca [62]. El sistema estamental se encuentra, de otra parte, amenazado por fuerzas renovadoras, sacudido por
violentas tensiones: todo ello exigirá un endurecimiento de los resortes
de conservación de ese orden tradicional, y, en consecuencia, una actitud mucho más firme y vigilante por parte de los nobles en la defensa
del propio honor [63].

[58] J. A. Maravall, *Poder, honor y élites,* pág. 134.
[59] Véase Julian Pitt-Rivers, *op. cit.,* pág. 26.
[60] *Op. cit.,* pág. 151.
[61] *Ibíd.*
[62] J. A. Maravall, *op. cit.,* págs. 136-137.
[63] *Ibíd.,* pág. 138.

No es extraño que don Quijote, desde el momento en que asciende de la categoría de hidalgo a la de caballero, se vuelva puntilloso en las cuestiones de honra, y se muestre dispuesto a vengar todas las afrentas reales o imaginarias de las que es objeto. Su actitud es consecuencia de la lectura inmoderada de libros de caballerías, pero refleja también las normas de conducta del estamento noble, al que don Quijote quiere pertenecer con pleno derecho, que obligan al caballero a borrar los agravios con el filo de la espada. En el *Diálogo de la verdadera honra militar,* por ejemplo, uno de los interlocutores afirma:

> ...vn cauallero nacido noble y reputado por tal, si otro le quitasse su honrra de tantos años por los suyos, y por él conservada, si no la cobrasse por las armas, como se ganó tengo por cierto que offendería a Dios [64].

Para recibir el hábito de una de las Órdenes Militares, es necesario que el caballero, en caso de haber sido retado o afrentado, haya salido airoso del lance [65]; e incluso en un manual para confesores, se reconoce que:

> Al lego es lícito matar, en defensa de la hazienda, y *si es principal,* de la honra que teme perder de cierto si no mata [66].

Pero, a pesar del carácter claramente clasista de las cuestiones relacionadas con el honor, la pasión de la honra estaba muy arraigada en el sentir popular, y la respuesta violenta a las afrentas del ofensor podía presentarse en la conducta de cualquier individuo, con independencia de su clase social [67]. Un personaje de Tirso afirma:

---

[64] J. Jiménez de Urrea, *op. cit.,* fol. 5.

[65] J. A. Maravall, *op. cit.,* pág. 136.

[66] Antonio de Escobar y Mendoza, *Examen y práctica de confesores y penitentes en todas las materias de la teología moral,* París, 1665, pág. 161; cit. por Américo Castro, «Algunas observaciones acerca del concepto del honor...», pág. 42, n. 3. Sobre la actitud de los moralistas ante la reparación del honor ofendido, véase Claude Chauchadis, *op. cit.,* págs. 81 y sigs.

[67] Véase, por ejemplo, esta anécdota que recoge Barrionuevo: «Mataron anteayer en la Puerta del Sol a un valiente de esta corte, llamado Pedraza, conocido por el mayor jugador que había en ella... Matólo de bueno a bueno un soldado de Cataluña. La ocasión fue el haberle salpicado el caballo en que iba por desatención del que lo llevaba, que el soldado tuvo a desprecio. Díjole una sequedad; respondióle Pedraza·con otras; fuéronse empeñando hasta que se desmontó, y echando manos ambos a dos a un tiempo

> Nunca un español dilata
> La muerte a quien le maltrata,
> Ni da a su venganza espera [68].

Y Sancho Panza opina sobre sus paisanos;

> ...la gente manchega es tan colérica como honrada y no consiente cosquillas
> de nadie (II, 10).

Incluso un fenómeno social con raíces históricas muy precisas, como es el bandolerismo catalán, fue idealizado en la pluma de algunos autores castellanos, que lo interpretaron como una manifestación del ánimo vengativo y el sentimiento de la honra de las gentes del Principado. Antonio Coello, Francisco de Rojas y Luis Vélez de Guevara escribieron en colaboración una obra dramática, dedicada a la figura de Joan de Serrallonga, en la que el conocido bandolero aparece retratado como un noble, celoso de su honra y empeñado en vengar los agravios de que ha sido víctima [69]. En el *Persiles,* Cervantes habla de:

> ...los corteses catalanes, gente enojada, terrible; pacífica, suave; gente que
> con facilidad da la vida por la honra, y por defenderlas entrambas se adelan-
> tan a sí mismos, que es como adelantarse a todas las naciones del mundo [70].

En el *Quijote,* Claudia Jerónima, creyéndose engañada, da muerte a don Vicente Torrellas (II, 60); y Roque Guinart confiesa:

> ...no hay modo de vivir más inquieto ni más sobresaltado que el nuestro.
> A mí me han puesto en él no sé qué deseos de venganza, que tienen fuerza
> de turbar los más sosegados corazones: yo, de mi natural, soy compasivo
> y bien intencionado; pero, como tengo dicho, el querer vengarme de un agra-
> vio que se me hizo, así da con todas mis buenas inclinaciones en tierra,
> que persevero en este estado, a despecho y pesar de lo que entiendo; y como
> un abismo llama a otro y un pecado a otro pecado, hanse eslabonado las

---

a las espadas, se estrecharon luego muy a lo diestro y a lo valiente; pero andúvolo tanto
el soldado, que a pocos lances metió de una estocada la espada por la boca del contrario...» (*Avisos,* 17 de agosto de 1660, BAE, CCXXII, pág. 234).

[68]   Tirso de Molina, *El celoso prudente,* BAE, V, pág. 628.

[69]   *El catalán Serrallonga y bandos de Barcelona,* BAE, LIV, págs. 565-584. Véase
J. A. Maravall, *La cultura del Barroco,* págs. 115-116.

[70]   BAE, I, pág. 648.

venganzas de manera, que no sólo las mías, pero las ajenas tomo a mi cargo (II, 60).

Y si abandonamos el campo de la ficción literaria, podríamos encontrar testimonios muy parecidos: Francisco Manuel de Melo, cronista del *Corpus de Sangre,* explica, por ejemplo:

> Son los catalanes, por la mayor parte, hombres de durísimo natural; sus palabras pocas, a que parece les inclina también su propio lenguaje, cuyas cláusulas y dicciones son brevísimas: en las injurias muestran gran sentimiento, y por eso son inclinados a venganza: estiman mucho su honor y su palabra... La tierra, abundante de asperezas, ayuda y dispone su ánimo vengativo a terribles efectos con pequeña ocasión: el quejoso o agraviado deja los pueblos y se entra a vivir en los bosques, donde en continuos asaltos fatigan los caminos... [71].

Sin embargo, y contra lo que tradicionalmente se ha venido afirmando, tales ideas no han sido exclusivas de España, ni parecen ser una peculiaridad de los pueblos meridionales. En toda Europa los nobles hacen gala del mismo orgullo clasista y del mismo ímpetu sanguinario en la defensa del propio honor, y el pueblo llano, en mayor o menor medida, trata de imitar este modelo de conducta. En Inglaterra, por ejemplo, los caballeros iban siempre armados, y eran educados desde jóvenes en los ideales del honor y la generosidad; los duelos eran, en consecuencia, muy frecuentes, y la presteza en vengar las afrentas más insignificantes se consideraba una valiosa señal de energía [72]: el menor indicio de enfado, una palabra desenvuelta dicha a un conocido o un amigo, exigían reparación inmediata y podían acabar en derramamiento de sangre; y, especialmente, el desmentir a otro se consideraba una injuria tan grave, que sólo se podía expiar con el duelo a muerte [73]. En Francia, durante el siglo XVI, cualquier causa mínima daba lugar a encuentros sangrientos de hasta seis y ocho personas [74], y, según algún autor coetáneo, morían cada año más nobles a causa del duelo, que soldados en las guerras civiles [75].

---

[71] *Op. cit.,* pág. 34.
[72] Lawrence Stone, *La crisis de la aristocracia,* pág. 118.
[73] *Ibíd.,* pág. 127.
[74] Johan Huizinga, *Homo ludens,* pág. 115.
[75] L. Stone, *op. cit.,* pág. 128.

La afrenta es, de hecho, una negación de la honra: un acto por el que el ofensor priva del honor al ofendido, le despoja del derecho a gozar de ese patrimonio común a las gentes de su rango [76]. Por este motivo, sólo el igual o el superior, que están capacitados para dar honor, tienen la autoridad suficiente para infligir una afrenta y sustentarla. El plebeyo, que no posee una honra equiparable a la del caballero, ni ciñe espada para defender su honor o arrebatárselo a otro, carece de la capacidad de afrentar [77]. Y, de la misma manera, el hombre que después de agraviar a su contrario es incapaz, por cobardía, de sustentar la ofensa, muestra en su conducta el ánimo apocado de un villano, y priva a su acto de todo contenido afrentoso. Don Quijote, aludiendo a esta compleja casuística del código del honor, explica, después de su discusión con el capellán de los Duques:

> ...la afrenta viene de parte de quien la puede hacer, y la hace, y la sustenta; el agravio puede venir de cualquier parte, sin que afrente... está uno vuelto de espaldas; llega otro y dale de palos, y en dándoselos, huye y no espera, y el otro le sigue y no le alcanza; éste que recibió los palos, recibió agravio, mas no afrenta; porque la afrenta ha de ser sustentada. Si el que le dio de palos, aunque se los dio a hurtacordel pusiera mano a su espada, y se estuviera quedo, haciendo rostro a su enemigo, quedara el apaleado agraviado y afrentado juntamente: agraviado, porque le dieron a traición: afrentado, porque el que le dio sustentó lo que había hecho, sin volver las espaldas y a pie quedo (II, 32) [78].

Y, tras ser aporreado por los yangüeses, simples villanos armados con palos, don Quijote, para sacarse la molesta espina del molimiento, comenta:

> ...que no afrentan las heridas que se dan con los instrumentos que acaso se hallan en las manos, y esto está en la ley del duelo, escrito con palabras

---

[76] J. A. Maravall, *Poder, honor y élites,* págs. 134 y sigs.

[77] Julian Pitt-Rivers, *op. cit.,* pág. 31.

[78] Cfr.: «... la luz de las armas quita la fuerza a las palabras, y las que se dicen con las espadas desnudas no afrentan, puesto que agravian: y así el que quiere tomar venganza dellas no se ha de entender que satisface su afrenta, sino que castiga su agravio...» (*Persiles,* BAE, I, pág. 639). «... le di dos cuchilladas en la cabeza muy bien dadas, con que le turbé de manera que no supo lo que le había acontecido, ni hizo cosa en su desagravio que fuese de provecho, y yo sustenté la ofensa, estándome quedo con mi espada desnuda en la mano...» (*ibíd.,* pág. 567).

expresas... Digo esto porque no pienses que, puesto que quedamos desta pendencia molidos, quedamos afrentados: porque las armas que aquellos hombres traían, con que nos machacaron, no eran otras que sus estacas, y ninguno dellos, a lo que se me acuerda, tenía estoque, espada ni puñal (I, 15).

Mientras que Sancho, que como villano desconoce las normas que rigen la ley del duelo, no se consuela con los argumentos del caballero, y sólo habla en nombre de sus molidas costillas:

...no me da pena alguna el pensar si fue afrenta, o no, lo de los estacazos, como me la da el dolor de los golpes, que me han de quedar tan impresos en la memoria como en las espaldas *(ibíd.).*

La mujer, el niño y el eclesiástico, por carecer de armas y de capacidad para defenderse, no tienen tampoco el poder de agraviar a nadie [79]. Por tal motivo, el cura del palacio de los Duques, a pesar de haber llamado a don Quijote «don tonto», «mentecato» y «alma de cántaro», no atenta contra la honra del caballero:

...porque así como no agravian las mujeres, no agravian los eclesiásticos... y la causa es que el que no puede ser agraviado no puede agraviar a nadie. Las mujeres, los niños y los eclesiásticos, como no pueden defenderse aunque sean ofendidos, no pueden ser afrentados... Y así, según las leyes del maldito duelo, yo puedo estar agraviado, mas no afrentado; porque los niños no sienten, ni las mujeres, ni pueden huir, ni tienen para qué esperar, y lo mesmo los constituidos en la sacra religión, porque estos tres géneros de gente carecen de armas ofensivas y defensivas; y así, aunque naturalmente estén obligados a defenderse, no lo están para ofender a nadie (II, 32).

Todo ultraje contra el honor requiere una satisfacción que repare el daño causado; aunque, si se trata de una injuria muy grave, o las disculpas no se consideran adecuadas, es preciso recuperar con la violencia la honra momentáneamente perdida. En todo caso, la respuesta del caballero no debe ser la misma frente al ofensor noble que frente

---

[79] «Letrados, y religiosos pueden honrrar: porque se presume, que son más virtuosos, que otros; pues hazen professión de viuir justa, y santamente: mas no pueden injuriar: assí como no pueden ser injuriados: por hallarse inhábiles, para armas: la muger fuera de estado illustre, y Real, no puede honrrar, ni deshonrrar a nadie: sólo a su marido puede honrrar, con amalle, seruille, respectalle, y guardalle limpia fe...» (Jiménez de Urrea, *op. cit.,* fols. 102-103).

al plebeyo: cuando la afrenta proviene de un igual, el ofendido ha de batirse en duelo con su contrario, para demostrar ante los testigos [80] su propio valor y poder restaurar por esta vía su honor maltrecho; en los demás casos, el noble debe erigirse en defensor de la preeminencia estamental y castigar, impunemente y sin reto previo, la «osadía» del villano [81]. El propio don Quijote distingue perfectamente la satisfacción de los agravios y el castigo de las insolencias [82], y en sus aventuras se comporta de manera diferente si el contrario es villano o caballero. En el encuentro con la compañía de Diego Angulo, por ejemplo, uno de los contrincantes golpea al rucio de Sancho, y el hidalgo comenta:

> ...será bien *castigar* el descomedimiento de aquel demonio en alguno de los de la carreta, aunque sea el mesmo Emperador (II, 11).

Tampoco necesita don Quijote recurrir a las leyes del duelo para vengar la injuria de un representante de la Santa Hermandad. En respuesta a las palabras del cuadrillero:

> —Mentís como bellaco villano —respondió don Quijote.
> Y alzando el lanzón, que nunca le dejaba de las manos, le iba a descargar tal golpe sobre la cabeza, que, a no desviarse el cuadrillero, se le dejara allí tendido (I, 45).

Y la misma suerte corre el deslenguado Sancho cuando quiere burlarse de su amo:

> Viendo, pues, don Quijote que Sancho hacía burla dél, se corrió y enojó en tanta manera, que alzó el lanzón y le asentó dos palos, tales, que si como

---

[80] J. A. Maravall, *Poder, honor y élites,* pág. 135.

[81] *Ibíd.,* pág. 89. Compárense, por ejemplo, estos dos sucesos recogidos por Barrionuevo (5 de junio de 1658 y 18 de septiembre de 1655, respectivamente): «En el callejón de San Blas, al Prado, sobre el juego, salieron a reñir dos caballeros. Quitáronse los jubones; mató don Bartolomé de Avellaneda de una estocada a la primera ida y venida a don Antonio de Úbeda, del hábito de Santiago...» (*Avisos,* BAE, CCXXII, página 191). «Entró el marqués de Falces, lunes 13 de éste, en casa del Nuncio a un pleito que tiene allí, y parece que un hombre al entrar y al volverse a salir, no le hizo la cortesía que debía de hacerle. Tornó desde la calle, y con la espada envainada le dio en el patio muchos cintarazos» (*ibíd.,* CCXXI, pág. 191).

[82] «Yo he satisfecho agravios, enderezado tuertos, castigado insolencias...» (II, 32).

los recibió en las espaldas los recibiera en la cabeza, quedara libre de pagarle
el salario, si no fuera a sus herederos (I, 20).

En cambio, cuando el Caballero del Bosque pretende haber vencido
a don Quijote, y afirma que su Casildea de Vandalia es más hermosa
que Dulcinea del Toboso, el ofendido caballero le reta con estas palabras:

> ...y si todo esto no basta para enteraros en esta verdad que digo, aquí está
> el mismo don Quijote, que la sustentará con sus armas a pie, o a caballo,
> o de cualquiera suerte que os agradare (II, 14).

Y en términos muy parecidos se desarrolla el combate entre don
Quijote y el Caballero de la Blanca Luna (II, 64).

En fin, el caballero sólo debe batirse en duelo con su igual, y,
a la inversa, al villano no se le reconoce la categoría suficiente para
poder enfrentarse a sus superiores. Cardenio, por ejemplo, le promete
a Dorotea:

> ...yo os juro por la fe de caballero y de cristiano de no desampararos hasta
> veros en poder de don Fernando, y que cuando con razones no le pudiere
> atraer a que conozca lo que os debe, de usar entonces la libertad que me
> concede el ser caballero, y poder con justo título desafialle (I, 29).

Don Quijote acostumbra a cumplir esta norma con una escrupulosa
puntualidad, y ello le acarrea sinsabores y le lleva a situaciones que
rayan a menudo en el absurdo. Así, cuando abandona por primera
vez su aldea, con la vanidad del pobre hidalgo que sale a conquistar
toda la honra del mundo:

> ...le vino a la memoria que no era armado caballero y que, conforme a
> ley de caballería, ni podía ni debía tomar armas con ningún caballero (I, 2).

Cuando ya ha ingresado en la Orden de Caballería, el pobre hidalgo acude a estos mismos argumentos para quitar fuerza a los palos
de los yangüeses:

> Mas yo me tengo la culpa de todo; que no había de poner mano a la
> espada contra hombres que no fuesen armados caballeros, como yo... Por
> lo cual, Sancho Panza, conviene que estés advertido en esto que ahora te
> diré... y es que cuando veas que semejante canalla nos hace algún agravio,

no aguardes a que yo ponga mano al espada para ellos, porque no lo haré
en ninguna manera; sino pon tú mano a tu espada y castígalos muy a tu
sabor; que si en su ayuda y defensa acudieren caballeros, yo te sabré defender, y ofendellos con todo mi poder (I, 15).

Ante una hilera de villanos armados de piedras, comenta:

> Yo no puedo ni debo sacar la espada, como otras veces muchas te he
> dicho, contra quien no fuere armado caballero. A ti, Sancho, toca, si quieres
> tomar la venganza del agravio que a tu rucio se le ha hecho; que yo desde
> aquí te ayudaré con voces y advertimientos saludables (II, 11).

Y cuando su escudero escapa de las manos de los manteadores,
don Quijote justifica su pasividad diciendo:

> ...cuando estaba por las bardas del corral mirando los actos de tu triste tra-
> gedia, no me fue posible subir por ellas, ni menos, pude apearme de Roci-
> nante, porque me debían de tener encantado; que te juro por la fe de quien
> soy que si pudiera subir, o apearme, que yo te hiciera vengado, de manera,
> que aquellos follones y malandrines se acordaran de la burla para siempre,
> aunque en ello supiera contravenir a las leyes de la caballería, que, como
> ya muchas veces te he dicho, no consiente que caballero ponga mano contra
> quien no lo sea (I, 18).

Sólo en una ocasión, y para salvar el honor de una joven, don
Quijote se atreve a contravenir esta orden, renunciando a su condición
de caballero, para combatir con un aldeano:

> ...desde aquí digo que por esta vez renuncio mi hidalguía, y me allano y
> ajusto con la llaneza del dañador, y me hago igual con él, habilitándole
> para poder combatir conmigo (II, 52).

En este tipo de combates no se pretende demostrar la verdad de
las razones que sustenta cada uno de los contendientes, ni parece muy
clara, incluso para los hombres de la época, la relación que existe entre
la habilidad y el arrojo en la lucha, y la validez ética de las respectivas
posturas:

> ¿Qué tienen que ver la destreza i fuerças corporales [escribe López de
> Vega] con la verdad o la mentira, con la razón o sinrazón del hecho sobre
> que se pelea, para que el suceso se haya de recibir por juez de la contienda?

¿Pruévase bien el honor i acredítase la justicia de las acciones humanas con lo que es más propio de las fieras? [83].

Lo único que pretende probar el caballero, cuando empuña la espada, es la superioridad frente al contrario, no sólo en el manejo de las armas, sino en todos los órdenes. Se trata de mostrar en todo momento y públicamente el propio valor, y cuando su reconocimiento peligra, hay que reafirmarlo mediante el combate. No importan, en el reconocimiento de ese honor personal, la justicia, la verdad, u otros principios morales; lo que está en juego es el valer social [84].

Ese ideal del *valer más,* cuyo influjo en el pensamiento y en la vida cotidiana de las gentes parece haber sido muy eficaz, se hallaba expresado literariamente en los libros de caballerías [85], y es el que don Quijote trata de plasmar en sus actos: «Yo valgo por ciento» (I, 15), afirma orgulloso después de haber sido apaleado por los yangüeses, y en otro momento ordena a su escudero:

> Calla y ten paciencia; que día vendrá donde veas por vista de ojos cuán honrosa cosa es andar en este ejercicio. Si no, dime: ¿qué mayor contento puede haber en el mundo, o qué gusto puede igualarse al de vencer una batalla y al de triunfar de su enemigo? Ninguno, sin duda alguna (I, 18).

Y es que el caballero gana honra con la derrota de su contrario, y la pierde cuando es vencido. El honor es, pues, como una masa fluida y constante: toda persona noble, que ciñe espada, tiene su parte en él como usufructo; no puede aumentarlo más que en detrimento de otro, y si lo pierde, es en provecho de su ofensor [86]. Don Quijote, cuando es vencido por el Caballero de la Blanca Luna, le ruega: «...quítame la vida, pues me has quitado la honra» (II, 64); y el caballero del Bosque puede jactarse de que:

---

[83]   *Paradoxas racionales,* ed. de Erasmo Buceta, Madrid, anejos de la *RFE,* 1935, página 119.

[84]   Johan Huizinga, *Homo ludens,* pág. 114.

[85]   Julio Caro Baroja, «Honor y vergüenza. Examen histórico de varios conflictos», en J. G. Peristiany, *El concepto del honor,* págs. 89-90.

[86]   Charles V. Aubrun, *La comedia española (1600-1680),* Madrid, Taurus, 1968, páginas 240-241.

...en solo este vencimiento hago cuenta que he vencido todos los caballeros
del mundo, porque el tal don Quijote que digo los ha vencido a todos; y
habiéndole yo vencido a él, su gloria, su fama y su honra se ha transferido
y pasado a mi persona,

> *Y tanto el vencedor es más honrado,*
> *Cuanto más el vencido es reputado* (II, 14) [87].

Los duelos y las riñas motivados por cuestiones de honra estaban
expresamente prohibidos en las leyes civiles y en las disposiciones del
Concilio de Trento, y, aunque aceptadas por muchos, no faltan voces
que denuncien el carácter irracional, bárbaro y contrario al espíritu
evangélico, de tales costumbres. El padre Agustín de Herrera, por ejemplo, clama contra «la doctrina cruel, sangrienta, bárbara y gentílica
de la que se llama ley del duelo» [88]; Diego Duque de Estrada se refiere a la:

> ...maldita y descomulgada ley del duelo, nacida en el infierno y criada y
> alimentada en la tierra, devoradora de vidas y haciendas, hija de la ira y
> de la soberbia y madre de la venganza y perdición, ruina total de los huma-
> nos y perturbadora del sagrado templo de la paz [89].

Berganza, tras recibir una herida en la representación de un entremés, afirma «que la venganza pensada arguye crueldad y mal ánimo» [90]; y Sancho Panza, haciendo gala de una discreción compara-
ble a la de su amo, aconseja:

> —No hay para qué, señor... tomar venganza de nadie, pues no es de
> buenos cristianos tomarla de los agravios (II, 11).

El propio don Quijote protesta en cierta ocasión contra «las leyes
del maldito duelo» (II, 32). En otro momento reprende a su escudero
diciendo:

---

[87] Cfr.: «... yo me tengo muy dichoso de entrar con vos en batalla, porque si Alá
quisiese que alcanzase victoria de tan buen caballero, todas las glorias de él serían mías,
que no poca honra y gloria sería para mí, y para todo mi linage» (Ginés Pérez de Hita,
Guerras civiles de Granada, París, col. de los Mejores Autores Españoles, 1847, pág. 18).

[88] Cit. por C. A. Jones, «Honor in spanish Golden-Age drama: its relation to real
life and to morals», *BHS,* XXXV, 1958, (págs. 199-210), pág. 202.

[89] *Op. cit.,* pág. 268.

[90] *El coloquio de los perros,* BAE, I, pág. 243.

> —Mal cristiano eres, Sancho... porque nunca olvidas la injuria que una vez te han hecho; pues sábete que es de pechos nobles y generosos no hacer caso de niñerías (I, 21).

Y sostiene, aunque él no lo cumpla:

> Los varones prudentes, las repúblicas bien concertadas, por cuatro cosas han de tomar las armas y desenvainar las espadas, y poner a riesgo sus personas, vidas y haciendas; la primera, por defender la fe católica; la segunda, por defender su vida, que es de ley natural y divina; la tercera, en defensa de su honra, de su familia y hacienda; la cuarta, en servicio de su rey, en la guerra justa... pero tomarlas por niñerías y por cosas que antes son de risa y pasatiempo que de afrenta, parece que quien las toma carece de todo razonable discurso; cuanto más que el tomar venganza injusta (que justa no puede haber alguna que lo sea) va derechamente contra la santa ley que profesamos, en la cual se nos manda que hagamos bien a nuestros enemigos y que amemos a los que nos aborrecen (II, 27).

En este tema, como en muchos otros, hay un marcado contraste entre la sensata moderación que manifiesta don Quijote al hablar de estas materias, y las descabelladas riñas en que se enreda, originadas a menudo por cuestiones pueriles. Pero las contradicciones del personaje no suponen inconsecuencia en su creador. Cervantes, con esta original disparidad entre la locura y la cordura, ha logrado enriquecer, dotándola de complejidad, la personalidad del caballero, y, en el tema concreto que nos ocupa, el autor ha opuesto deliberadamente las palabras y los actos de don Quijote, para establecer así una estudiada contraposición entre dos concepciones diferentes de la honra: de un lado, la doctrina caballeresca y arcaica que inspira las hazañas del hidalgo manchego, y que obliga a todo caballero que se precie de serlo, a castigar sin dilación la más mínima ofensa contra su dignidad; y, de otro, los que, como Cervantes, identifican la honra y la virtud [91], y piensan que el noble, aunque puede y debe llevar armas, sólo ha de usarlas por motivos graves y en casos plenamente justificados.

Esta polémica sobre la honra es muy importante, porque simboliza en cierta manera el tránsito de la Edad Media a la modernidad, y sobre ella se extendió largamente Jerónimo Jiménez de Urrea en su

---

[91] Véanse, más adelante, las págs. 282 y sigs.

Diálogo de la verdadera honra militar, una obra que puede ayudarnos a comprender las aparentes inconsecuencias del caballero cervantino. Uno de los personajes del *Diálogo,* un hidalgo puntilloso y engreído, parece sustentar la honra, igual que don Quijote, con la punta de la espada, y afirma:

> ...que si vn atreuido me injuria, pueda, públicamente desafiallo, y mostrar a Dios y al mundo, por las armas, que soy mejor que él, o matalle por ello (...). Los que no sufren vltrages, los valerosos por armas, y señalados por ellas, éstos son los honrrados... [92].

Su interlocutor, en cambio, que encarna las opiniones del autor, adopta una posición moderada de raíz humanista, defiende la idea de que «el virtuoso es el honrado» [93], y afirma, igual que Cervantes por medio de don Quijote:

> ...ya que se tenga de combatir, sea el combate por cosas honestas, como por la Religión, por la Patria, y Rey, o por Rieto de trayción o caso grauísimo (...) por que los caualleros que siguen la verdadera honra militar, no han de entrar sino en batallas lícitas, y permitidas por su Rey o patria, y no por vengança, vanagloria, y ambición [94].

«HONRA» Y «AFRENTA»

¿Cuáles eran las injurias que podían impulsar al caballero a desenvainar la espada para restaurar su reputación herida? Recordemos que, en su vertiente pública y colectiva, la honra se traduce en un conjunto de actos y palabras rituales, que sirven para expresar la veneración de las gentes hacia quien posee honor. Las cortesías, las fórmulas de tratamiento, los signos de precedencia, forman parte de ese intrincado código al que deben ajustarse las relaciones entre los hombres honrados [95].

---

[92] Fols. 2 y 7.

[93] *Ibíd.,* fol. 5.

[94] *Ibíd.,* fols. 12 y 60.

[95] «El que quita la gorra cuando pasa / el amigo o mayor, le da la honra; / el que le da su lado, el que le asienta / en el lugar mayor; de donde es cierto / que la honra está en otro y no en él mismo» (Lope de Vega, *Los comendadores de Córdoba,* BAE, CCXV, pág. 48).

Quien olvida tales gestos de acatamiento en su trato con un caballero, lo afrenta gravemente, porque con tal omisión le niega el reconocimiento público de su rango, su derecho al honor. La supresión del saludo [96], las muestras de desprecio, el uso de fórmulas de tratamiento inadecuadas, son a menudo el origen de riñas, enemistades, y duelos sangrientos.

Dentro de estas fórmulas de cortesía, el uso de la segunda persona en la conversación merece que le dediquemos una atención especial [97]. *Vuestra merced* es la forma de tratamiento habitual para dirigirse a los iguales o a los superiores, y en ella se exterioriza el reconocimiento de la honra: *merced* es, según Covarrubias:

...una cortesía usada particularmente en España, como en Italia la señoría, que es común a qualquier hombre honrado, y entonces se dize derechamente la palabra *meritum,* que por ser persona *que merece ser honrada* la llamamos merced [98].

Tú se usa únicamente para dirigirse «a criados humildes y a personas baxas» [99] —don Quijote habla de *tú* a Sancho—, o en el trato entre marido y mujer —Teresa Panza y su esposo, por ejemplo—. *Vos* es el tratamiento habitual entre iguales, cuando hay entre ellos una gran confianza: en el *Buscón,* por ejemplo, Pablos explica muy ufano que los caballeros con los que se codeaba le llamaron «de vos en señal de familiaridad» [100]. En los demás casos, el empleo de *vos* implica una superioridad social muy clara por parte de quien lo usa —los Duques para dirigirse a Sancho—; y, fuera de estas circunstancias, puede ser interpretado como un gesto de desprecio y una grave afrenta. Para Covarrubias, *vos* es:

---

[96] El escudero de *Lazarillo* «auía dexado su tierra no más de por no quitar el bonete a vn cauallero su vezino...» (*ed. cit.,* pág. 187).

[97] Véase Arthur Saint Clair Sloan, «The pronouns of adress in *Don Quijote», RR,* XIII, 1922, págs. 65-76; Paul Patrick Rogers, «The forms of adress in the *Novelas ejemplares», RR,* XIV, 1924, págs. 105-120; y Ángel Rosenblat, *La lengua del «Quijote»,* Madrid, Edit. Gredos, 1971, págs. 180 y sigs.

[98] *Tesoro de la lengua castellana,* pág. 800.

[99] *Ibíd.,* pág. 981.

[100] *Ed. cit.,* pág. 240.

Pronombre primitivo, de la segunda persona del plural, aunque usamos
dél en singular, y no todas vezes es bien recebido [101].

Y, según Ambrosio de Salazar, «Dios os guarde» se dice «a gente
de menor estado»:

De manera que quando se habla o trata a alguno de *vos,* lo tienen a
afrenta muy grave por la causa dicha... [102].

La ofensa llega a ser tan grave, que un caballero, si ha sido tratado
de *vos* por un plebeyo o un extraño, puede sin reparo sacar la espada
para vengarse. Diego Hurtado de Mendoza, por ejemplo, explica en
una carta dirigida al Cardenal Espinosa:

El secretario Antonio Eraso llamó de *vos* a Gutierre López, estando en
el Consejo, y por esto se acuchillaron [103].

En el *Persiles,* Antonio charlaba en un corro de hidalgos y caballeros, y al ser tratado de *vos* por uno de ellos, respondió:

...el que me ha de llamar *vos* ha de ser señoría, a modo de España: y yo
por ser hijo de mis obras y de padres hidalgos, merezco el merced de cualquier señoría, y quien otra cosa dijere (y esto echando mano a mi espada)
está muy lejos de ser bien criado; y diciendo y haciendo, le di dos cuchilladas
en la cabeza muy bien dadas, con que le turbé de manera que no supo lo
que le había acontecido, ni hizo cosa en su desagravio que fuese de provecho, y yo sustenté la ofensa, estándome quedo con mi espada desnuda en
la mano [104].

Y con una anécdota muy semejante se inicia el *Diálogo* de Jerónimo Jiménez de Urrea [105].

En el *Quijote,* la soberbia de Vicente de la Roca, el soldado fanfa-
rrón, se manifiesta en que:

---

[101] *Op. cit.,* pág. 1012.
[102] Ambrosio de Salazar, *Espexo general de la gramática en diálogos,* Rouen, 1614,
página 176.
[103] Cit. por Charles E. Kany, *Sintaxis hispanoamericana,* Madrid, Edit. Gredos, 1969,
página 84.
[104] BAE, I, pág. 567. Idéntica anécdota se encuentra en Huarte de San Juan, *op.
cit.,* págs. 275-276.
[105] Véase más adelante, pág. 263.

...con una no vista arrogancia, llamaba de *vos* a sus iguales y a los mismos que le conocían... (I, 51).

La Condesa Trifaldi lamentaba el trato indecoroso que estaban obligadas a soportar las dueñas, a las que:

...aunque vengamos por línea recta, de varón en varón, del mismo Héctor el troyano, no dejarán de echarnos un *vos* nuestras señoras, si pensasen por ello ser reinas (II, 40) [106].

Don Quijote, estando molido en el lecho después de la batalla que tuvo con el arriero, recibió la inesperada visita de un cuadrillero de la Santa Hermandad, con el que tuvo golpes y malas palabras por cuestiones de tratamiento:

...Llegóse a él el cuadrillero y díjole:

—Pues ¿cómo va, buen hombre?

—Hablara yo más bien criado —respondió don Quijote—, si fuera que vos. ¿Úsase en esta tierra hablar desa suerte a los caballeros andantes, majadero?

El cuadrillero, que se vio tratar tan mal de un hombre de tan mal parecer, no lo pudo sufrir; y, alzando el candil con todo su aceite, dio a don Quijote con él en la cabeza, de suerte que le dejó muy bien descalabrado (I, 17).

Y aunque don Quijote es, como buen hidalgo, mirado y puntilloso en cuestiones de cortesía, no duda en arrojar un *vos* a la cara de su contrincante, cuando tiene motivo de enojo o las espadas están a punto de desenvainarse: «Vos sois un sandio y mal hostelero» (I, 17), contesta al ventero que pretende cobrar las costas de la posada; y a Ginés de Pasamonte: «Vos sois el gato, y el rato, y el bellaco» (I, 22).

Pero hay otras ofensas igualmente graves contra la honra de un caballero: los palos, por ejemplo, o el bofetón, «que aunque tenga algo de dolor es más lo que tiene de afrenta», según explica Covarrubias [107]; y, en general, todas aquellas injurias —como «judío», «co-

---

[106] En *El Pasagero,* una dueña se lamenta, hablando de su señora: «Voséame sin ocasión a cada paso, hace que la sirva de rodillas, a mi despecho idólatra, acaudalando sin cesar íntimo aborrecimiento su increíble aspereza, sus prontas injurias» (*ed. cit.,* pág. 42).

[107] *Op. cit.,* pág. 224. Recordemos la violenta reacción de don Juan, en *La Gitanilla,* cuando recibió un bofetón de un soldado (BAE, I, pág. 116).

·barde», «cornudo» o «ladrón»— que implican negación de las cualidades típicas de la nobleza, y, por consiguiente, un rebajamiento del individuo en los planos de la estimación colectiva, un ataque contra su
honor [108].

La más grave e injuriosa de todas estas ofensas es, sin duda, el
llamar embustero a un hombre honrado respondiendo con un *mentís*
a sus palabras. En tales casos, aunque la entereza moral del caballero
se ha puesto en duda, no estriba en ello la gravedad del ultraje; lo
más ofensivo es la significación social de estos insultos y su relación
con las doctrinas del honor. El noble es por principio, según vimos,
veraz y firme en su palabra [109]; el plebeyo, en cambio, es embustero
y ladrón: quien llama mentiroso a un caballero le niega, por tanto,
una de las cualidades del estado noble, lo deshonra al atribuirle las
tachas de un villano de la peor condición [110].

Mentís se utiliza con frecuencia en el teatro como palabra injuriosa, y sirve para provocar situaciones violentas con las que atraer la
atención del espectador [111]. Fuera de las tablas debía de ser también
moneda corriente cuando las riñas y pendencias subían de tono y estaban listos los puños o las espadas. En el *Buscón* se explica que dos
pícaros de mala ralea se enzarzaron en una discusión, y «en los *menti-
ses* acostumbrados, arremetió el uno al otro» [112]. Diego Duque de Es-

---

[108] Cfr. el siguiente suceso, acaecido en Esquivias, y protagonizado por Gabriel Quijada y Francisco de Salazar hacia 1575: «... siendo teniente de alcalde Gabriel Quijada,
hermano de Juan Quijada, en la plaza pública, habiendo mucho concurso de gente para
tratar de las elecciones de justicias, se atravesó de palabra con Francisco de Salazar,
difunto, tío de todos los Salazares deste lugar, de que resultó que dicho Francisco de
Salazar dio un bofetón al dicho Gabriel Quijada, diciéndole: «"¡No tegas miedo, judío,
si te he afrentado!"» (cit. por Astrana Marín, *op. cit.*, vol. IV, pág. 16).

[109] Cfr.: «... a lo que respondió con mucha hidalguía que no era menester juramento en los hombres de buena sangre para tratar verdad...» (Antonio Liñán y Verdugo,
op. cit., pág. 84). «Créolo de vuestra sangre, / Pues siendo tan noble, puede / Con
razón acreditarse» (Antonio Enríquez Gómez, *Celos no ofenden al sol*, BAE, XLVII,
página 488).

[110] «Que vn hombre sin verdad, no tiene honrra: por que si vno desmiente a otro
grauemente lo deshonrra, pues quita a la gente la buena opinión que dél tenía, y haze
que conciba otra en su perjuyzio» (J. Jiménez de Urrea, *op. cit.*, fol. 80).

[111] Véase, entre otros muchos ejemplos, Calderón, *A secreto agravio, secreta venganza*, acto I, escena 3, BAE, VII, pág. 596.

[112] *Ed. cit.*, pág. 202.

trada, durante el tormento al que estuvo sometido por la justicia, fue tratado de *vos* por el juez, a lo que respondió encolerizado:

> ...vos sois el vos, y hacéis contra Dios y justicia en darme este tormento contra las leyes del reino... vos *mentís,* dije yo, y sois el desvergonzado y facineroso, y reventaréis primero que confiese, y no es mucho que persigáis a caballeros, pues descendéis de quien persiguió a Cristo... [113].

Y en el *Diálogo de la verdadera honra militar,* de Jiménez de Urrea, Altamirano explica:

> Iugando yo vn día en Triana, a basto y malilla, con vn escudero de don Pedro de Guzmán; llamado Belmar, le dixe, sin pensar enojallo, Belmar, vos jugáys mal, alterándose él, por el vos, que le dixe, respondió, empuñado y feroz, yo juego bien, y vos, que soys tú, soys muy ruin hombre: yo le repliqué y le dixe, que era tan bueno como él y se lo prouaría con testigos, a esto *me desmintió,* el soberuio presuntuoso... [114].

Cuando don Quijote se ve envuelto en una pendencia en la que debe demostrar firmeza, no duda en anticiparse a su enemigo, arrojarle un *mentís* a la cara, y desenvainar después la espada para sustentar la afrenta. Recordemos, por ejemplo, la respuesta que recibió Cardenio cuando puso en duda la honestidad de la reina Madásina:

> ...la reina Madásina fue muy principal señora, y no se ha de presumir que tan alta princesa se había de amancebar con un sacapotras; y quien lo contrario entendiere, miente como muy gran bellaco (I, 24).

Cuando el cuadrillero sostiene que el aparejo del rucio es una albarda, don Quijote contesta enfurecido; «Mentís como bellaco» (I, 45); y, en el mismo capítulo, la bacía de barbero ha de ser, a toda costa, el yelmo de Mambrino:

> —Y quien lo contrario dijere —dijo don Quijote—, le haré yo conocer que miente, si fuere caballero, y si escudero, que remiente mil veces (I, 45).

Los comentarios sobre la liberación de los galeotes provocan en don Quijote una reacción parecida:

---

[113] *Op. cit.,* pág. 278.
[114] Fol. 2.

> Yo topé un rosario y sarta de gente mohína y desdichada, y hice con
> ellos lo que mi religión me pide, y lo demás allá se avenga; y a quien mal
> le ha parecido... digo que sabe poco de achaque de caballería, y que miente
> como un hideputa y mal nacido; y esto le haré conocer con mi espada... (I, 30).

Y el «valeroso vizcaíno» no se queda atrás cuando hay que proferir
agravios:

> —¿Yo no caballero? Juro a Dios tan mientes como cristiano... Vizcaíno
> por tierra, hidalgo por mar, hidalgo por el diablo, y mientes que mira si
> otra dices cosa (I, 8).

Sin embargo, cuando don Quijote espera batirse con un caballero
de su mismo rango, en un duelo ejecutado según los preceptos de la
ley de la caballería, evita las palabras injuriosas, que podrían acelerar
el desenlace, en espera de que las espadas suplan a las lenguas. Así,
tras oír al Caballero del Bosque, don Quijote:

> ...estuvo mil veces por decirle que mentía, y ya tuvo el *mentís* en el pico
> de la lengua; pero reportóse lo mejor que pudo, por hacerle confesar por
> su propia boca su mentira (II, 14).

Y al Caballero de la Blanca Luna le respondió:

> ...y así, no diciéndoos que mentís, sino que no acertáis en lo propuesto,
> con las condiciones que habéis referido aceto vuestro desafío (II, 64).

Desmentir a alguien es afrentoso incluso para quien lo presencia,
especialmente si el testigo es persona noble. Por eso don Quijote, al
oír que Juan Haldudo llama mentiroso a Andrés, le increpa encolerizado:

> —¿«Miente» delante de mí, ruin villano?... Por el sol que nos alumbra
> que estoy por pasaros de parte a parte con esta lanza (I, 4).

Y Sancho Panza, estando en presencia de don Antonio Moreno
y otros caballeros, al ser acusado de glotón, contesta:

> ...quienquiera que hubiere dicho que yo soy comedor aventajado y no lim-
> pio, téngase por dicho que no acierta; y de otra manera dijera·esto si no
> mirara a las barbas honradas que están a la mesa (II, 62).

El valor que las gentes otorgan al señor veraz y cumplidor de su palabra, y la fea mancha que la mentira y los desmentidos vierten sobre la honra del caballero, están en relación directa con la importancia que se concede a la valentía, otra virtud típicamente nobiliaria a la que ya nos hemos referido. La mentira deshonra, sobre todo, cuando revela cobardía y flaqueza en quien hace una afirmación o una promesa, y es después incapaz de cumplir o sustentar lo dicho:

> El mentir [escribe doña Oliva Sabuco] es de bajo entendimiento y pusilánimo, porque el mentir es un género de miedo que tiene a aquella verdad que le quitará algún bien [115].

Llamar mentiroso a un caballero equivale, por consiguiente, a llamarle cobarde, y lo importante, en tales casos, no es la verdad intrínseca de las propias afirmaciones, sino el valor y la firmeza con que se sustenten [116]. Alonso Enríquez de Guzmán desafió en cierta ocasión a un caballero que le llamó mentiroso, «porque yo dezía verdad, y aunque fuera mentira, pues lo avía dicho con la boca, lo avía de hazer verdad con el braço» [117].

Todo esto nos puede ayudar a comprender el hecho de que muchos caballeros, que estarían dispuestos a arriesgar su vida para vengar un *mentís,* no duden en engañar y olvidar sus promesas, si con ello pueden obtener algún provecho. El *hombre honrado* que retrata Gracián:

> No tenía por afrenta el mentir, el no cumplir su palabra, el engañar, el decir mil falsedades; y porque uno le dijo *Mentís* pensó reventar de cólera y no quiso comer hasta tomar venganza [118].

---

115 Oliva Sabuco, *Coloquio del conocimiento de sí mismo,* BAE, LXV, pág. 357.
116 Julian Pitt-Rivers, *op. cit.,* pág. 32.
117 *Op. cit.,* pág. 16.
118 *El Criticón,* ed. de Evaristo Correa Calderón, Madrid, CC, 1971, 3 vols., volumen II, pág. 206. Cfr. esta anécdota de Juan Rufo: «Tenía un caballero grandísima boca y pequeñísimas narices, y costumbre de prometer sin cumplir cosa de las que prometía; por el cual dijo: Que prometía con la boca y cumplía con las narices» (Juan Rufo, *Las seiscientas apotegmas,* ed. cit., pág. 60). Juan de Arguijo cuenta que durante una partida de cartas, se extrañaron algunos de que un hombre jurase «a fe de caballero»: «... él paró de jugar muy mesurado, diciendo: —Pues ¿qué me falta a mí para serlo, no digo yo caballero, sino señor de los muy grandes? Yo no pago a quien debo; yo ando toda la noche matando perros por las calles y dando perros muertos por las casas; yo no comulgo verdad; yo gasto más de lo que tengo... ¿Qué extrañan, pues,

La conducta de los personajes cervantinos no es ejemplar en este aspecto: Alfonso de Este, por ejemplo, utilizó, para seducir a Cornelia, «mentiras aparentes de verdades, pero falsas y malintencionadas» [119]; Marco Antonio se portó como un «segundo engañador Eneas» [120]; y don Fernando, después de olvidar las palabras con las que había engañado a Dorotea, merece los calificativos de:

> Traidor, cruel, vengativo y embustero (I, 27)... heredero... de las traiciones de Vellido y de los embustes de Galaón (I, 28).

Para Cervantes, el valor del individuo no depende en absoluto de su rango: la verdad o la mentira, el vicio y la virtud, pueden hallarse, por consiguiente, en cualquier sujeto, con independencia de su linaje y estado; y así, de cualquier persona puede afirmarse que:

> ...debía de decir verdad, porque le tenía por hombre de bien y buen cristiano (II, 45).

«HONRA» E «INFAMIA»

Aunque en el código que hemos descrito en las páginas anteriores, se establece ya con suficiente claridad cuál es el modelo de conducta que el caballero debe adoptar para ser honrado, el régimen de estratificación social derivado de las fórmulas del honor incluye además unos principios de cierre, y un repertorio de reservas, con los que se trata de apartar a la mayoría de la población de la participación en la honra y los privilegios nobiliarios [121]. Entre estas fórmulas de exclusión podríamos citar el trato desigual que, ante la ley, reciben el noble y el

---

Vuestras Excelencias que jure a fe de caballero si puedo jurar a fe de Grande?» (Juan de Arguijo, *Cuentos*, ed. de Beatriz Chenot y Maxime Chevalier, Sevilla, Publicaciones de la Diputación Provincial, 1979, pág. 84). El mismo autor atribuye a Carlos V la siguiente anécdota: «Dijéronle al Rey Católico que el Rey Francisco de Francia se quejaba de que le había engañado cien veces. Respondió: —Miente el borrachón, que no le he engañado sino noventa y nueve» (*ibíd.*, pág. 217).

[119] *La señora Cornelia*, BAE, I, pág. 216.
[120] *Las dos doncellas*, BAE, I, pág. 201.
[121] J. A. Maravall, *Poder, honor y élites*, págs. 79-80. Véase también C. Chauchadis, *op. cit.*, págs. 163 y sigs.

plebeyo; las leyes suntuarias, que restringen el uso de ciertos signos externos del rango, como las joyas, los vestidos o los coches; y, en general, todas las leyes y estatutos que impiden a determinadas capas de la población el acceso a la carrera de honores. Todo ello tiende a delimitar con bastante precisión quién reúne los requisitos para poseer honor, y para disfrutar sin estorbos de las prerrogativas del rango, con el fin de hacer realidad el principio que enunciaba Castillo de Bovadilla:

> No parece fuera de razón, ser el bueno admitido a la honra, y el malo priuado de tenella... [122].

Aunque en toda sociedad estamental existen barreras discriminatorias muy parecidas, y en general muy rígidas, los contemporáneos de Cervantes asistieron a un endurecimiento evidente de estos mecanismos de exclusión, y se encontraron con dificultades cada vez mayores para llegar a la posesión del honor; y ello es consecuencia de ese proceso de fortalecimiento del poder nobiliario, al que ya hemos aludido, y de la actitud defensiva de la nobleza frente a los deseos de ascensión de algunos sectores intermedios de la sociedad.

Los primeros que sufrieron las consecuencias de esta actitud, y quedaron excluidos del estrecho círculo del honor, fueron los hidalgos y escuderos, que constituyen el escalón inferior de la nobleza sin título. El hidalgo, desprovisto de sus funciones tradicionales y arruinado por la evolución económica, pierde la riqueza, el poder y la reputación con que se nutre la honra, y queda definitivamente apartado de muchas prerrogativas del estamento noble: las grandes propiedades territoriales, las rentas de carácter señorial, el lujo y la liberalidad, los hábitos de las Órdenes y los títulos nobiliarios, son para él inaccesibles [123]. Desde ese momento, el hidalgo se convierte en la reliquia de un pasado próximo a desaparecer, y no es raro encontrar sátiras contra su ridícula conducta, incluso en la pluma de los más firmes defensores del sistema de privilegios nobiliarios [124].

---

[122] *Op. cit.,* vol. I, pág. 93.

[123] J. A. Maravall, *op. cit.,* págs. 214 y sigs.

[124] *Ibíd.* Recordemos, por ejemplo, la ridícula figura de don Mendo en *El Alcalde de Zalamea,* o la sátira de Quevedo contra los hidalgos en *El Buscón* y *Los sueños.*

La historia de don Quijote es un buen ejemplo de ese proceso de exclusión de los privilegios y la honra que sufren los hidalgos, y una parodia perfecta de las leyes del honor caballeresco en que se inspiraba la conducta de los contemporáneos de Cervantes. Para ser honrado, el hidalgo debe ostentar un linaje intachable, ha de mostrar fortaleza y valentía para defender su honor, y tener, además, riqueza suficiente para que su dignidad no se vea menoscabada [125]. Don Quijote, aunque carece de tales cualidades, no quiere conformarse con su discreta medianía, ni con la menguada honra de un hidalgo de medio pelo, y así viene a dar:

> ...en una ceguera tan grande y en una sandez tan conocida, que se dé a entender que es valiente, siendo viejo, que tiene fuerzas, estando enfermo, y que endereza tuertos, estando por la edad agobiado, y, sobre todo, que es caballero, no lo siendo, porque aunque lo puedan ser los hidalgos, no lo son los pobres (II, 6) [126].

La aspiración a la honra del pobre hidalgo manchego no es aceptada por sus vecinos, ni refrendada por la opinión ajena, y sólo puede interpretarse como una muestra de vanidad o un motivo para la burla y el desprecio: los hidalgos reprochan a don Quijote el haberse colocado un *don,* y haber arremetido a caballero (II, 2) sin que su escasa hacienda se lo permita; los caballeros no aceptan la competencia de los hidalgos escuderiles, que «dan humo a sus zapatos y toman los puntos de las medias negras con seda verde» *(ibíd.);* y casi todos tienen al pobre hidalgo por un loco desgraciado e impertinente *(ibíd.).*

La honra, además de apoyarse en la opinión ajena, ha de ser concedida y respaldada por un superior jerárquico capacitado para ello [127]; y don Quijote, además de ser objeto de burlas sangrientas

---

[125] Véase antes, cap. II, págs. 101 y sigs.

[126] Cfr.: «Porque, bien así como razón tuelle que dueña no pueda hacer caballero, ni hombre de religión, porque no ha de meter manos en las lides, otrosí el que es loco o sin edad, porque no han cumplimiento de seso para entender lo que hacen. Otrosí lo tuelle derecho, que no sea caballero hombre muy pobre si no le diere primeramente consejo el que lo hace por que pueda vivir...» (*Las Siete Partidas,* Partida II, tit. XXI, ley 12, ed. cit., págs. 47-48).

[127] Véase José Antonio Maravall, *Poder, honor y élites,* pág. 42. Cfr.: «Esta calidad de la nobleza, es necessario que sea concedida por el Príncipe, como se dize en la difinición: porque ninguno por sola su autoridad, aunque más merecimientos tenga

cuando cree ser honrado y venerado, ingresa en la Orden de Caballería de la mano de un ventero y de dos «mozas del partido», y queda así inhabilitado para disfrutar de la honra que sus hazañas le pudieran deparar, porque, según se indicaba en las *Siete Partidas:*

> ...no debe ser caballero el que una vegada hubiese recibido caballería por escarnio [128].

A las burlas que don Quijote sufre a lo largo de toda la novela, se suman los golpes afrentosos de sus contrincantes [129]: los palos del mozo de mulas (I, 4), los estacazos de los yangüeses (I, 15), las pedradas de los pastores y los galeotes (I, 18 y 22), o el candilazo del cuadrillero (I, 17); y el pobre hidalgo, que pensaba ganar toda la honra del mundo con el valor de su brazo, es constantemente despojado de su dignidad, y desciende, a fuerza de palos y mojicones, todos los escalones de la infamia.

Incluso las armas, que para el noble son «mamparo de la honra» [130], llegan a ser, en la novela, un elemento más de esa perpetua parodia del honor que don Quijote escenifica en sus aventuras. Ya en el primer capítulo, el señor Quijada se viste unas armas llenas de orín y moho y se cubre el rostro con una celada de cartón; sustituye más tarde su lanza por la rama de un árbol (I, 8), y se toca, finalmente, con la bacía que arrebata a un barbero (I, 21). La ridícula figura del hidalgo se convierte así en un remedo del código del honor, y sus fracasos, en la expresión permanente del amargo y saludable desengaño con que Cervantes trata de aleccionar a sus lectores [131].

No obstante, y a pesar de su ridículo porte, el hidalgo que se conforma con su estado y no intenta salir de sus casillas, puede lograr una participación, limitada y distante, en el caudal de la honra. Hay otros individuos, en cambio, que, por su linaje y sus ocupaciones, se hallaban desde antiguo desacreditados, y a los que la ley y la costumbre seguían considerando incapaces de poseer honor: son los mercade-

---

se la pueda atribuyr a sí propio... Assí dizen será honrado aquel, a quien el Rey quisiere honrar» (B. Moreno de Vargas, *op. cit.,* fols. 6-7).

[128] *Ed. cit.,* pág. 48.
[129] Véase antes, pág. 261.
[130] Véase antes, pág. 244.
[131] Véase más adelante, cap. V, págs. 304 y sigs.

res, oficiales, artesanos y funcionarios de origen plebeyo, que forman el sector medio de la población urbana. Estos burgueses son, a menudo, hombres poderosos e influyentes que, por su riqueza y sus deseos de engrandecimiento, representan una seria amenaza para el dominio hegemónico que la nobleza pretende ejercer. Por ello, aunque de manera limitada pueda aceptarse a algunas de estas gentes en las filas de la aristocracia, es necesario reforzar las barreras que restringen el acceso al honor, e insistir en el carácter infamante de tales actividades [132].

A estas barreras y prejuicio, comunes a cualquier sociedad estamental, vino a añadirse en España, a lo largo del siglo XVI, la brutal ofensiva contra la minoría judeoconversa [133], a la que se aplicó, multiplicada, la tacha de deshonor estamental que tradicionalmente había servido para diferenciar a nobles y plebeyos [134]. De esta forma, según se explicaba en un documento anónimo de finales del siglo XVI:

> ...ya no se tiene en España por tanta infamia ni afrenta aver sido blasphemo, ladrón, salteador de caminos, adúltero, sacrílego o ser inficionado de otro qualquier vicio como descender de linage de judíos aunque aya ducientos o trescientos años que sus abuelos se convirtieron a nra. sta. fe chatólica [135].

Esta mancha deshonrosa que pesaba sobre el converso, tenía manifestaciones importantes en el ámbito jurídico, económico e institucional, y afectaba de manera evidente a la conducta y el pensamiento de las gentes. Durante años la Inquisición indagó las actividades de los judíos convertidos y de sus descendientes, confiscó bienes, destruyó linajes, y arrancó de raíz cualquier brote de judaísmo [136]. Los sambe-

---

[132]   Véase Claude Chauchadis, *op. cit.*, cap. V y especialmente, págs. 164 y sigs.; y Arlette Jouanna, *op. cit.*, págs. 62-63.

[133]   Sobre la presencia de este tema en la obra de Cervantes, véase: Américo Castro, *Cervantes y los casticismos españoles,* ya citado; y Francisco Olmos, «Orígenes de los conceptos "cristiano nuevo" y "cristiano viejo" y su significación en el *Quijote*», en *Cervantes en su época,* Madrid, Ricardo Aguilera Editor, 1968, págs. 119-152.

[134]   Véase J. A. Maravall, *Poder, honor y élites,* págs. 79 y sigs.

[135]   *Tratado compuesto por un religioso de la Orden de los frayles menores,* cit. por Antonio Domínguez Ortiz, *La clase social de los conversos en Castilla en la Edad Moderna,* Madrid, C.S.I.C., 1955, pág. 227.

[136]   Véase A. Domínguez Ortiz, *Los judeoconversos en España y América,* Madrid,

nitos, colgados en las iglesias, prolongaban durante generaciones el recuerdo de los castigos, e inducían a los cristianos viejos a rehuir el contacto con los linajes manchados [137]. Los estatutos de limpieza de sangre, en fin, cerraron a los conversos las puertas de la Iglesia, de las congregaciones religiosas, Colegios Mayores, Órdenes Militares, y muchas otras instituciones de carácter civil [138]. Todo ello, según Baltasar Porreño, fue:

> ...castigo y pena merecida por la culpa de sus mayores, que fue tal y tan atroz que hasta el fin del mundo pagarán la pena con su largo cautiverio, con las afrentas que cada día padecen y con ver a sus hijos y descendientes echados de los oficios honrosos [139].

Un buen conocedor de la historia de los estatutos, Albert A. Sicroff, ha señalado que la preocupación por la limpieza de sangre, de origen plebeyo, adquirió el carácter de una auténtica revolución social que, con el pretexto de la pureza religiosa, ponía en discusión la posición y los privilegios de la nobleza [140]. Y, en efecto, si nos ceñimos a la batalla librada en Toledo en torno al estatuto de la catedral, la conclusión parece evidente: Juan Martínez Silíceo, latinización de Guijarro, su auténtico apellido, era el hijo de unos labradores de origen humilde, y había conseguido llegar por sus propios méritos a la sede arzobispal de Toledo. Una vez allí, Silíceo se enfrenta a un cabildo en que hay varios canónigos de origen noble, pero de sangre impura,

---

Edit. Istmo, 1971; Henry Kamen, *La Inquisición española,* Madrid, Alianza Editorial, 1973; Julio Caro Baroja, *Los judíos en la España Moderna y Contemporánea,* Madrid, Edit. Istmo, 1978, 3 vols.; Cecil Roth, *A history of the Marranos,* New York, 1960.

[137] «Todos los sanbenitos de los condenados vivos y difuntos, presentes o ausentes, se ponen en las Iglesias donde fueron vezinos... porque *siempre aya memoria de la infamia* de los hereges y de su descendencia» (*Archivo Histórico Nacional,* Inquisición; citado por Henry Kamen, *op. cit.,* pág. 141). La Sobrina afirma que a las historias de caballerías, «ya que no las quemasen, merecían que a cada una se le echase *un sambenito, o alguna señal en que fuese conocida por infame* y por gastadora de las buenas costumbres» (II, 6).

[138] Véase Albert Sicroff, *Les controverses des statuts de «pureté de sang» en Espagne,* París, 1960.

[139] *Defensa del estudio de limpieza que tiene la Santa Iglesia de Toledo,* 1608, citado por A. Domínguez Ortiz, *Los judeoconversos,* pág. 88.

[140] *Op. cit.,* pág. 95.

y consigue imponer el estatuto, consagrando con ello oficialmente el principio de la limpieza de sangre [141].

La victoria de Silíceo es, sin duda, el triunfo del plebeyo sobre sus antagonistas: los nobles de prosapia con sangre impura [142]. No obstante, aunque las razones de este cardenal de linaje humilde puedan parecer bastante claras, el desarrollo y las consecuencias del problema converso nos obligan a plantearnos la cuestión en otros términos. Recordemos que, durante el siglo XVI, la nobleza reafirma su hegemonía ideológica y política y extiende considerablemente las bases de su poder económico. De otro lado, la ruina del campo obligaba a los jornaleros a dejar sus aldeas y agotaba a los labradores e hidalgos de escaso caudal [143]. En estas circunstancias, nos parece difícil que el pueblo llano, desprovisto de derechos y reducido a la miseria, lograse imponer unos estatutos que limitaban los poderes absolutos del estamento dominante, y no entendemos cómo una sociedad regida por personajes y valores aristocráticos admitió el escandaloso triunfo de esta revolución de origen plebeyo. Al contrario, creemos mucho más plausible la idea que sostienen un buen número de historiadores: la limpieza de sangre era un instrumento más de la ofensiva nobiliaria, y los estatutos, un obstáculo, entre otros, para evitar a los burgueses de origen converso el acceso al honor, los cargos y los privilegios [144].

«CUATRO DEDOS DE ENJUNDIA DE CRISTIANOS VIEJOS»

Hay, sin embargo, una parte considerable de verdad en la teoría del carácter plebeyo de la limpieza de sangre, porque, aunque el objetivo final de las persecuciones y los estatutos fuese la defensa de los

---

[141] *Ibíd.,* págs. 102 y sigs.

[142] Sin embargo, en el alegato de los canónigos de Toledo contra el estatuto, se indica que todos los nobles de la ciudad «se han juntado a favorecer el estatuto en perjuicio de los ciudadanos, haciendo cuenta que cuanto más abatieren y humillaren el estado de los ciudadanos, tanto más alto y más estimado quedará el de los caballeros» (J. I. Gutiérrez Nieto, «La estructura castizo-estamental...», pág. 551, n. 79).

[143] Véase antes, cap. III, págs. 181 y sigs.

[144] Tal es la opinión, entre otros, de Henry Kamen, *La Inquisición española,* páginas 20 y 61; J. I. Gutiérrez Nieto, *Las Comunidades como movimiento antiseñorial,* páginas 371-372; y J. A. Maravall, *Poder, honor y élites,* págs. 96 y sigs.

privilegios nobiliarios, muchos plebeyos, movidos por el fanatismo religioso o por la envidia que la riqueza de algún converso despertaba, participaron con gusto en las persecuciones del siglo xv, y aplaudieron las barreras discriminatorias levantadas contra los cristianos nuevos en los años siguientes [145]. Sancho, por ejemplo, afirma:

> ...todo lo cubre y tapa la gran capa de la simpleza mía, siempre natural y nunca artificiosa; y cuando otra cosa no tuviese sino el creer, como siempre creo, firme y verdaderamente en Dios y en todo aquello que tiene y cree la santa Iglesia Católica Romana, y el ser enemigo mortal, como lo soy, de los judíos, debían los historiadores tener misericordia de mí y tratarme bien en sus escritos (II, 8).

Esta actitud beligerante del pueblo llano suele ir acompañada de afirmaciones rotundas sobre la rancia cristiandad de las gentes humildes del campo. El labriego, en efecto, ha vivido apartado en su aldea y raramente ha unido su sangre a la de los linajes manchados; su ascendencia, además, suele ser desconocida, y como no ha de someterse a pruebas genealógicas, porque no aspira a conseguir hábitos ni prebendas, su limpia cristiandad está fuera de toda duda [146]. Por eso, cuando en el palacio de los Duques (II, 32) los comensales sufren un intempestivo lavado de barbas, con el que se caricaturizan las pruebas de limpieza de sangre, el procedimiento y los resultados son en cada caso diferentes [147]: para el Duque, de cuya limpia sangre nadie puede dudar, el lavatorio es un rápido y sencillo trámite que finaliza sin contratiempos. Don Quijote sufre con paciencia la enojosa prueba, pero el lavatorio, igual que ocurría con tantos expedientes de limpieza, queda detenido y tarda en alcanzar un final feliz; y la explicación de tal demora es muy sencilla: de un lado, son muchos los conversos que han conseguido una ejecutoria, y la hidalguía ha perdido con ello su antiguo valor; de otro, el hidalgo ya no está seguro de su limpia cristiandad ni tiene la fortuna necesaria para vivir dignamente, y todo ello le convierte en un personaje ridículo, sobre el que los labriegos

---

[145] Albert Sicroff, *op. cit.,* págs. 25 y sigs.

[146] Véase Américo Castro, *De la edad conflictiva,* págs. 175 y sigs.

[147] Pierre L. Ullman, «Limpieza de barbas y de sangre», *Hispa,* XLIII, 1971, páginas 1-7.

vierten su burla y su desprecio [148]. A Sancho, en fin, los pícaros de
la cocina, convertidos en improvisados «ministros de la limpieza», tratan de lavarle las barbas con «lejía de demonios», pero el escudero,
como hombre rústico, no sufre sospechas sobre su limpieza y se niega
a pasar por la prueba:

> Yo estoy limpio de barbas y no tengo necesidad de semejantes refrigerios
> (II, 32).

Don Quijote sale en defensa de Sancho y explica: «mi escudero
es limpio tanto como otro»; y la Duquesa, para zanjar la cuestión,
afirma:

> —Sancho Panza tiene razón en todo cuanto ha dicho, y la tendrá en
> todo cuanto dijere: él es limpio, y, como él dice, no tiene necesidad de lavar-
> se *(ibíd.)*.

Aunque este orgullo de sentirse cristiano viejo no tiene ventaja ni
reconocimiento legal alguno, el labriego puede vivir con la ilusión de
poseer una limpieza de sangre inmemorial, y, con ella, uno de los requisitos para poseer honor y gozar cargos y dignidades. Sancho, por
ejemplo, no se cree capaz de alcanzar títulos y gobernar ínsulas por
su mérito y discreción personales, sino por el linaje inmaculado y añe-
jo que exhibe como ejecutoria [149]:

> ...que yo cristiano viejo soy, y para ser conde esto me basta (I, 21)... y
> aunque pobre, soy cristiano viejo, y no debo nada a nadie; y si ínsulas deseo,
> otros desean otras cosas peores; y cada uno es hijo de sus obras; y debajo
> de ser hombre puedo venir a ser papa...(I, 47).

La posibilidad de que el escudero sea desagradecido con quienes
le conocen, no debe ni siquiera plantearse, porque:

> —Eso allá se ha de entender —respondió Sancho— con los que nacieron
> en las malvas, y no con los que tienen sobre el alma cuatro dedos de enjun-

---

[148] En *Peribáñez*, por ejemplo, los labradores se burlan de los hidalgos y de su can-
sada hidalguía, con lo que parecen aludir a su sangre impura (BAE, XLI, pág. 297).
Sobre este tema véase Joseph H. Silverman, «Los hidalgos cansados de Lope de Vega»,
en *Homenaje a William L. Fichter,* Madrid, 1971, págs. 725-733.

[149] Véase Francisco Olmos, *op. cit.,* págs. 121 y sigs.

dia de cristianos viejos, como yo los tengo. ¡No, sino llegaos a mi condición, que sabrá usar de desagradecimiento con alguno! (II, 4).

Y, en fin, cuando Sancho sabe que su historia anda impresa en libro, su comentario es:

> ...a fe de buen escudero que si hubiera dicho de mí cosas que no fueran muy de cristiano viejo, como soy, que nos habían de oír los sordos (II, 3).

No es Sancho el único labriego retratado por Cervantes que padece la obsesión de la limpieza de sangre. En *El Licenciado Vidriera,* Tomás Rodaja:

> Estando a la puerta de una iglesia, vio que entraba un labrador de los que siempre blasonan de cristianos viejos, y detrás venía uno que no estaba en tan buena opinión como el primero, y el Licenciado dio grandes voces al labrador, diciendo: «Esperad, Domingo, a que pase el sábado» [150].

En *El retablo de las maravillas,* Cervantes utiliza un viejo motivo folklórico [151] para ridiculizar a los labradores que, como Sancho, llevan «cuatro dedos de enjundia de cristiano viejo rancioso» sobre los cuatro costados de su linaje [152]. Y en *La elección de los alcaldes de Daganzo,* uno sólo de los aspirantes, Pedro Rana, alega auténticos méritos para ocupar el cargo; los demás piensan que, para ser alcalde, basta con saber catar vinos, tirar con arco, remendar zapatos y, sobre todo, ser «cristiano viejo... a todo ruedo» [153].

Las ansias de medro y honra, y el orgullo de limpieza de sangre de los labriegos, habían sido ya motivo de risa en muchas farsas y comedias del siglo XVI [154]. Cervantes conoce esta tradición teatral y la aprovecha sin duda en la elaboración de sus personajes; pero lo que refleja su obra es, más que una herencia literaria, una realidad social

[150] BAE, I, pág. 161.
[151] Mauricio Molho, *Cervantes: Raíces folklóricas,* págs. 37-214; e Isaías Lerner, «Notas para el *Entremés del Retablo de las Maravillas*», en *Estudios de literatura española ofrecidos a Marcos A. Morínigo,* Madrid, Ínsula, 1971, págs. 37-55.
[152] BAE, CLVI, pag. 534. Véase W. Rozenblat, «Cervantes y los conversos. Algunas reflexiones acerca del *Retablo de las maravillas*», ACerv, XVII, 1978, págs. 99-110.
[153] *Ibíd.,* pág. 497.
[154] Francisco Márquez Villanueva, *Fuentes literarias cervantinas,* págs. 77 y sigs.

atestiguada en multitud de documentos. En las listas de pasajeros que emigraban a América, por ejemplo, el ser labrador servía para justificar la condición de cristiano viejo del viajero; y así, junto a algunos nombres, se indica: «cristiano viejo por cuatro costados y de casta de labradores»; «cristiano viejo, labrador»; «labradores honrados, cristianos viejos limpios» [155]. Galíndez de Carvajal, autor de un informe sobre los miembros del Consejo de Carlos V, consideraba indudable la limpieza de los consejeros cuando éstos procedían de linaje de labradores [156]. En las *Relaciones de los pueblos de España* hay también alusiones a la honra y la limpia cristiandad de algunas familias de labriegos [157]; y hasta un soldado de renombre podía sentirse orgulloso de iniciar su biografía con estas palabras:

> Fueron mis padres cristianos viejos, sin raza de moros ni judíos, ni penitenciados por el Santo Oficio; como se verá en el discurso adelante desta relación, fueron pobres y vivieron casados como lo manda la Santa Madre Iglesia veinticuatro años [158].

La preocupación por la limpieza de sangre era tan obsesiva, que llegaba con frecuencia a extremos grotescos. Consumir carne de cerdo, por ejemplo, era un método eficaz para ahuyentar las acusaciones de judaísmo y mantener la honra a salvo; y, al contrario, rechazar un jamón o guisar con aceite eran actos peligrosos, además de infaman-

---

[155]   Cit. por Américo Castro, *De la edad conflictiva,* pág. 182.

[156]   «El Licenciado Sanctiago es hombre de buena condición y uno de los antiguos en el Consejo, y limpio de sus padres porque es de todas partes de linaje de labradores». «El doctor Palacios Rubios es grande letrado y de grande experiencia de negocios. Hombre limpio porque es de linaje de labradores». El informante proponía además, para ocupar cargos en el Consejo, al «Doctor Vázquez y el Licenciado Medina oidores de Valladolid, que son muy buenos letrados, de los buenos del reino, y hombres virtuosos y limpios. Son de nacimiento de labradores» («Informe que Lorenzo Galíndez de Carvajal dio al Emperador Carlos V sobre los que componían el Consejo Real de S. M.», en *CDI,* I, 1842, págs. 122-127). Los textos citados se hallan en las páginas 123, 124 y 126 respectivamente.

[157]   Véase Noël Salomon, *La vida rural castellana,* págs. 288-289. Cfr.: «... nuestro pobre linaje, si bien de labradores, pero rancio y castizo en lo cristiano viejo, como tocino de Legañal...» (A. Liñán y Verdugo, *op. cit.,* pág. 216). «... yo un hombre llano, pechero de Tierra de Campos, pero cristiano viejo y con treinta mil ducados de hacienda» (*ibíd.,* pág. 218).

[158]   Alonso de Contreras, *Discurso de mi vida,* BAE, XC, pág. 77.

tes, sobre todo si se ejecutaban en presencia de un familiar del Santo Oficio [159]. Recordemos que el dómine Cabra, aunque enemigo de tales despilfarros, tuvo que poner tocino en la olla, «por no sé qué que le dijeron un día de hidalguía» [160]. Don Quijote, los sábados precisamente, comía «duelos y quebrantos» [161], es decir, huevos con torreznos; y algo parecido, según Cervantes, debía hacer el viajero que quisiera visitar España sin sobresaltos: llevar en sus alforjas «un pedazo de jamón famoso» [162], como el que descubrió Berganza en la faldriquera de un bretón; o consumir alimentos tan honrados como los que ofrecieron a Sancho Panza Ricote y sus acompañantes:

> ...huesos mondos de jamón, que si no se dejaban mascar, no defendían el ser chupados (II, 54).

Por las mismas razones, un hombre de entendimiento agudo, o que mostrase un interés excesivo por cierto tipo de estudios, podía ser objeto de comentarios malévolos o víctima de una pesquisa inquisitorial [163]; porque el ingenio sutil y las actividades intelectuales habían sido tradicionalmente «cosas de judíos», incompatibles, por tanto, con la honra y la hidalguía de las gentes de bien: «Ni xudio necio, ni liebre perezosa», reza un refrán recogido por Correas [164]. En el proceso de Martínez Cantalapiedra, profesor de Salamanca procesado por la Inquisición, uno de los testigos declaró que el padre del acusado, «Sebastián Martínez, y sus hermanos... venían de conversos, según eran de

---

[159] Véase Edward Glaser, «Referencias antisemitas en la literatura peninsular de la Edad de Oro», *NRFH*, VIII, 1954, págs. 39-62; y Américo Castro, «Sentido histórico literario del jamón y del tocino», en *Cervantes y los casticismos españoles*, págs. 25-32.

[160] *El Buscón*, ed. cit., pág. 107.

[161] Véase antes, cap. II, pág. 108 y n. 73.

[162] *El coloquio de los perros*, BAE, I, pág. 234.

[163] Véase Américo Castro, *De la edad conflictiva*, págs. 153 y sigs. En diciembre de 1533, Rodrigo de Manrique escribía desde París a Luis Vives: «... nuestro país es una tierra de envidia y soberbia; y puedes agregar: de barbarie. Pues, de hoy en más, queda fuera de duda que nadie podrá poseer allá cierta cultura sin hallarse lleno de herejías, de errores, de taras judaicas. Así se ha impuesto silencio a los doctos; en cuanto a los que corrían al llamado de la ciencia, se les ha inspirado, como tú dices, un gran terror...» (cit. por Henry Kamen, *La Inquisición española*, pág. 88).

[164] *Op. cit.*, pág. 232.

agudos» [165]. En el informe de Lorenzo Galíndez de Carvajal, ya citado, se dice que:

> El doctor Beltrán tiene buenas letras y es agudo... Todos tienen que sería buena provisión poner otro en su lugar, porque ni su linaje ni manera de vivir, ni sus costumbres y fidelidad... son para ser consejero de ningún Señor... [166].

Y el Padre Sigüenza explica las dificultades que el arzobispo de Granada tuvo para predicar a los judíos:

> ...porque como son naturalmente agudos, y tienen tan en los labios la Escritura santa, arguhían muchas vezes contra lo que se les predicaua... [167].

Cervantes se burla abiertamente de estas ridículas opiniones, poniendo en boca de labriegos analfabetos absurdas consideraciones sobre los peligros del ejercicio intelectual: a Francisco Humillos, uno de los aspirantes a la alcaldía de Daganzo, se le pregunta si sabe leer, y él contesta orgulloso:

> No, por cierto,
> ni tal se prouará que en mi linage
> aya persona de tan poco assiento,
> que se ponga a aprender essas quimeras,
> que lleuan a los hombres al brasero,
> y a las mugeres a la casa llana [168].

Sancho es un pobre labriego analfabeto, al que todos tienen «por un porro» (II, 52), y no reúne mejores cualidades que Humillos para ser gobernador; a pesar de lo cual se encuentra «con salud para regir reinos y gobernar ínsulas» (II, 4), y afirma:

> Letras... pocas tengo, porque aun no sé el A, B, C; pero bástame tener el Cristus en la memoria para ser buen gobernador (II, 42).

---

[165] Cit. por Américo Castro, *De la edad conflictiva,* pág. 153.
[166] Pág. 125.
[167] Fray José de Sigüenza, *Historia de la Orden de San Jerónimo,* NBAE, XII, página 307.
[168] *La elección de los alcaldes...,* BAE, CLVI, pág. 501.

Esta absurda glorificación de la ignorancia no hubiera sido posible si en el ambiente de la época no estuviera presente la idea de que, para ser conde, bastaba con ser labriego y cristiano viejo. Fray Agustín de Salucio, por ejemplo, lamentaba que «un hijo de un herrador, o de otro más bajo oficio», fuese estimado por «más honrado y de mejor casta que un nobilísimo caballero» [169]; y en un documento elaborado por las Cortes hacia el año 1600, se dice que:

...en España ay dos géneros de Noblezas. Una mayor, que es la Hidalguía, y otra menor, que es la limpieza, que llamamos Christianos viejos. Y aunque en la primera de la Hidalguía es más honrado de tenerla; pero muy más afrentoso es faltar la segunda: porque en España más estimamos a un hombre pechero y limpio que a un hidalgo que no es limpio... que ya hemos venido a que la virtud y letras son afrenta para los Nobles, los quales haviéndoles el Rey honrado porque eran Letrados, siendo actualmente Consejeros por Letrados, se afrentan que los llamen Doctores o Licenciados... Y sabemos que en estas Provincias, de jornalero se hace uno Noble, si después vivió honradamente de su Hacienda, y con esto se llevan los Ábitos y Encomiendas y a nosotros nos llaman Marranos... [170].

Pero a pesar de la vehemencia con que se expresan sus autores, estas afirmaciones no son ciertas [171], porque ni la limpieza servía sin más para ennoblecer al jornalero, o para librar de la infamia al trabajador manual, ni su ausencia privaba al noble de sus privilegios estamentales. Es cierto que cuando a un hidalgo se le negaba el hábito de una Orden Militar, por tener un antecesor converso en uno de sus costados, sus vecinos labriegos, que tanto blasonaban de cristiandad vieja, reventarían de satisfacción al sentirse más dignos y honrados que ciertos nobles. Sin embargo, el fermento de rebeldía que tal actitud pudiera contener, quedó en la práctica neutralizado, y sirvió incluso para afianzar el orden estamental y asegurar el papel dominante de la nobleza dentro de él; porque al jornalero, condenado para siempre al hambre y al trabajo agotador, se le ofrece, como compensación, el consuelo de sentirse superior a sus propios señores, y se le invita,

---

[169] Cit. por A. Castro, *op. cit.*, pág. 183.
[170] En A. Domínguez Ortiz, *La clase social de los conversos*, págs. 229-231.
[171] J. A. Maravall, *Poder, honor y élites*, págs. 116 y sigs.

al mismo tiempo, a defender y hacer suyos los valores con que se fundamenta y justifica el orden social: la sangre, el linaje y el honor.

La limpieza funciona, por consiguiente, como uno de los dispositivos más importantes de la ideología dominante: enmascara el auténtico carácter de las relaciones sociales, promueve actitudes conformistas, crea en el labriego la ilusión de un imposible ascenso social, y le induce a aceptar los mitos segregados por la propia sociedad feudal [172]. Tienen cierta razón, a pesar de todo, los que afirman que la sangre limpia puede hacer noble al labriego analfabeto, porque, si bien es cierto que la cristiandad vieja no implicó nunca por sí sola un cambio de *status,* sirvió a menudo para atribuir honra al villano rico y justificar así su ennoblecimiento [173]. En el teatro, por ejemplo, aunque todos los rústicos presumen de sangre limpia, suelen ser los labradores ricos quienes con más frecuencia usan este argumento para acreditar y defender su honor [174], y no es raro que el rey premie con una ejecutoria la valerosa conducta de tales sujetos. También en el *Quijote,* los padres de Dorotea:

> ...son labradores, gente llana, sin mezcla de alguna raza mal sonante y, como suele decirse, cristianos viejos rancios; pero tan ricos, que su riqueza y magnífico trato les va poco a poco adquiriendo nombre de hidalgos, y aun de caballeros (I, 28).

Cervantes deja muy claro que el dinero, y no la cristiandad vieja, es el que engrandece al villano [175]; la limpieza es, en todo caso, el requisito previo para alcanzar la hidalguía o el argumento con el que se justifican tales cambios.

---

[172]   Noël Salomon, *Recherches sur le thème paysan,* pág. 820.

[173]   Véase antes, cap. III, págs. 216 y sigs.

[174]   Véase N. Salomon, *op. cit.* págs. 805 y sigs.; J. A. Maravall, *Teatro y literatura,* págs. 73 y sigs.; J. M. Díez Borque, *Sociología de la comedia española,* págs. 309 y sigs.; y A. Castro, *De la edad conflictiva,* págs. 175 y sigs. Cfr.: «Yo soy un hombre, / Aunque de villana casta, / Limpio de sangre, y jamás / De hebrea o mora manchada» (Lope de Vega, *Peribáñez,* BAE, XLI, pág. 301). «Que aunque caballero no, / Soy, hija, cristiano viejo. / Entre la sangre española, / La mía, aunque labrador, / Tiene limpieza y valor» (Tirso de Molina, *La villana de la Sagra,* BAE, V, pág. 314).

[175]   J. A. Maravall, *Poder, honor y élites,* pág. 132.

El ennoblecimiento de los labriegos es, en efecto, un hecho que atenta de manera evidente contra el carácter jerárquico e inconmovible del orden estamental, y debe ser explicado de manera satisfactoria con los conceptos que la propia ideología dominante proporciona. Desde esta posición no es posible admitir que un labrador rico pueda comprar la nobleza, porque ello equivaldría a negar el papel de la sangre como agente de las desigualdades sociales; el recurso de la limpieza disimula, en cambio, el trasfondo económico de este tipo de ennoblecimientos, y sirve para justificarlos desde la atalaya de una doctrina social conservadora: es la cristiandad inmaculada del labriego, su sangre en definitiva —nunca el dinero—, la que le hace merecedor de un rango y un honor más altos.

La doctrina de la limpieza de sangre fue utilizada también, en el teatro especialmente, como un instrumento de propaganda con el que moderar y desviar las ansias de medro de los labriegos acaudalados: el labrador es honrado, limpio y digno; su calidad es equiparable a la del noble; y no debe, en consecuencia, apetecer mayores dignidades, ni intentar una ascensión social que no va a acrecentar en nada su honra: bástele, igual que a Juan Labrador, con la existencia honrada y feliz que, como villano rico, disfruta en su modesto rincón.

La reconstrucción del orden tradicional que la nobleza promueve desde finales del siglo XVI, exige, en todo caso, una ampliación del campo social del honor, para dar cabida en él a nuevos grupos, y la comedia, al ofrecer a los labriegos ricos una participación en las virtudes y valores de la sociedad aristocrática, contribuyó a ello de manera decisiva [176]. El hidalgo, que estaba siendo privado de la dignidad propia de su estamento, se convierte en motivo de risa para el espectador de los corrales; mientras el labriego rico, ausente hasta entonces de las tablas, o asimilado al rústico y al bobo, se alza ahora, como Pedro Crespo frente al ridículo don Mendo, en *El alcalde de Zalamea,* como hombre ejemplar y depositario de las mismas virtudes que el más honrado caballero.

---

[176] Véase J. A. Maravall, *Teatro y literatura,* págs. 73 y sigs.

«QUE NO ES UN HOMBRE MÁS QUE
OTRO SI NO HACE MÁS QUE OTRO»

En la figura de Sancho, campesino ingenuo que espera entrar en
el clan de los poderosos con el certificado de su rancia cristiandad,
Cervantes ha dibujado la contrafigura burlesca de esos labriegos ricos
que, en la misma época, aspiran a disfrutar de los privilegios y honores
propios de un noble. Sancho fracasa porque olvida lo que él, como
persona, es y vale; y Cervantes, al tiempo que escarmienta al escudero
con una saludable cura de desengaño, nos previene contra una sociedad en que se menosprecia la valía particular de cada individuo, y
en que la dignidad del hombre se funda en el hecho fortuito de ser
labriego, hidalgo, confeso o caballero. Y es que no es el linaje lo que
hace grande al hombre, sino sus actos, porque «la sangre se hereda,
y la virtud se aquista, y la virtud vale por sí sola lo que la sangre
no vale» (II, 42); y, en consecuencia, «cada uno es hijo de sus obras»
(I, 4), y «no es un hombre más que otro si no hace más que otro» (I, 18).

Cervantes no es el único que adopta esta postura. Las protestas
contra los privilegios nobiliarios, y la crítica de los principios irracionales en que éstos se sustentan, surgen a cada paso, en textos de tipo
muy diverso, a lo largo de los siglos XVI y XVII. La crítica de la honra
y el linaje, inspirada en Séneca [177] y en Erasmo [178], es, por ejemplo,
un tema frecuente en Luis Vives, los hermanos Valdés y otros humanistas de la época del Emperador: en el *Diálogo de Mercurio y Carón*
se explica que, en la doctrina de Cristo, sólo es verdadera nobleza aquella que con virtud se alcanza, mientras que los cristianos
hacen:

...tantas differencias por venir unos de un linage y otros de otro, que allende
las muertes que a esta causa a cada passo se cometen, es cosa estraña ver

[177] «¿Quién, pues, es el noble? Aquel a quien la naturaleza ha hecho para la virtud» (*Flores de Séneca*, trad. de J. M. Cordero, Amberes, 1555, fol. 32; cit. por Américo
Castro, *El pensamiento de Cervantes*, pág. 358). Véase antes el capítulo I, págs. 71 y sigs.
[178] «Aquella sola es honra, la cual se hace a alguno por su virtud propia» (*Enquiri-
dion del caballero cristiano*, cit. por A. Castro, *ibíd.*).

. quán hinchado está entréllos el noble con su nobleza, y quán sometidos y abatidos los que no lo son [179].

Para Luis Vives:

Gloria es tener buen renombre por hechos virtuosos. Honra es, ser acatado por nuestra virtud propia... Nobleza es, ser conocido y estimado por notables hechos; o es, ser semejante a sus padres el que es hijo de buenos [180]...
La honra que no nace de virtud es dañosa y mala [181].

Y de manera similar opina Jiménez de Urrea:

...el fruto de la virtud es la honrra, y el verdadero noble, ora sea de alto linage, ora de baxo, es el virtuoso... [182].

También en el *Lazarillo,* obra de probable inspiración erasmista [183], se denuncia la vanidad y la hipocresía engendradas por un desmedido e infundado sentimiento de la honra [184], y el mismo tema se repite en casi toda la picaresca posterior [185]. La crítica del honor ocupa, por ejemplo, un lugar prominente en el centro del sistema doctrinal de Mateo Alemán, como expresión del rechazo de un orden social en que la honra y el linaje acostumbran a identificarse [186]:

---

[179] Alfonso de Valdés, *Diálogo de Mercurio y Carón,* ed. de José F. Montesinos, Madrid, CC, 1971, págs. 14-15.

[180] Juan Luis Vives, *Introducción a la sabiduría,* BAE, LXV, pág. 240.

[181] *Ibíd.,* pág. 241. Véase J. Corts Grau, «La doctrina social de Juan Luis Vives», *Estudios de Historia Social de España,* dirigidos por Carmelo Viñas Mey, Madrid, CSIC, 1952, vol. II, págs. 63-89.

[182] *Op. cit.,* fol. 62.

[183] Manuel J. Asensio, «La intención religiosa del *Lazarillo de Tormes* y Juan de Valdés», *HR,* XXVII, 1959, págs. 78-102.

[184] «¡O, Señor, y quántos de aquestos deuéys vos tener por el mundo derramados, que padescen por la negra que llaman honra, lo que por vos no sufrirían!» (*ed. cit.,* página 163).

[185] Véase Alan Francis, *Picaresca, decadencia, historia,* Madrid, Edit. Gredos, 1978, páginas 43 y sigs.; y Marcel Bataillon, *Pícaros y picaresca,* Madrid, Taurus, 1982, páginas 167 y sigs.

[186] Edmond Cros, *Protée et le Gueux. Recherches sur les origines et la nature du récit picaresque dans «Guzmán de Alfarache»,* París, Didier, 1967, pág. 384.

...digo que no hay honra que lo sea, más de servir a Dios, y lo que saliere fuera desto es falso y malo [187].

Haz honra de que esté proveído el hospital de lo que se pierde en tu botillería o despensa: que tus acémilas tienen sábanas y mantas y allí se muere Cristo de frío. Tus caballos revientan de gordos y los pobres se te caen muertos a la puerta de flacos. Esta es honra que se debe tener y buscar juntamente; que lo que llamas honra, más es su propio nombre soberbia o loca estimación, que trae los hombres éticos y tísicos... Como si no supiésemos que la honra es hija de la virtud, y tanto que uno fuere virtuoso será honrado, y será imposible quitarme la honra si no me quitaren la virtud, que es centro della [188].

Por los mismos años en que se compuso *Guzmán de Alfarache,* hay escritores, preocupados por la decadencia económica, que advierten los peligros de una errónea concepción del honor y propugnan una distribución más racional y justa de las honras y las infamias. Uno de ellos es Martín González de Cellorigo, quien lamentaba que la honra de sus coetáneos estuviese fundada en «la holgura y el paseo», y escribía:

Es de muy gran peligro en toda república repartir los honores y premios, sin reparar en los méritos: y por entenderlo ansí mejor que otros de su tiempo, los Romanos para que entre los suyos precediesse la virtud al honor, les pusieron el desengaño de ello... que para entrar en el templo del honor, se passasse primero por el de la virtud [189].

Y Mateo López Bravo opina de forma muy parecida:

Es certíssima la ruina de la república en que las honrras, dignidades y riquezas son entre los indignos repartidas. Indigno es a quien virtud falta, aunque le sobre la nobleza y el oro [190]. No se conozca pues otra puerta para las honras sino la virtud [191].

En el siglo XVII, cuando la crisis social y la impotencia del poder político engendran una visión desengañada y negativa del hombre y el mundo, se acentúa, con tintas muy negras a veces, la protesta contra

---

[187] *Guzmán de Alfarache,* ed. cit., vol. I, pág. 127.
[188] *Ibíd.,* vol. II, págs. 29-30.
[189] *Op. cit.,* fol. 65.
[190] *Op. cit.,* pág. 191.
[191] *Ibíd.,* pág. 196.

un honor asentado en principios irracionales'e inconmovibles: lo encontramos en el agrio resentimiento que se adivina en la pluma de un converso, como Antonio López de Vega [192], en la clarividencia de Quevedo [193], o en el hálito pesimista y ascético de algunos autores barrocos: «La honra es el premio de la virtud» [194], escribe Covarrubias. «No hay otra honra sino la que se apoya en la virtud» [195], afirma Gracián. «No hay más honra que la virtud» [196], asegura Zabaleta. El Padre Nieremberg insiste en que «la naturaleza de la honra es fundarse en virtud» [197]. Para Pedro de Navarra:

> ...la verdadera honrra procede de la virtud, y no del uso o estimación del mundo [198].

Pérez de Saavedra añade:

> Las virtudes o vicios agenos pueden causarnos o dolor o gusto, pero no infamia ni honra. Es cada uno hijo de sus obras, por ellas puede ser infame o honrado [199].

Y Méndez Silva:

> Más honrado es el que merece la honra, y no la tiene, que el que la tiene, y nc la merece... estribe más la honra en la virtud propia que en la sangre agena [200].

---

[192] «Lo que comúnmente se llama honra es la tiranía más loca i el saber despreciarla será la comodidad más cuerda» (*Paradoxas racionales*, ed. cit., pág. 97).

[193] «Todo cuanto se busca y afana dicen los hombres que es por sustentar honra. ¡Oh, lo que gasta la honra! Y llegado a ver lo que es la honra mundana, no es nada. Por la honra no come el que tiene gana donde le sabría bien. Por la honra se muere la viuda entre dos paredes. Por la honra, sin saber qué es hombre ni qué es gusto, se pasa la doncella treinta años casada consigo misma. Por la honra, la casada se quita a su deseo cuanto pide. Por la honra, pasan los hombres el mar. Por la honra, mata un hombre a otro. Por la honra gastan todos más de lo que tienen. Y es la honra mundana, según esto, una necedad del cuerpo y alma, pues al uno quita los gustos y al otro el descanso» (Quevedo, *Las zahurdas de Plutón,* en *Los Sueños,* ed. cit., vol. II, páginas 123-124).

[194] *Emblemas morales,* fol. 140.

[195] *El Criticón,* ed. cit., vol. II, pág. 254.

[196] Cit. por A. Castro, «Algunas observaciones...», pág. 370.

[197] *Epistolario,* pág. 56.

[198] *Diálogos muy sutiles y notables,* Zaragoza, 1567, fol. 32.

[199] *Zelos divinos y humanos,* Madrid, 1629, cit. por A. Castro, *op. cit.,* pág. 369.

[200] *Engaños y desengaños del mundo,* fol. 18.

La doctrina de Cervantes sobre el honor no es original. Nuestro autor repite con escasas variaciones las enseñanzas de los erasmistas, y coincide con el parecer de muchos autores del siglo XVII. En sus escritos se expresan, probablemente, los juicios de quienes, careciendo de fortuna y linaje, se enfrentan con mirada crítica y desde la sombra a una sociedad que les ha cerrado todas las puertas. Esta concepción de la honra [201] forma parte de una moral autónoma, que no admite más juicios de valor que los de la propia conciencia, ni más dignidad que la que nace de las virtudes personales, el mérito y las buenas obras. El honor, así entendido, está a salvo de los juicios adversos del vulgo y constituye una joya firme e imperecedera:

> ...la virtud y el buen entendimiento [se dice en *El coloquio de los perros*] siempre es una, y siempre es uno; desnudo o vestido, solo o acompañado, no ha menester apoyos ni necesita de amparos; por sí solo vale, sin que las grandes dichas le ensoberbezcan, ni las adversidades le desanimen; bien es verdad que puede padecer acerca de la estimación de las gentes, mas no en la realidad verdadera de lo que merece y vale [202].

Por tal motivo, el honor no es más que la manifestación externa y el apéndice de la virtud: «El honor y la alabanza son premios de la virtud» [203], se lee en el *Persiles*. En el *Quijote* se afirma: «más vale vergüenza en cara que mancilla en el corazón» (II, 44); y en *La fuerza de la sangre:* «La verdadera deshonra está en el pecado, y la verdadera honra en la virtud» [204].

Al rechazar las ideas vulgares sobre el honor, Cervantes condena también a los que piensan que el valor de la persona reside en su linaje, y a los que aseguran que la sangre sin méritos puede engendrar honra. La idea que sus personajes sostienen es «que las virtudes ado-

---

[201] Sobre las ideas de Cervantes acerca del honor, véase George Tyler Northup, «Cervantes' attitude towards honor», *MPhil*, XXI, 1924, págs. 397-421; Américo Castro, *El pensamiento de Cervantes,* págs. 355 y sigs.; Ludovik Osterc, *op. cit.,* págs. 111 y sigs.; y Paul Descouzis, *Cervantes a nueva luz,* Madrid, Ediciones Iberoamericanas, 1973, páginas 86 y sigs.

[202] BAE, I, pág. 245. A don Fernando se le intenta hacer comprender «que era cristiano y que estaba más obligado a su alma que a los respetos humanos» (I, 28).

[203] BAE, I, pág. 597.

[204] BAE, I, pág. 186.

·ban la sangre» (II, 32) y «que la verdadera nobleza consiste en la virtud» (I, 36), y así lo afirma don Quijote cuando recomienda a su escudero:

> Mira, Sancho: si tomas por medio a la virtud y te precias de hacer hechos virtuosos, no hay para qué tener envidia a los que los tienen príncipes y señores; porque la sangre se hereda, y la virtud se aquista, y la virtud vale por sí sola lo que la sangre no vale (II, 42).

Si convertimos la virtud en el criterio básico para calificar a los individuos, podremos ver menospreciados a los poderosos y descubriremos valiosas cualidades en los hombres de linaje oscuro: «la honra puédela tener el pobre, pero no el vicioso», afirma Cervantes en el prólogo que abre la segunda parte de su novela. También don Quijote opina:

> ...que las virtudes adoban la sangre, y que en más se ha de estimar y tener un humilde virtuoso que un vicioso levantado (II, 32).

Y en el *Persiles* leemos:

> ...el pobre a quien la virtud enriquece, suele llegar a ser famoso; como el rico, si es vicioso, puede venir y viene a ser infame [205].

Pero las buenas cualidades dejan de serlo cuando no se exteriorizan en la conducta, y, en este sentido, puede afirmarse que la virtud sin actos está muerta. Las obras no se hallan, como creen algunos, determinadas por el nacimiento, ni son la consecuencia inevitable de la buena o mala sangre; constituyen, por el contrario, el auténtico rostro moral de la persona, la única dimensión visible de su transfondo ético. Y así, de la misma manera que «Dulcinea es hija de sus obras» (II, 32), los actos de un villano pueden tener tanto valor como los de un noble, porque, según ya vimos, «cada uno es hijo de sus obras» (I, 4), y ningún hombre es más que otro si no hace más que otro (I, 18).

---

[205] BAE, I, pág. 612. Cfr.: «... procede de la virtud la verdadera honra, y no del estado... Luego será vn pobre virtuoso más honrado que el Rey si es vicioso...» (Pedro de Navarra, *op. cit.*, fols. 30-31).

CAPÍTULO V

EL *QUIJOTE,* PARODIA Y LECCIÓN

«PODRÉ COMPRAR ALGÚN
TÍTULO, O ALGÚN OFICIO»

El crecimiento de la masa monetaria, la elevación de los precios, el aumento de la demanda, la apertura de nuevos mercados, crearon las condiciones idóneas para el auge de los negocios durante el siglo XVI, y abrieron para los comerciantes y artesanos una era de extraordinaria prosperidad [1]. La producción de tejidos de lana [2], la industria de la seda [3], las actividades financieras, y, sobre todo, el gran comercio de ultramar [4], llegaron a adquirir durante esta época un rango y

---

[1] Sobre estos temas, véase J. Vicens Vives, *Historia económica de España,* páginas 308-309, y 325 y sigs.

[2] *Ibíd.,* págs. 320 y sigs.

[3] Pedro de Medina escribía en 1548: «Críase en España mucha y muy buena seda; lábrase en ella todas las maneras de sedas, de las cuales, así tejidos como en peso, se saca gran cantidad, con que se bastecen muchos reinos. Es tanta que de la que se coge y labra en una sola ciudad y su reino, se paga de derecho della al rey en cada un año casi cincuenta mil ducados» (*Libro de las grandezas y cosas memorables de España,* edición de Ángel González Palencia, Madrid, C.S.I.C., 1944, pág. 45). Véase M. Garzón Pareja, *La industria sedera en España. El arte de la seda en Granada,* Granada, 1972.

[4] El puerto de Sevilla conoció durante esta época, gracias al monopolio del comercio indiano, su momento de mayor prosperidad. El comercio empieza a aumentar, sobre todo, a partir de 1560, gracias a la mayor capacidad de carga de los barcos: el volumen quinquenal del tráfico, que en la época de Carlos V había sido de unas 30.000 toneladas, pasa a 67.000 en el período 1561-1565, a 112.000 entre 1586-1590, alcanzando las 120.000 entre 1596-1601 y las 127.000 entre 1606 y 1610 (Los datos proceden de Huguette y Pierre Chaunu, *Seville et l'Atlantique,* París, 1955-1959, 9 vols.). Los mercaderes de Sevilla,

un volumen considerables, y situaron a sus artífices en condiciones de igualarse a los nobles más aventajados. Covarrubias pensaba todavía que los ricos eran «los nobles y los cavalleros y los condes y duques» [5]; López de Vega, en cambio, señala que:

> ...los Ricos, de que hablamos, no son los que comen mayorazgos i rentas descansadas... sino los que lo son por trato y granjería, Mercaderes al fin, i hombres que llaman, de negocio [6].

En esta época se puede advertir ya una frontera nítida entre dos categorías diferentes, dentro de esa clase social de negociantes y mercaderes originalmente homogénea: de un lado, los oficiales, regatones, pequeños comerciantes y artesanos de poco caudal; de otro, los tratantes acaudalados, los banqueros y asentistas, es decir, los burgueses («burgaleses» los llama Covarrubias), nombre con el que se designa a «los mercaderes caudalosos y ricos» [7]. Los primeros trabajan con sus ma-

---

explicaba Fray Tomás de Mercado: «Tienen lo primero, contratación en todas las partes de la cristiandad, y aun en Berbería. A Flandes cargan lanas, aceites, y bastardos, de allá traen todo género de mercería, tapicería, librería. A Florencia envían cochinilla, cueros, traen oro hilado, brocados, sedas, y de todas aquellas partes, gran multitud de lienzos. En Cabo Verde tienen el trato de los negros, negocio de gran caudal, y mucho interés. A todas las Indias envían grandes cargazones de toda suerte de ropa, traen de allá oro, plata, perlas, grana, y cueros, en grandísima cantidad» (*op. cit.*, pág. 314). Las fortunas acumuladas en esta variada actividad comercial eran enormes y permitían a los hombres de negocios sevillanos dotar a sus hijas de manera fabulosa, o dejar herencias, como la del testamento de Antonio Vicentelo de Leca, de más de un millón y medio de ducados (Ruth Pike, *Aristocrats and Traders*, pág. 116).

[5] *Tesoro de la lengua castellana*, pág. 910.
[6] *Heráclito i Demócrito*, pág. 86.
[7] Covarrubias, *op. cit.*, pag. 246. Este mundo de mercaderes, artesanos y tratantes, tan distinto del mundo caballeresco en que se mueve la imaginación de don Quijote, apenas aparece representado en la novela. Lo encontramos, no obstante, en el mundillo de la Alcaná de Toledo, habitado por sederos, moriscos y conversos de origen judío (I, 9); en la Feria de Sevilla, el Potro de Córdoba, el Azoguejo de Segovia, la Olivera de Valencia (I, 3 y 17); y en el trajín del camino real, cuando Sancho recuerda a su señor que «por todos estos caminos no andan hombres armados, sino harrieros y carreteros, que no sólo no traen celadas, pero quizá no las han oído nombrar en todos los días de su vida» (I, 10). Hay, sobre todo, un episodio en que el choque entre los sueños caballerescos de don Quijote y el pragmatismo de esa nueva clase social se nos ofrece de la manera más cruda: es aquél en que don Quijote se encara con un grupo de mercaderes toledanos que iban a comprar seda a Murcia (I, 4). Don Quijote exige fe ciega y

nos, carecen de fortuna y podrían hacer suyas las palabras del zapatero de *La guarda cuidadosa:*

> Venga la prenda: que, como soy pobre oficial, no puedo fiar a nadie [8].

Entre los segundos hay hombres que, al abandonar su negocio, pueden comentar con orgullo:

> ...ni más quise, ni más pude ejercitar la mercancía, cuyo trato me había puesto en opinión de ser el más rico mercader de toda la ciudad: y así era la verdad, pues fuera del crédito, que pasaba de muchos centenares de millares de escudos, valía mi hacienda dentro de las puertas de mi casa más de cincuenta mil ducados [9].

Muchos de estos burgueses acaudalados acostumbran a imitar las formas de vida de los nobles, especialmente el lujo y el ocio, y aspiran a situarse, con la ayuda del dinero, en las filas del estamento privilegiado. Este fenómeno era ya frecuente en la Edad Media [10], y se intensifica de manera visible durante el Renacimiento. Como ha señalado Braudel, la burguesía del siglo XVI, dedicada al comercio y al servicio del rey, está siempre al borde de la desaparición. La ruina financiera no es la única causa. Si se enriquecen mucho o se cansan de correr los riesgos inherentes a la vida comercial, los burgueses comienzan a

---

asentimiento incondicional —«... sin verla lo habéis de creer, confesar, afirmar, jurar y defender...»—, mientras que los mercaderes reclaman pruebas tangibles antes de hacer cualquier afirmación: «Señor caballero, nosotros no conocemos quién sea esa buena señora que decís; mostrádnosla: que si ella fuere de tanta hermosura como significáis, de buena gana y sin apremio alguno confesaremos la verdad que por parte vuestra nos es pedida... porque no encarguemos nuestras conciencias confesando una cosa por nosotros jamás vista ni oída... vuestra merced sea servido de mostrarnos algún retrato de esa señora, aunque sea tamaño como un grano de trigo; que por el hilo se sacará el ovillo, y quedaremos con esto satisfechos y seguros, y vuestra merced quedará contento y pagado» (I, 4).

[8]   BAE, CLVI, pág. 512. En Valladolid, por ejemplo, la artesanía está organizada de forma muy tradicional, la importancia de las empresas es por lo general escasa, y su número, relativamente elevado, sugiere la atomización de las industrias. El trabajo, de tipo familiar, se ejecuta en una vivienda-taller, donde el maestro contrata un par de oficiales y algún aprendiz, y cuenta con la colaboración de los hijos varones (Bartolomé Bennassar, *Valladolid en el Siglo de Oro,* págs. 307 y sigs.).

[9]   *La española inglesa,* BAE, I, pág. 149.

[10]   Johan Huizinga, *El otoño de la Edad Media,* pág. 14; y J. A. Maravall, *El mundo social de «La Celestina»,* págs. 32 y sigs.

comprar cargos, restas del Estado, títulos o feudos, y sucumben a las tentaciones de la vida nobiliaria, a su prestigio y a su tranquila indolencia [11]. No se trata de un acontecimiento exclusivamente español: en toda Europa, los mercaderes, especialmente los más adinerados, abandonan sus ocupaciones tradicionales, compran tierras y señoríos, tratan de emparentar con la aristocracia más encumbrada, y adoptan los hábitos y pautas de conducta de los nobles [12]. Es cierto que la deserción de los burgueses tiene en los reinos hispánicos un carácter más insistente y generalizado; pero ello no es reflejo de nuestras peculiaridades temperamentales, sino la consecuencia de las crisis monetarias y financieras, el agotamiento de la producción y la ruina del comercio [13].

Los efectos de la competencia extranjera [14], la disminución de la

---

[11] Fernand Braudel, *El Mediterráneo,* vol. II, pág. 99.

[12] En Amsterdam, por ejemplo, los comerciantes se quejaban en 1652 de que los regentes ya no viviesen de la participación directa en el comercio, sino de las rentas de la tierra y el dinero puesto a interés (Henry Kamen, *El Siglo de Hierro,* pág. 205). En Lieja, Arras y otras ciudades de los Países Bajos, se produce una alianza entre la nobleza feudal y los burgueses ricos, que compran tierras, viven de rentas o préstamos, abandonan el comercio, e imitan la vida ociosa de los nobles (Maurice Dobb, *op. cit.,* página 188). En Inglaterra, el comercio era deshonroso, y los mercaderes procuraban emplear sus riquezas en la adquisición de tierras y títulos (Lawrence Stone, *op. cit.,* página 100): el hijo del mercader, señalaba Thomas Mun, «al quedar rico desdeña la profesión paterna, teniendo por más honor el ser caballero y consumir su hacienda en la negra ignorancia y los excesos, que seguir los pasos de su padre como mercader industrioso» (Henry Kamen, *op. cit.,* pág. 222). En Francia el abogado François Grimaudet señalaba el «infinito número de falsos nobles, cuyos padres y antepasados han hecho sus armas y sus actos de caballería en las tiendas de vendedores de harina de maíz, en las vinaterías y pañerías» (cit. por F. Braudel, *op. cit.,* vol. II, pág. 106). Véase también Alfred von Martin, *Sociología del Renacimiento,* México, FCE, 1970, págs. 102 y sigs.

[13] Cataluña parece haber sido pionera en ese proceso de agotamiento y deserción de la burguesía (véase Joan Reglà, *Historia de Cataluña,* Madrid, Alianza, 1974, página 59). Ya en 1476, Gabriel Turell opinaba de los *ciutadans honrats* de Barcelona: «D'aquests ciutadans de Barcelona és l'estament tal, que algun rei no el té; car és de gent honrada, rica e vivint honrosament, ab caballs e armes, pomposament vestits e acompanyats... Tenen les grans cases moblades, e tinells d'argent en llur viure, e coses de magnificència... Aquestos no són solament ciutadans, mas cavallers en lo viure...» (cit. por J. M. Salrach, y E. Duran, *op. cit.* vol. II, pág. 1007).

[14] Véase J. Vicens Vives, *op. cit.,* págs. 322-323. Sancho de Moncada comentaba que «los Extranjeros negocian en España de seis partes las cinco de cuanto se negocia en ella, y en las Indias de diez partes, las nueve: de modo que las Indias son para ellos, y el título de V. Majestad» (*op. cit.,* pág. 111). Según Fernández de Navarrete: «... todo lo que los españoles traen de las Indias, adquirido con largas, prolijas y peligrosas nave-

demanda [15], los dañinos resultados del alza de precios [16], se habían dejado sentir ya sobre la artesanía y el comercio castellanos durante el último tercio del siglo XVI [17]; pero la ruina definitiva de los negocios no sobreviene hasta la última década de la centuria, cuando la peste, las malas cosechas y el hambre extienden sus efectos a las ciudades [18], y éstas se muestran incapaces de subsistir en un país devastado. Los grandes burgueses frenan las inversiones; falta trabajo en las ciudades, y la escasez de ventas arruina a maestros gremiales, tenderos y negociantes; el beneficio desaparece; la carestía aumenta la inestabilidad, y hasta los negocios más florecientes sufren un parón definitivo [19]. La

---

gaciones, y lo que juntaron con sudor y trabajo, lo trasladan los extranjeros a su patria con descanso y con regalo...» (*op. cit.*, pág. 479). Thomas Williams observó, durante su estancia en Sevilla en 1680, que el comercio estaba, casi en su totalidad, en manos de flamencos y genoveses (Patricia Shaw Fairman, *op. cit.*, pág. 158). También Barcelona, que ya había sufrido un duro golpe durante la crisis del siglo XV, se vio afectada por la competencia genovesa en sus dos dominios tradicionales: el paño y la fabricación de barcos (Pierre Vilar, *Catalunya dins l'Espanya moderna*, vol. II, págs. 275 y sigs): Entre 1600 y 1630 el número de fabricantes de paños de Barcelona había disminuido en dos tercios; en Perpiñán el número de oficiales de este ramo había pasado de 300 a 30, y en Gerona de 500 a 100 (J. M. Salrach y E. Duran, *op. cit.*, vol. II, pág. 1076). Los genoveses eran, según Cervantes, «halcones al señuelo» (BAE, CLVI, pag. 523), cuya rapacidad delata Tomás Rodaja en una de sus sentencias: «En la acera de San Francisco estaba un corro de genoveses, y pasando por allí, uno dellos le llamó, diciéndole: —Lléguese acá el señor Vidriera, y cuéntenos un cuento. Él respondió: —No quiero, porque no me lo paséis a Génova» (BAE, I, pág. 164). Véanse más datos en Ruth Pike, «The image of the Genoese in Golden Age of literature», *HispW*, XLVI, 1963, págs. 705-714.

[15] J. Vicens Vives, *Historia económica de España*, págs. 313 y sigs.

[16] Los precios de los productos agrícolas y las materias primas subieron más que los de los productos industriales, con lo cual se vio perjudicado el artesano (F. Spooner, «The economy of Europe, 1559-1609», *The New Cambridge Modern History*, Cambridge, 1968, vol. III, pág. 20; y E. J. Hamilton, *op. cit.*, pág. 276). El alza de los precios fue, además, mucho mayor en España que en el resto de Europa (Véase Fernand Braudel y Frank Spooner, «Prices in Europe from 1450 to 1750», *The Cambridge Economic History of Europe*, Cambridge, 1967, vol. IV, págs. 470-471). Véase cap. III, n. 105.

[17] En las cartas de ciudades con voto en Cortes, en 1576, se advierte el declive de algunas de ellas, y en las Cortes de 1588, Cuenca y Toledo muestran ya todos los síntomas de la decadencia (José Larraz, *La época del mercantilismo en Castilla*, Madrid, 1943, página 72).

[18] Véase antes, cap. III, págs. 181 y sigs.

[19] Roland Mousnier, *Los siglos XVI y XVII*, en *Historia General de las Civilizaciones*, dir. por Maurice Crouzet, Barcelona, Destino, 1958, vol. IV, pág. 175.

situación es tan grave, que, al terminar el siglo, según la opinión de Martín González de Cellorigo:

> ...no se halla en las historias, que España aya llegado a mayor quiebra, de la en que se ve [20].

Al desastre ocasionado por la peste y la ruina del campo se añaden, desde 1590, nuevas calamidades: la bancarrota de la hacienda real lleva la ruina a los comerciantes y acaba con la precaria vida de las ferias del norte [21]; sobre la enflaquecida economía del Reino se imponen nuevos tributos, los servicios de millones [22]; las flotas de Indias se retrasan, y desde los primeros años del siglo disminuye el volumen de los metales importados [23]; la emisión de moneda de cobre acrecienta el caos monetario y prolonga la revolución de los precios durante cien años más [24]; la expulsión de los moriscos arruina la agricultura del litoral mediterráneo [25]; el declive del comercio americano se agrava desde 1610 [26]. En 1619 el estancamiento de la industria es tan ostensible, que provoca una consulta del Consejo de Castilla [27]; y en ese mismo año, Sancho de Moncada considera a España:

> ...haragana, ociosa, entomecida, y puedo decir que manca, y baldada [28].

La decadencia tendrá rápidos y hondos efectos en el nivel demográfico de muchos lugares [29], y se dejará sentir, sobre todo, en el terre-

---

[20]   *Op. cit.*, fol. 29.

[21]   Modesto Ulloa, *La Hacienda Real de Castilla en el Reinado de Felipe II*, pág. 815.

[22]   John H. Elliott, *La España imperial*, págs. 309-310.

[23]   E. J. Hamilton, *op. cit.*, pág. 48.

[24]   E. J. Hamilton, «Inflación monetaria en Castilla (1598-1660)», en *El florecimiento del capitalismo y otros ensayos de historia económica*, Madrid, Revista de Occidente, 1948, págs. 59-93.

[25]   Véase Antonio Domínguez Ortiz y Bernard Vincent, *Historia de los moriscos*, páginas 201 y sigs.; y antes, cap. III, págs. 201 y sigs.

[26]   H. y P. Chaunu, *op. cit.*, vol. IV, pág. 248.

[27]   E. J. Hamilton, «La decadencia española en el siglo XVII», en *El florecimiento del capitalismo*, págs. 121-135.

[28]   *Op. cit.*, pág. 108.

[29]   En 1619 Burgos se siente incapacitada para cumplir con el encabezamiento que había hecho en 1611, «a causa de la disminución de vecindad, caudal y tratos que había sufrido» (Antonio Domínguez Ortiz, *La sociedad española del siglo XVII*, Madrid, C.S.I.C.,

no de las conductas y de la mentalidad social: en las ciudades castellanas se produce durante estos años un intenso fenómeno de cancelación de negocios, y una acelerada transformación de los empresarios en rentistas y nobles [30]: el dinero queda a salvo con la compra de tierra o la inversión en juros y censos [31], sirve después para fundar un mayo-

1963, vol. I, pág. 144). A mediados del siglo, Martínez de Mata señalaba que «a la ciudad de Burgos, cabeza de Castilla, no le ha quedado sino el nombre, ni aun vestigios de sus ruinas...» (*op. cit.,* pág. 359). La decadencia de las ferias y la peste de 1598-1602 agotaron demográfica y económicamente a Medina del Campo, que pasa de 13.500 habitantes a finales del siglo XVI, a menos de tres mil medio siglo más tarde (Alberto Marcos Martín, *Auge y declive de un núcleo mercantil e industrial de Castilla la Vieja: Evolución demográfica de Medina del Campo durante los siglos XVI y XVII,* Valladolid, 1978, página 221). En Toledo la población desciende rápidamente desde 1605, hasta contar con sólo cinco mil vecinos a mediados del siglo XVII (Linda Martz y Julio Porres, *Toledo y los toledanos en 1561,* Toledo, C.S.I.C., 1974, pág. 20). En el *memorial* de Juan Belluga de Moncada sobre la decadencia de Toledo, se dice que la ciudad se encuentra en 1621 en «estado tan miserable que jamás se pudo imaginar de la potencia de tal ciudad. Porque lo que es el estado eclesiástico, los Prebendados que tienen aquí las prebendas huyen de la dicha ciudad y se vienen a esta Corte, unos con plaças y oficio y otros sin ellos, gastando en ella lo que avían de gastar en la dicha ciudad. Los cavalleros seglares hacen lo propio... Los mercaderes se han venido con sus casas y tiendas por no poder sufrir las alcabalas y molestias con que las cobran... Y si se mira a los oficiales... se quieren venir, porque no hay trato... que de calles enteras que havía de freneros y armeros, vidrieros y otros oficios semejantes, no ha quedado un solo oficial...» (cit. por A. Domínguez Ortiz, *La sociedad española,* pág. 349). Sevilla experimenta también desde 1600 una lenta disminución en el censo de habitantes. En las Cortes de 1623, el procurador don Juan Ramírez protestaba por los nuevos servicios, y alegaba que la ciudad vivía «muy menoscavada y atenuada de los tratos y comercio» (Antonio Domínguez Ortiz, *Orto y ocaso de Sevilla,* Sevilla, Publicaciones de la Universidad, 1981, pág. 13). A mediados de siglo, según un *Informe de la Hermandad de gremios* de la ciudad: «... en las calles principales se hallan muchas tiendas cerradas, y las casas sin habitadores, y esta calamidad comprende a la Santa Iglesia, Collaciones, Capellanías, Hospitales y Religiones, que todos perecen por no haber quien habite las posesiones» (*Memoriales y discursos de Francisco Martínez de Mata,* pág. 388).

[30] José Larraz, *op. cit.,* pág. 72.

[31] Sobre la inversión de dinero en negocios agrícolas, véase: C. Viñas Mey, *El problema de la tierra,* págs. 13 y sigs.; y Gonzalo Anes, *Las crisis agrarias en la España Moderna,* Madrid, Taurus, 1970, págs. 92 y sigs. El juro es un título de deuda pública asegurado sobre alguna de las fuentes de ingreso del Estado (J. Vicens Vives, *Historia económica de España,* pág. 349). El censo, como ya vimos, es un préstamo de interés elevado, hecho en favor de un particular, y garantizado por tierras, casas u otros inmuebles (véase antes, cap. III, págs. 181 y sigs. y n. 74). Según apuntaba Cellorigo: «...el mercarder por el dulçor del seguro prouecho de los censos dexa sus tratos, el official despre-

·razgo, y es, finalmente, utilizado para emparentar con una familia de alcurnia [32], o para adquirir una ejecutoria de hidalguía, un título o un oficio [33]. A mediados del siglo XVI, Bartolomé de Albornoz ya había observado que:

> ...en Hespaña al contrario en vno se hallan siete y ocho oficios, que tan presto como es calçetero, quando comiença a entender aquel oficio y tracto que le había de luzir, tan presto le dexa, y se haze Mercader, y en siendo Mercader (que a su parecer no consiste en más de traer capa larga, y andar en mula con gualdrapa) hele que aspira para cavallero, y si el no, a lo menos amolda sus hijos para ello... [34].

---

cia su officio, el labrador dexa su labrança, el pastor su ganado, el noble vende sus tierras, por trocar ciento que le valían por quinientos del juro... Con los censos casas muy floridas se han perdido, y otras de gente baxa se han leuantado de sus officios, tratos y labranças a la ociosidad, y ha venido el Reyno a dar en vna república ociosa, y viciosa, y destruýdose lo bueno, noble, y antiguo de nuestra España, y engrandecídose lo peor de ella...» (*op. cit.*, fol. 22). También Cervantes alude alguna vez a la frecuente mutación de los labradores y mercaderes en usureros y rentistas: A Felipo Cañizares, el indiano rico protagonista de *El celoso extremeño,* por ejemplo, «parecíale que conforme a los años que tenía, le sobraban dineros para pasar la vida, y quisiera pasarla en su tierra, y dar en ella su hacienda a tributo, pasando en ella los años de su vejez en quietud y sosiego» (BAE, I, pág. 173). Sancho sueña también, igual que los burgueses y las gentes acaudaladas de su época, con el seguro dulzor de los censos: «... el diablo me pone ante los ojos aquí, allí, acá no, sino acullá, un talego lleno de doblones, que me parece que a cada paso le toco con la mano, y me abrazo con él, y lo llevo a mi casa, y echo censos, y fundo rentas, y vivo como un príncipe» (II, 13). Y hasta los pícaros más desvergonzados argumentan, ante las amenazas de un servidor de la justicia: «... por quien Dios es, que vuesa merced considere que no hemos robado tanto, que podemos dar a censo, ni fundar ningún mayorazgo...» (*Persiles,* BAE, I, pág. 643).

[32] En Sevilla sobre todo, donde los comerciantes habían amasado grandes fortunas, este tipo de enlaces fue corriente (Antonio Domínguez Ortiz, *Orto y ocaso de Sevilla,* páginas 87 y sigs.; y Ruth Pike, *Aristocrats and Traders,* pág. 22). Fray Tomás de Mercado observó que muchos comerciantes de su ciudad habían «ennoblecido y mejorado su estado», porque: «... los caballeros por codicia, o necesidad del dinero han bajado (ya que no a tratar) a emparentar con tratantes: y los mercaderes con apetito de nobleza, e hidalguía, han trabajado en subir, estableciendo y fundando buenos mayorazgos» (*op. cit.*, pág. 125). Fray Benito de Peñalosa explicaba que «después que se descubrieron las Indias, dan los mercaderes muy lucidas dotes en dineros con sus hijas a los Señores, y Caualleros, que para el desempeño de sus mayorazgos, y mayor lucimiento procuran y apetecen» (*op. cit.*, fol. 99).

[33] Véanse, en este capítulo, las págs. 296 y sigs.

[34] *Arte de los contractos,* Valencia, 1573, fol. 128.

Hacia 1600, y según opinaba Cellorigo, todos han puesto «la honra y authoridad en huyr del trabajo», convencidos de que «el no viuir de rentas no es trato de nobles» [35]; y así:

> ...con la occasión de las Indias, de las guerras, de la comunicación de otros Reynos, ha faltado por este respecto infinita gente. La qual si por algún caso a estos buelue, y traen hazienda, con que se sustentar... puesto que aya sido en officios baxos, venidos a estos Reynos siguen la ociosidad, y ocupan a otros muchos en su seruicio y regalo... [36].

Y el mismo fenómeno, descrito esta vez por la pluma de Cervantes, lo encontramos en una página de *El coloquio de los perros:*

> Has de saber, Berganza, que es costumbre y condición de los mercaderes de Sevilla, y aun de las otras ciudades, mostrar su autoridad y riqueza, no en sus personas, sino en las de sus hijos; porque los mercaderes son mayores en su sombra que en sí mismos, y como ellos por maravilla atienden a otra cosa que a sus tratos y contratos, trátanse modestamente; y como la ambición y la riqueza muere por manifestarse, revienta por sus hijos, y así los tratan y autorizan como si fuesen hijos de algún príncipe; y algunos hay que los procuran títulos, y ponerles en el pecho la marca que tanto distingue la gente principal de la plebeya [37].

La Corona, que estaba acosada por las deudas, encontró en la venta de hidalguías, señoríos y títulos, una fuente saneada de ingresos, y facilitó con ello a muchos pecheros la entrada en el estamento noble [38]. Felipe III, además de recompensar servicios y obsequiar a sus

---

[35]   *Op. cit.,* fol. 25.

[36]   *Ibíd.,* fols. 53-54.

[37]   BAE, I, págs. 230-231. Cfr.: «En teniendo el mercader / Alguna hacienda, no para / Hasta verse caballero, / Y al más desigual se iguala» (Lope de Vega, *Los Tellos de Meneses,* BAE, XXIV, pág. 512). «Randas y cambrayes vendo (...)/ Empecé sin una blanca / Y a la primer flota pienso / Enviar cuarenta fardos, / Y tres doblando el dinero, / Cargar dos naves que valgan / Siete mil y cuatrocientos, / Luego compro mi lugar / Y en un coche me paseo, / Miro grave y hablo culto / Y quito el sombrero a dedos» (Lope, *El premio del bien hablar,* BAE, XXIV, pág. 503). «En este ínter murió en Milán mi tío —comenta un personaje del *Pasagero*—. Nombróme su postrera voluntad heredero de su hacienda, valuada en doce mil ducados. Mi patrimonio y dote valdrán otros ocho. Resuélvome con veinte mil en no ser más platero. Quiero ser noble, quiero comer mil de renta sin disgusto» (*ed. cit.,* pág. 34).

[38]   John H. Elliott, *La España imperial,* pág. 120; y A. Domínguez Ortiz, *Las clases privilegiadas,* págs. 40 y sigs.

allegados con títulos nobiliarios, abusó de este cómodo mecanismo para obtener dinero, y vendió sin tasa vasallos, ejecutorias y prebendas de todas clases. Durante su reinado se crearon 66 nuevos títulos [39], y esta inflación de honores debió darse, con mayor intensidad si cabe, en casi todos los escalones de la jerarquía nobiliaria: para la reunión de las Cortes de Cataluña de 1518, por ejemplo, se llamó a 37 nobles, mientras que a las de 1626 fueron convocados 254 [40]. Este ennoblecimiento de los advenedizos fue también inmoderado en el Reino de Valencia, y la ironía popular dio cuenta de ello en unas coplas recogidas por Joan Fuster:

> Lo rei nos vé
> a fer mercès;
> los mercaders
> fa militars.
> No hi ha nengú
> que no pretenga
> ab llarga arenga
> ser comte o duc [41].

También Sancho Panza quiere ser conde o duque, y piensa, exactamente igual que los burgueses de su época, que la riqueza, aunque haya sido forjada en tratos poco dignos, puede transformarse fácilmente en nobleza:

> ¿Qué se me da a mí que mis vasallos sean negros? ¿Habrá más que cargar con ellos y traerlos a España, donde los podré vender, y adonde me los pagarán de contado, de cuyo dinero podré comprar algún título, o algún oficio, con que vivir descansado todos los días de mi vida? (I, 29).

Y don Quijote recuerda en cierta ocasión a su escudero:

> ...siendo yo el rey, bien te puedo dar nobleza, *sin que la compres* ni me sirvas con nada (I, 21).

---

[39] J. H. Elliott, *ibíd.,* pág. 342.
[40] J. H. Elliott, «A provincial aristocracy...», pág. 129.
[41] Cit., por J. M. Salrach y E. Duran, *op. cit.,* vol. II, pág. 1089.

«JÚNTATE A LOS BUENOS, Y SERÁS UNO DE ELLOS»

El mercader no es el único interesado en conseguir para su hijo una ejecutoria de hidalguía o el hábito de una orden militar: la nobleza, situada en la cúspide de la pirámide jerárquica, se ha convertido en el punto de confluencia de todas las aspiraciones colectivas, en un verdadero imán, que atrae las miradas de los plebeyos que quieren mejorar su suerte y librarse de la miseria y el descrédito. La deserción de la burguesía no es, por consiguiente, un hecho aislado, sino que forma parte de un proceso, mucho más amplio, al que en cierta manera sirvió de catalizador, caracterizado por la adopción mimética de las formas de vida noble por parte de los grupos inferiores. Es significativo, en este sentido, que, cuando los extranjeros visitaban España, quedaban sorprendidos no tanto por el vano orgullo y la holgazanería de los hidalgos, sino, sobre todo, por la exactitud y la constancia con que las demás clases imitaban las formas de conducta aristocráticas. Jean Muret, por ejemplo:

> ...no veía el menor andrajoso que no lleve espada; se figuran que es ser noble el ser español, con tal de que no haya nacido de un moro, ni de un judío, ni de un hereje. Son hidalgos, es decir, gentileshombres [42].

Y según el obispo de Limoges:

> ...abunda tanto la vanidad entre las gentes de ese país, que pasa hambre con tal de darse aires de nobleza y de poder vestirse y aparentar como si fuesen nobles [43].

---

[42] J. García Mercadal, *op. cit.*, vol. II, pág. 717. Según B. Joly, los artesanos «la mayor parte del tiempo están desdeñosamente sentados cerca de su tienda desde las dos o las tres de la tarde, para pasearse con la espada al lado, si llegan a haber reunido doscientos o trescientos reales, ya los tenéis nobles: no hay posibilidad de que hagan nada hasta que, habiéndolo gastado, vuelven a trabajar y a ganar más para procurarse ese atavío exterior» (*ibíd.*, pág. 124). Sir Richard Wynn observó que «... los hombres, desde el primero hasta el último, se visten como caballeros, siempre con capa y espada» (P. Shaw Fairman, *op. cit.*, pág. 157). Aunque los testimonios de este tipo son abundantes, las mismas actitudes se pueden encontrar en otros lugares de Europa: en Francia, por ejemplo, hacia 1615, el tendero se viste como el gentilhombre y resulta imposible distinguir por las apariencias (F. Braudel, *El Mediterráneo*, vol. II, págs. 108-109).

[43] F. Braudel, *ibíd.*, pág. 108.

· En Madrid sobre todo, donde las jerarquías eran más borrosas y el disimulo más fácil, la hidalguía llegó a convertirse en la máscara de los oportunistas y advenedizos, y en la forma de vida deseada por la mayoría. François Bertaut observó, por ejemplo, que los corrales de comedias de la Corte estaban siempre llenos:

> ...con todos los mercaderes y todos los artesanos, que abandonando su tienda vanse allí con la capa, la espada y el puñal, y todos se llaman caballeros, hasta los zapateros... [44].

Cervantes conocía bien la fiebre nobiliaria de sus coetáneos —su propia familia la había padecido con fuerza [45]— y en su obra podemos encontrar abundantes referencias al tema: de un músico se nos dice, irónicamente, «que es muy buen christiano, y hidalgo de solar conocido» [46]; el comediante, aunque ejerza un oficio tenido por infame, y salga a escena con el rostro enharinado y un zamarro puesto al revés, «con todo eso, a cada paso, fuera del tablado, jura a fe de hijodalgo» [47]; Maritornes, criada de caminantes y coima de arrieros:

> ...presumía de hidalga, y no tenía por afrenta estar en aquel ejercicio de servir en la venta (I, 16).

E incluso la dueña de un burdel, cuando tiene que vérselas con la justicia, alega:

> ...yo soy mujer honrada, y tengo un marido con su carta de ejecutoria, y con *a perpenan rei de memoria,* con sus colgaderos de plomo [48].

El prurito de nobleza lleva a estos plebeyos, especialmente si poseen un mediano caudal, a rodearse de los lujos y atenciones que dis-

---

[44] J. García Mercadal, *op. cit.,* vol. II, pág. 642.
[45] Véase antes, cap. I, pág. 44, y II, págs. 118-119.
[46] *El retablo de las maravillas,* BAE, CLVI, pág. 353.
[47] *El Licenciado Vidriera,* BAE, I, pág. 164.
[48] *El coloquio de los perros,* BAE, I, pág. 234. Las bromas de Cervantes son la vertiente paródica de muchas opiniones serias de la misma época. Lope de Vega afirma, sin pizca de ironía, que San Isidro era «un labrador de Madrid / del linaje de los godos», y asegura que el Evangelio de San Mateo «confirmaba la hidalguía de Cristo, por la parte de María». Véanse más datos en Ronald E. Surtz, «Sobre hidalguía y limpieza de sangre de la Virgen María, en el siglo XVII», *CHA,* 372, junio 1981, págs. 605-611.

frutan los caballeros. Mme. d'Aulnoy observó que el carpintero y el guarnicionero iban vestidos «de terciopelo y de raso como el rey» [49]; y Pedro Fernández de Navarrete advertía que hasta:

...las mujeres de oficiales mecánicos tienen... mejores alhajas y más costosos estrados que las de los títulos tenían pocos años ha [50].

El uso del coche, aunque en teoría era privativo de caballeros y títulos, está siendo usurpado también por los oficiales, mercaderes o villanos que tienen unos ducados para sustentarlo. Yelgo de Bázquez comentaba indignado «las maldades que encubre oy un coche» [51], y advertía:

...que ay muger perdida, que por yr al prado en coche no se le dará nada de que se pierda todo su linage [52].

Teresa Panza sueña con:

...ir a esa Corte, y echar un coche, como todas; que la que tiene marido gobernador muy bien le puede traer y sustentar (II, 50) [53].

---

[49] J. García Mercadal, *op. cit.*, vol. II, pág. 1067.
[50] *Op. cit.*, pág. 524.
[51] *Op. cit.*, pág. 169.
[52] *Ibíd.*
[53] Cfr.: «Yo, señora de mi alma, estoy determinada, con licencia de vuesa merced, de meter este buen día en mi casa, yéndome a la Corte a tenderme en un coche, para quebrar los ojos a mil envidiosos que ya tengo» (II, 52). En el *Buscón*, los falsos hidalgos de la Corte están obligados «a andar a caballo una vez cada mes, aunque sea en pollino, por las calles públicas; y obligados a ir en coche una vez en el año, aunque sea en la arquilla o trasera. Pero, si alguna vez vamos dentro del coche, es de considerar que siempre es en el estribo, con todo el pescuezo de fuera, haciendo cortesías porque nos vean todos» (*ed. cit.*, págs. 194-195). «Lo que llevaba con mayor molestia era el destierro de las calles más públicas, por no encontrar tanto indigno a caballo, tanto pícaro en coche» (Suárez de Figueroa, *El Pasagero*, pág. 290). «Van notificando a todos los que tienen coches comparezcan en la Sala de los Alcaldes... porque no hay hombre, por humilde que sea, ni de más bajo trato, que no ande encochado, porque tiene dinero, que es el todopoderoso» (Barrionuevo, *Avisos*, 11 de agosto de 1655, BAE, CCXXI, pág. 172). En 1611 se publicó una «Premática en que se da la forma, cerca de las personas que se prohiben andar en coches, y los que pueden andar en ellos, y cómo se ayan de hazer, y que sean de quatro cavallos» (Faustino Gil Ayuso, *op. cit.*, pág. 170).

Y en *El vizcaíno fingido,* Brígida comenta los placeres que le proporciona «ir sentada en la popa de un coche» [54], y que:

> ...quando alguna vez me le prestauan, y me vía sentada en él con aquella autoridad, que me desuanecía tanto, que creía bien y verdaderamente que era mujer principal, y que más de quatro señoras de título pudieran ser mis criadas [55].

También tiende a generalizarse en esta época el uso de *don,* forma de tratamiento que, como ya sabemos, es «título honorífico que se da al cavallero y noble y al constituydo en dignidad» [56], aunque de él se sirven muchos ventajistas que quieren borrar su pasado y franquear furtivamente las puertas de la hidalguía; y, de esta forma:

> ...no hay ya quien no se llame *Don,* por cuitado que sea, ni mujer que no le traiga rodando entre los chapines por esas calles [57].

Don Quijote escandaliza a sus vecinos cuando usurpa un *don* que no le corresponde, y, en premio a las atenciones que recibe en la primera venta que visita, ruega a la moza del partido:

---

[54] BAE, CLVI, pág. 521.

[55] *Ibíd.*

[56] Sebastián de Covarrubias, *Tesoro de la lengua,* pág. 482. Véase Arco y Garay, *op. cit.,* págs. 366-367; y Á. Rosenblat, *op. cit.,* págs. 182-183.

[57] Barrionuevo, *Avisos,* 12 de junio de 1655, BAE, CCXXI, pág. 146. Cfr.: «Es asimismo ocasión de que en Castilla haya muchos holgazanes, y aun muchos facinerosos, la licencia abierta y el abuso que hay de que cada cual se llame *don,* pues apenas se halla hijo de oficial mecánico que por este tan poco sustancial medio no aspire a usurpar la estimación debida a la verdadera nobleza» (Fernández de Navarrete, *op. cit.,* página 472). «Por cierto, gran ventura alcanzan los plebeyos que, introduciéndose a pícaros (iba a decir a caballeros), les cupo en suerte nombre abultado y sobrenombre campanudo: *don Juan, don Sancho, don Alonso, don Gonzalo, don Rodrigo,* etc. Uno conocí (Dios le perdone) cuyo padre, siendo oficial de bien, un platero honrado como vos, granjeó mediana hacienda, con que se le metió al hijo en el cuerpo este demonio que llaman caballería. Vínole a pelo el nombre, de gentil sonido... y amaneció hecho un *don Pedro*» (Suárez de Figueroa, *op. cit.,* pág. 36). «... ésta es, don Cleofás, en efecto, la pila de los *dones,* y aquí se bautizan los que vienen a la Corte sin él...» (Luis Vélez de Guevara, *El diablo cojuelo,* ed. de F. Rodríguez Marín, Madrid, CC, 1969, pág. 57). Véanse más ejemplos en María Cruz García de Enterría, *Sociedad y poesía de cordel en el Barroco,* Madrid, Taurus, 1976, págs. 258 y sigs.

...le hiciese merced que de allí adelante se pusiese don, y se llamase doña
Tolosa (I, 3).

También Sancho anhela ver a su esposa convertida en doña Teresa
Panza, y suspira por tener «nietos que se llamen señoría» (II, 5); pero,
a pesar de tan tonta ambición, su sencillez natural no puede sufrir
que ese mismo tratamiento pueda aplicarse a su persona:

> Pues advertid, hermano... que yo no tengo *don,* ni en todo mi linaje
> le ha habido: Sancho Panza me llaman a secas, y Sancho se llamó mi padre,
> y Sancho mi agüelo, y todos fueron Panzas, sin añadiduras de *dones* ni *do-
> nas;* y yo imagino que en esta ínsula debe haber más *dones* que piedras;
> pero basta: Dios me entiende, y podrá ser que si el gobierno me dura cuatro
> días, yo escardaré estos dones, que, por la muchedumbre, deben de enfadar
> como los mosquitos (II, 45).

La falta de una clase media con mentalidad renovadora, y la supervivencia de unas formas de producción y unas relaciones sociales arcai-
cas, contribuyeron, como hemos visto, a la fosilización del cuerpo social y a la infiltración de los ideales nobiliarios en todos los estratos
de la sociedad [58]. Además, las riquezas han sido durante muchos años
un instrumento seguro para trastocar jerarquías y superar barreras sociales, y, aunque la nobleza siga siendo inaccesible a la mayoría, la
pasión por el medro es muy fuerte y ha llegado a prender incluso entre
las gentes más humildes. Es la filosofía que Sancho Panza, con su
proverbial ingenuidad, expone delante de los Duques:

> ...soy quien «júntate a los buenos, y serás uno de ellos»; y soy yo de aquellos
> «no con quien naces, sino con quien paces»; y de los «quien a buen árbol
> se arrima, buena sombra le cobija». Yo me he arrimado a buen señor, y
> ha muchos meses que ando en su compañía, y he de ser otro como él, Dios
> queriendo; y viva él y viva yo: que ni a él le faltarán imperios que mandar,
> ni a mí ínsulas que gobernar (II, 32) [59].

---

[58]   A. Domínguez Ortiz, *El Antiguo Régimen,* págs. 109-110; y Henry Kamen, *La
Inquisición española,* pág. 131.

[59]   Gonzalo Correas registra en su *Vocabulario de refranes:* «No kon kien nazes,
sino kon kien pazes» (pág. 257); «Kien a buen árbol se arrima, buena sonbra le kobixa»
(pág. 389). El *Tesoro de la lengua,* de Covarrubias, recoge: «Arrímate a los buenos y
serás uno dellos» (pág. 152). Cfr.: «Mi biuda madre, como sin marido y sin abrigo se
viesse, determinó arrimarse a los buenos por ser vno dellos...» (*Lazarillo,* ed. cit., pág. 68).

El artesano y el comerciante, el aguador y el ganapán, el escribano, el alguacil, el pícaro que vive como ladrón y fullero, el falso noble que es «susto de los banquetes y convidado por fuerza» [60]: ninguno está conforme con su estado; todos sueñan con la indolente comodidad y la reputación que gozan los caballeros y los títulos, y miran hacia arriba deseando y esperando ascender, dejándose seducir por los ideales caballerescos de honor, dignidad, gloria y vida noble [61]:

> ...porque el pastor querría ser labrador y el labrador querría ser escudero y el escudero querría ser cavallero y el cavallero querría ser rey y el rey querría ser emperador [62].

En Portugal, según el testimonio de un embajador francés, «el escudero quiere parecer un duque y el duque rodearse del boato de un rey» [63]. Mateo Alemán fustiga a los desventurados «que para ostentación quieren tirar la barra con los más poderosos»:

> ...el ganapán como el oficial, el oficial como el mercader, el mercader como el caballero, el caballero como el titulado, el titulado como el grande, el grande como el rey, todos para entronizarse [64].

Quevedo, cuando examina el mundo por dentro, observa que el sastre «se viste como hidalgo»; el hidalgo «se va metiendo a caballero»; «aquel caballero, por ser señoría, no hay diligencia que no haga»; «el señor, por tener acciones de grande, se empeña», y «el grande arremeda ceremonias de rey» [65]. Y Fernando Matute advierte:

> ...si el gran Señor no compite, con la grandeza de Rey, el señor con la de grande, el hidalgo, o Cauallero, con la del señor de título, el villano porque es rico (aunque no sea virtuoso), con el trato del hidalgo, si el hombre guarda su ser, todo guarda su medida... [66].

---

[60]   Quevedo, *El Buscón,* ed. cit., pág. 192.
[61]   Claudio Sánchez Albornoz, *España, un enigma histórico,* vol. I, pág. 677.
[62]   Fray Antonio de Guevara, *Relox de Príncipes,* cit. por Agustín Redondo, «Historia y literatura», pág. 423.
[63]   Cit. por F. Braudel, *El Mediterráneo,* vol. II, pág. 108.
[64]   *Guzmán de Alfarache,* ed. cit., vol. II, pág. 73.
[65]   *El mundo por de dentro,* ed. cit., de *Los sueños,* págs. 21-22.
[66]   *Op. cit.,* vol. I, pág. 16.

En 1600, cuando el _Quijote_ está a punto de ver la luz, Martín González de Cellorigo, un funcionario de la Chancillería de Valladolid preocupado por el desfallecimiento y la pobreza del Reino, al que veía convertido en una «república ociosa y viciosa» [67], denunciaba, en unas páginas de extraordinaria clarividencia, los desastrosos efectos del prurito nobiliario y el deseo de medro de sus conciudadanos: «el pundonor de la honra» [68], la afición a «la holgura y el passeo» [69], la perniciosa idea de que «el no viuir de rentas no es trato de nobles» [70], la progresiva reducción de la sociedad «al estremo de ricos y de pobres» [71]. La riqueza, señalaba también el _Memorial,_ no toma suelo ni fructifica, porque «ha andado y anda en el ayre en papeles y contractos, censos y letras de cambio» [72]; y las gentes, deslumbradas por el dinero fácil y los sueños de grandeza, han puesto «la honra y la authoridad en el huyr del trabajo» [73], de tal forma:

> ...que no parece sino que se han querido reducir estos Reynos, a vna república de hombres encantados, que viuan fuera del orden natural [74].

Fue Pierre Vilar el primero que, partiendo de un conocimiento riguroso de nuestra historia social, llamó la atención sobre el _Memorial_ de Cellorigo, para ponerlo en conexión con los escritos de Cervantes [75]: Don Quijote y Sancho son esos seres encantados que viven fuera del orden natural, y su historia, el retrato paródico de una sociedad atenazada por la miseria y ofuscada por la paradoja y la confusión. Esto no significa, naturalmente, que el sentido de una novela tan com-

---

[67] _Op. cit.,_ fol. 22.
[68] _Ibíd.,_ fol. 53.
[69] _Ibíd.,_ fol. 15.
[70] _Ibíd.,_ fol. 25.
[71] _Ibíd.,_ fol. 54.
[72] _Ibíd.,_ fol. 29.
[73] _Ibíd.,_ fol. 25.
[74] _Ibíd._
[75] «El tiempo del _Quijote»,_ en _Crecimiento y desarrollo,_ Barcelona, Ariel, 1976, páginas 322-346.

pleja pueda quedar agotado en esta definición unilateral. El *Quijote,* según advirtió Ortega [76], es, y debe seguir siendo, un genial equívoco [77], cuyos múltiples y recónditos significados no intentaremos aclarar; pero, puestos a arriesgar una definición que no pierda de vista ese propósito de parodia social que la obra sugiere, diremos que la novela cervantina nos parece la historia de un *engaño* [78], que a través de sucesivas derrotas, desilusiones y fracasos, se transforma en un patético y aleccionador *desengaño.*

Alonso Quijano se equivoca al creer que los molinos son gigantes, o al confundir rebaños con ejércitos; pero se engaña, ante todo, al forjar una falsa imagen de sí mismo, y al empeñarse en mantener este error a pesar de los desengaños que la realidad impone: al creer que es caballero y valiente, que endereza tuertos y conquista reinos, siendo en realidad un pobre hidalgo viejo y enfermo. Y algo parecido le ocurre a Sancho Panza:

> ...que tan creído tiene aquello de la ínsula... que no se lo sacarán del casco cuantos desengaños pueden imaginarse (II, 2).

Las quimeras e ilusiones se prolongan en el *Quijote* de 1615 con un nuevo perfil: Sancho y su amo no están solos; hay junto a ellos muchos otros personajes, y entre todos logran que el error, azuzado por las burlas, se acreciente y subsista. La realidad se transforma ahora en un mundo fingido, de apariencias, organizado para incidir sobre

---

[76]   José Ortega y Gasset, *Meditaciones del Quijote,* Madrid, Espasa Calpe, colección Austral, 1964, pág. 91.

[77]   La idea de Ortega ha sido desarrollada por Ángel del Río, «El equívoco del *Quijote», HR,* XXVII, 1959, págs. 200-221.

[78]   El engaño cervantino es, ante todo, yerro, confusión: consecuencia de una realidad inasible y cambiante, y del testimonio, casi siempre falaz, de nuestros sentidos. Don Quijote lleva este engaño hasta extremos inauditos, sustituye la realidad por sus propias creaciones mentales, deambula en un mundo de caballeros y princesas, de sortilegios y fantasías, y es capaz de construir desde su propia interioridad todo un universo de ficción. Y algo parecido ocurre a su escudero. Cfr.: «O yo me engaño, o ésta ha de ser la más famosa aventura que se haya visto» (I, 8). «... era tanta la ceguedad del pobre hidalgo, que el tacto, ni el aliento, ni otras cosas que traía en sí la buena doncella, no le desengañaban...» (I, 16) «... o tú te engañas, o él quiere engañarte con hacer que no le tengas por demonio» (I, 47). «Respondióle el hidalgo que lo mirase bien, que él entendía que se engañaba» (II, 17).

la conducta del héroe [79]. Sancho reconoce haber sido engañado por su amo:

> ...él me sacó de mi casa con engañifas, prometiéndome una ínsula, que hasta agora la espero (II, 2).

Sancho engaña a don Quijote al fingir el encantamiento de Dulcinea, y ambos son engañados por el Bachiller, por los Duques, por don Antonio y sus amigos... En el mismo lecho de muerte pretenden engañar al caballero. Los engaños se suceden y encadenan, y a muchos personajes les llega el turno de ser engañados: a Sancho, el inventor del encantamiento de Dulcinea, le hacen creer que Dulcinea está realmente encantada, y le nombran en burlas gobernador. Doña Rodríguez se engaña y se engaña Tosilos; don Antonio Moreno, que engañaba a sus amigos con la cabeza encantada, como Maese Pedro engañaba a las gentes con su mono, es a su vez engañado cuando llega el Bachiller [80]. Los personajes se mueven en un mundo de ficción, víctimas de su propia farsa, y la vida acaba por convertirse en una comedia [81]. Pero los errores y desvaríos de don Quijote y Sancho no están motivados únicamente por las quimeras caballerescas, o por la ficción maliciosa o jovial ideada por sus burladores. El engaño que padecen el labrador y el hidalgo manchego, es también un reflejo abreviado de aquella sociedad en que los pujos de grandeza y las ganas de medrar habían llegado a ser una obsesión generalizada [82], en que, según indicaba Peñalosa, todos eran «vnos en apetecer lustre, nobleça y honra» [83], desde el señor de vasallos que sueña con hacer de título a su hijo (I, 44), hasta el mercader que logra para sus herederos el hábito de una orden militar [84], o la moza que sirve en la venta y presume de hidalga (I, 16).

---

[79] Juan Ignacio Ferreras, *La estructura paródica del «Quijote»*, Madrid, Taurus, 1982, pág. 49.

[80] Joaquín Casalduero, *Sentido y forma del «Quijote» (1605-1615)*, Madrid, Ínsula, 1949, págs. 204-205.

[81] Knud Togeby, *La estructura del «Quijote»*, Sevilla, Publicaciones de la Universidad de Sevilla, 1977, pág. 106.

[82] Véase Alfred Morel-Fatio, *op. cit.*, págs. 340 y sigs.

[83] *Op. cit.*, fol. 170.

[84] *El coloquio de los perros*, BAE, I, págs. 230-231. Véase antes, pág. 296.

· Don Quijote es, en efecto, el ejemplo vivo de unas ínfulas caballerescas que, al encarnarse en un hidalgo ridículo y decadente, adquieren una dimensión a la vez cómica y ejemplar: aunque su fin último sea restaurar la Edad de Oro [85] y socorrer a los necesitados, Alonso Quijano es, ante todo, el hidalgo pobre que sueña con los esplendores de una edad pretérita y arremete a caballero con la esperanza de alzarse hasta las cimas de la gloria y el poder [86]. Recordémoslo brevemente:

Hidalgo escuderil con cuatro cepas y dos yugadas de tierra, y con un trapo atrás y otro adelante, obligado a dar humo a los zapatos y a tomar los puntos de las medias negras con seda verde (II, 2).	Se pone *don* y arremete a caballero (II, 2). Da en sandez tan conocida que cree ser caballero, no lo siendo, porque aunque lo puedan ser los hidalgos, no lo son los pobres (II, 6).
Hijodalgo de solar conocido, de posesión y propiedad y de devengar quinientos sueldos (I, 21).	Quinto o sexto nieto de rey, o, por lo menos, primo segundo de emperador (I, 21).
Hidalgo de los de lanza en astillero, rocín flaco y galgo corredor (I, 1).	Caballero andante que, gracias al valor de su brazo, se imagina coronado del imperio de Trapisonda (II, 1).
Hidalgo de aldea, enamorado de una labradora que tira tan bien la barra como el más forzudo zagal (I, 25).	Caballero que alcanza la mano de una doncella cuya calidad por lo menos ha de ser de princesa (I, 13).
Escudero de honra espantadiza, como hidalgo pobre (II, 44).	Busca el aumento de su honra y cobra eterno nombre y fama (I, 1).
Elige la profesión de las armas, por ser su inclinación natural (II, 6).	Llega a ser rico y honrado (II, 6).

Los sueños de Sancho Panza y su familia son más variados y ricos, si cabe, desde el punto de vista social, y constituyen un retrato completo y preciso del hombre de 1600 y de sus inútiles obsesiones: conseguir riquezas; gobernar ínsulas; llegar a ser conde por el simple hecho de

---

[85] Sobre las metas del actuar quijotesco, véase Alberto Navarro, *El Quijote español del siglo XVII,* Madrid, Edit. Rialp, 1964, págs. 131 y sigs.

[86] Véase antes, cap. II, págs. 120 y sigs.

haber nacido en una familia labradora, sin mezcla de hereje, moro
o judío; holgar y medrar [87]:

Servir a labradores (II, 28).   ⟶ Arrimarse a los buenos para ser uno
                                            de ellos (II, 32).

Labrador pobre y con hijos (I, 4). ⟶ Sirve como escudero a un caballero
                                            andante, y ni a éste le faltaran impe-
                                            rios que mandar ni a aquél ínsulas
                                            que gobernar (II, 32).

Gobernador de un hato de cabras (II, ⟶ Gobernador de ínsulas (II, 52).
52).

Guarda gansos y puercos (II, 2).   ⟶ Logra un título de conde, o, por lo
                                            mucho, de marqués de algún valle o
                                            provincia (I, 7).

Jornalero que gana dos ducados al ⟶ Logra riquezas para comprar algún
mes (II, 28) y media su despensa con   título o algún oficio, con que vivir
veintiséis maravedís diarios (I, 23).   descansado todos los días de su vida
                                            (I, 29). Goza las rentas de su gobier-
                                            no a pierna suelta (I, 50). Echa cen-
                                            sos, funda rentas y vive como un
                                            príncipe (II, 13).

Cristiano viejo (I, 21).   ⟶ Para ser conde esto le basta (I, 21).

Viste un gabán, se calza alpargatas ⟶ Viste oro y perlas a uso de conde ex-
toscas de cuerda y se arropa con un   tranjero (I, 21).
zamarro de dos pelos en el invierno
(II, 53).

Se sustenta con pan y cebolla (II, 43). ⟶ Le sirven perdices y capones (II, 43).

Teresa Panza se cubre la cabeza con ⟶ Va sentada y tendida en un coche (II,
la falda de la saya (II, 5).   50) con verdugados, con broches y
                                            con entono (II, 5).

Sanchica habría de casarse con Lope ⟶ Se casa tan altamente, que no la al-
Tocho, mozo rollizo y sano, que no   canzan sino con llamarla *señora* (II,

---

[87] Véase antes, cap. III, págs. 216 y sigs.

mira de mal ojo a la muchacha (II, 5).

5). Sale acompañada de carrozas y literas y de gran número de sirvientes (II, 50).

Los dos héroes han vivido engañados y han protagonizado una farsa, con evidentes resonancias sociales, en la que finalmente han tenido que toparse con la realidad y asumir sus crudas verdades. Al lograr este conocimiento, amo y criado descubren cuál es su sitio en el mundo, recobran la razón, vuelven al orden natural, se desengañan. Este desengaño, que aparece parcial y momentáneamente tras varios lances de la novela [88], adquiere un sesgo definitivo, irreversible, en los dos episodios culminantes de la historia —el final del gobierno de Sancho y la curación de don Quijote—, y en él reside la mayor victoria de ambos personajes y la gran lección social y moral de la novela.

Sancho Panza, que ha seguido a su señor con la mirada puesta en la riqueza y el medro, sufre una profunda desilusión durante su breve gobierno, y, al concluir éste, sólo sueña ya con recobrar la libertad y el sosiego:

> ...dejadme volver a mi antigua libertad: dejadme que vaya a buscar la vida pasada, para que me resucite de esta muerte presente. Yo no nací para ser gobernador, ni para defender ínsulas ni ciudades de los enemigos que quisieren acometerlas... Bien se está San Pedro en Roma: quiero decir que bien se está cada uno usando el oficio para que fue nacido... Por Dios que así me quede en éste, ni admita otro gobierno, aunque me le diesen entre dos platos, como volar al cielo sin alas... Quédense en esta caballeriza las alas de la hormiga, que me levantaron en el aire para que me comiesen vencejos y otros pájaros, y volvamos a andar por el suelo con pie llano... Cada oveja con su pareja, y nadie tienda más la pierna de cuanto fuere larga la sábana (II, 53).

Don Quijote, postrado y vencido en su lecho de muerte, y después de haber renunciado a ser caballero victorioso y aprendiz de emperador, reconoce:

---

[88] Cfr.: «Engañado he vivido hasta aquí... que en verdad que pensé que era castillo, y no malo» (I, 17); «... ahora digo que es menester tocar las apariencias con la mano para dar lugar al desengaño» (II, 11).

> Yo tengo juicio ya, libre y claro, sin las sombras caliginosas de la igno-
> rancia, que sobre él me pusieron mi amarga y continua leyenda de los detes-
> tables libros de las caballerías. Ya conozco sus disparates y sus embelecos,
> y no me pesa sino que este desengaño ha llegado tan tarde (II, 74).

En el triste final de la historia de don Quijote, igual que en la de Grisóstomo y Anselmo [89], el desengaño y la muerte se hallan emparejados; sin embargo, el desengaño cervantino es, ante todo, sabiduría y verdad, y el desengañado, el hombre que ha logrado conocerse a sí mismo [90]. Quien alcanza este conocimiento sabe acometer empresas adecuadas a su propia capacidad y condición, y logra adaptar su vida a los preceptos que la naturaleza, como rectora esencial de nuestros actos, impone [91]. Sólo así es posible evitar los deseos desorbitados, lograr una concordancia perfecta entre las exigencias personales y el mundo exterior, y emprender, a través de esta relación armómica, el camino de la auténtica felicidad. Por eso, cuando Sancho va a partir para su gobierno, don Quijote le aconseja:

> ...has de poner los ojos en quien eres, procurando *conocerte a ti mismo,*
> que es el más difícil conocimiento que puede imaginarse. Del conocerte sal-
> drá el no hincharte como la rana que quiso igualarse con el buey; que si
> esto haces, vendrá a ser feos pies de la rueda de tu locura la consideración
> de haber guardado puercos en tu tierra (II, 42).

---

[89] Anselmo era «el hombre más sabrosamente engañado que pudo haber en el mundo» (I, 34). Grisóstomo, «con todo este desengaño, quiso porfiar contra la esperanza y navegar contra el viento» (I, 14).

[90] Cfr.: «... este engaño no sólo le tenemos en lo exterior, pero también en lo interior: de modo que el conocerse vno assí mesmo lisamente y sin engaño, es don del cielo» (Covarrubias, *Emblemas morales,* fol. 98). «No hay moneda que tan mal corra en el mundo como desengaños, ni quien tanto los haya menester como el hombre. La ciencia más difícil de aprender es el conocimiento de sí mismo, en que casi todos, con indecible gusto, vienen a quedar rudísimos» (Suárez de Figueroa, *El Pasagero,* ed. cit., pág. XVII). «Deben los hombres conocerse a sí mismos y medir y estimar sus fuerzas y las cualidades de sus personas, y no confiar de sí más de lo que deben, ni tomar sobre sí más carga de la que puedan sufrir» (Palacios Rubios, *op. cit.,* pág. 41).

[91] Véase Francisco Garrote Pérez, *La naturaleza en el pensamiento de Cervantes,* Salamanca, Ediciones Universidad de Salamanca, 1979, págs. 143 y sigs.; y Américo Castro, *El pensamiento de Cervantes,* págs. 141 y sigs.

«SANCHO DISCRETO» Y «ALONSO QUIJANO EL BUENO»

Aunque el *Quijote* satiriza los afanes hidalguistas y las engañosas ilusiones de las gentes de la época, la obra no es una lección de inmovilismo social, ni a Cervantes podía contentarle tan escueta moraleja. Nuestro autor rehuyó el pesimismo radical y el sermoneo moralizante y conservador, en que se encastillaron algunos de sus contemporáneos, e intentó extraer de los fracasos y desilusiones de sus personajes una enseñanza duradera y una afirmación de fe en el hombre: sus héroes se engañan y fracasan porque viven dominados por impulsos externos e inauténticos, porque la sociedad les induce al error; pero del hidalgo Quijada, y de Sancho el labriego, nace también una lección que nos atañe a todos: la rectitud, la bondad, la justicia, las virtudes que el individuo despliega cuando es fiel a sus mandatos más íntimos.

Sancho quiere ser conde, gobernador o marqués, porque las gentes que le rodean han trastornado su juicio con vanas promesas, y el pobre labriego, que sólo aspiraba a obtener algún dinero para socorrer las necesidades de los suyos, se encuentra de pronto en ese torbellino que arrastra a todos a intentar ser más de lo que son. Pero, aunque el escudero fracasa y ha de abandonar decepcionado las alas de hormiga con que intentó elevarse por el aire (II, 53), su historia nos brinda una lección permanente de calidad humana y de grandeza moral:

Sancho es un pobre jornalero analfabeto del que ningún juicio discreto se puede esperar. Teresa Panza, su mujer, comenta:

> ...en este pueblo todos tienen a mi marido por un porro, y que sacado de gobernar un hato de cabras, no pueden imaginar para qué gobierno pueda ser bueno (II, 52).

Pero su estupidez no llega a estar nunca definitivamente probada:

> ...tiene a veces unas simplicidades tan agudas, que el pensar si es simple o agudo causa no pequeño contento (II, 32)... no acababa de determinarse si le tendría y pondría por tonto, o por discreto (II, 45)... andaban mezcladas sus palabras y sus acciones, con asomos tontos y discretos (II, 51).

Es que el labriego ha aprendido en la vida lo que no se adquiere en los libros ni en las aulas y patios de la universidad: el fino instinto y sagacidad natural que los años y las adversidades proporcionan. Don Quijote lo sabe, y no anda muy descaminado cuando pretende hacer a su escudero gobernador de una ínsula; porque Sancho, igual que una tierra seca a la que se cultiva y estercola, cada día se va haciendo «menos simple y más discreto» (II, 12), y:

> ...atusándole tantico el entendimiento, se saldría con cualquier gobierno, como el Rey con sus alcabalas (II, 32).

A este ingenio y habilidad naturales se unen otras cualidades no menos valiosas. Sancho, a pesar de su malicia espontánea y su ocasional bellaquería, tiene un buen corazón y se muestra siempre leal con su señor, afectuoso con su familia, caritativo con los necesitados (II, 54), recto en sus decisiones, y amigo de sus vecinos, aunque éstos sean moriscos y se hallen amenazados con los más terribles castigos (II, 54). Cuando le toca ser gobernador fingido, deja burlados a sus burladores (II, 49), da muestra de un firme sentido común y un gran espíritu justiciero, y se gana el cariño de sus vasallos y la admiración de todos [92]. El mayordomo, por ejemplo, comenta:

> ...estoy admirado de ver que un hombre tan sin letras como vuesa merced, que, a lo que creo, no tiene ninguna, diga tales y tantas cosas llenas de sentencias y de avisos, tan fuera de todo aquello que del ingenio de vuesa merced esperaban los que nos enviaron y los que aquí venimos (II, 49).

Y Don Quijote añade:

> Cuando esperaba oír nuevas de tus descuidos e impertinencias, Sancho amigo, las oí de tus discreciones, de que di por ello gracias particulares al cielo, el cual del estiércol sabe levantar los pobres, y de los tontos hacer discretos (II, 51).

Y Sancho, al abandonar la ínsula Barataria, aunque mohíno y desengañado, puede afirmar con orgullo:

> ...desnudo nací, desnudo me hallo: ni pierdo ni gano: quiero decir que sin blanca entré en este gobierno, y sin ella salgo, bien al revés de como suelen salir los gobernadores de otras ínsulas (II, 53).

---

[92]   Véase antes, cap. I, págs. 70-71.

Alonso Quijano, mientras tuvo el juicio extraviado y creyó ser caballero andante, nunca dudó del «ingenio y cristiano proceder» de su escudero (II, 53), y llegó a tenerlo por «el mejor hombre del mundo» (I, 50). Al recuperar la cordura y sentir próxima la hora de la muerte, el buen hidalgo desiste de sus aventuras, pero no renuncia a premiar la fidelidad de su acompañante:

> ...y si como estando yo loco fui parte para darle el gobierno de una ínsula, pudiera agora, estando cuerdo, darle el de un reino, se lo diera, porque la sencillez de su condición y fidelidad de su trato lo merece (II, 74).

En fin, la figura de Sancho llega a ser, frente a sus burladores, la personificación misma de la bondad, la justicia y la honradez; y su paso por tierra de los Duques, el ejemplo vivo de las virtudes y cualidades de un sujeto humilde, la prueba irrefutable de cómo:

> ...los montes crían letrados, y las cabañas de los pastores encierran filósofos (I, 50)... que nadie nace enseñado, y de los hombres se hacen los obispos; que no de las piedras (II, 33).

También don Quijote es un loco relativo y, en no pocas ocasiones, un personaje ambiguo: enloquece y se engaña, pero es bueno, justo, inteligente y compasivo; comete disparates, pero nos sorprende a menudo con sus juicios sensatos y con el recto espíritu de justicia y solidaridad que encierran sus palabras. Es, en fin, un hombre capaz de:

> ...hacer cosas del mayor loco del mundo, y decir razones tan discretas, que borran y deshacen sus hechos (II, 18)... un entreverado loco, lleno de lúcidos intervalos *(ibíd.)* [93].

Y para todos los que le trataron:

> ...fue siempre de apacible condición y de agradable trato, y por esto no sólo era bien querido de los de su casa, sino de todos cuantos le conocían (II, 74).

---

[93]   «Aquí le tenían por discreto, y allí se les deslizaba por mentecato, sin saber determinarse qué grado le darían entre la discreción y la locura» (II, 59). Véase K. Togeby, *op. cit.,* págs. 115-116.

Don Quijote es la ceguera y el desvarío, pero su figura encarna también los valores más altos: la bondad y la rectitud, la defensa de la virtud sobre el linaje y los privilegios heredados [94], el castigo de los soberbios y el premio de los humildes (II, 1), el rechazo de una sociedad en que la virtud y el bien son constantemente pisoteados. Don Quijote es, sobre todo, el ejecutor de una justicia espontánea y natural, sencilla y equitativa [95], opuesta a la falsa justicia de jueces, escribanos y corchetes [96].

Cervantes sabía que la justicia ideal del caballero, cuando llegamos a asirla, se nos va de las manos: hay cosas que no son para este mundo, aunque sólo tengan sentido en él: ésta era su tragedia [97]. Comprendió también que la vuelta al pasado era irrealizable, pero acertó a contemplar con mirada compasiva ese mundo condenado a desaparecer, y advirtió en él algo imperecedero que era preciso rescatar. Su obra, en el cruce de dos épocas, nos ofrece:

...un mundo en el cual la universalidad de los antiguos valores se ha venido abajo y en el cual otros, nuevos, están naciendo. Y si buscamos la significa-

---

[94] Véase antes, cap. I, págs. 82 y sigs.

[95] A. Castro: *El pensamiento de Cervantes,* págs. 191 y sigs. Menéndez Pidal señaló también que don Quijote mueve a profunda simpatía y nos hace desear el ideal de justicia absoluta que propugna («Cervantes y el ideal caballeresco», *Miscelánea histórico-literaria,* Madrid, Espasa Calpe, col. Austral, 1952, págs. 9-34). Véase también W. J. Entwistle, *Cervantes,* Oxford University Press, 1965, pág. 156; y F. Olmos García, *op. cit.,* págs. 181 y sigs.

[96] En el *Persiles* se dice que los escribanos son «sátrapas de la pluma» (BAE, I, página 631), y Castillo de Bovadilla los retrata como «perros de las audiencias, y tragadores de los vezinos, y desolladores de los pobres» (*op. cit.,* vol. II, pág. 449). Para entenderse con los tribunales, es preciso tener dinero, untar con ellos «la péndola del escribano», «avivar el ingenio del procurador» (I, 22), «al el juez dorarle los libros y a el escribano hacerle la pluma de plata» (*Guzmán de Alfarache,* ed. cit., vol. III, pág. 272); de tal forma que «... no falte ungüento para untar a todos los ministros de la justicia, porque si no están untados, gruñen más que carretas de bueyes» (*La ilustre fregona,* BAE, I, pág. 189). Cfr.: «... aquí no açotan sino al que no tiene espaldas, ni condenan al remo sino al que no tiene braços, ni perecen ningún delinquente sino al que padece necesidad y no tiene qué dar a los escribanos, procuradores y jueces...» («Memorial del licenciado Porras de la Cámara al Arzobispo de Sevilla, sobre el mal gobierno y corrupción de costumbres en aquella ciudad», *RABM,* IV, 1900, págs. 550-554). «Fue a meter el pie Critilo y al punto encontró con un monstruo horrible; porque tenía las orejas de abogado, la lengua de procurador, las manos de escribano, los pies de alguacil» (Baltasar Gracián, *El Criticón,* ed. cit., vol. II, pág. 203).

[97] Américo Castro, *El pensamiento de Cervantes,* pág. 195.

ción de esta obra, vemos que trata de volver a hallar, aceptando y asimilando los valores nuevos, la universalidad perdida con el derrumbamiento del mundo antiguo... Esto implica seguramente, entre otras cosas, una síntesis del pasado y del porvenir, de lo antiguo y de lo nuevo, pero una síntesis que no es un compromiso timorato o reaccionario, sino, por el contrario, un rescate de los valores humanos y reales del pasado en la perspectiva de las fuerzas nuevas que crean el porvenir, rescate este que es el único que puede hallar la totalidad, valor esencial de toda auténtica vida del espíritu [98].

---

[98] Lucien Goldmann, *Investigaciones dialécticas,* Caracas, Universidad Central de Venezuela, 1967, págs. 56-57.

SIGLAS Y ABREVIATURAS

ACerv	*Anales Cervantinos*
BAC	*Biblioteca de Autores Cristianos*
BAE	*Biblioteca de Autores Españoles*
BHi	*Bulletin Hispanique*
BHS	*Bulletin of Hispanic Studies*
BRAE	*Boletín de la Real Academia Española*
CC	*Colección Clásicos Castellanos* (Editorial Espasa Calpe)
CDI	*Colección de Documentos Inéditos para la Historia de España*
CHA	*Cuadernos Hispanoamericanos*
CSIC	*Consejo Superior de Investigaciones Científicas*
EMod	*La España Moderna*
Hispa	*Hispanófila*
HispW	*Hispania* (Wallingford)
HR	*Hispanic Review*
JMRS	*Journal of Medieval and Renaissance Studies*
KFLQ	*Kentucky Foreign Language Quarterly*
KRQ	*Kentucky Romance Quarterly*
LN	*Les Langues Néo-Latines*
MHE	*Memorial Histórico Español*
MPhil	*Modern Philology*
MRABL	*Memorias de la Real Academia de Buenas Letras de Barcelona*
NBAE	*Nueva Biblioteca de Autores Españoles*
NRFH	*Nueva Revista de Filología Hispánica*
RABM	*Revista de Archivos, Bibliotecas y Museos*
RCEH	*Revista Canadiense de Estudios Hispánicos*
RFE	*Revista de Filología Española*

BIBLIOGRAFÍA

I. FUENTES IMPRESAS

Actas de las Cortes de Castilla (1563-1627), Madrid, 1869-1918, 45 vols.

Albornoz, Bartolomé, *Arte de los contractos,* Valencia, 1573.

Alemán, Mateo, *Guzmán de Alfarache,* ed. de Samuel Gili Gaya, Madrid, CC, 1972, 5 vols.

Alfonso X el Sabio, *Partida segunda,* Madrid, 1961, 2 vols.

Arévalo, Rodrigo, *Vergel de los Príncipes,* BAE, CXVI.

Arguijo, Juan, *Cuentos,* ed. de Beatriz Chenot y Maxime Chevalier, Sevilla, Publicaciones de la Diputación Provincial, 1979.

Barrionuevo, Jerónimo, *Avisos,* BAE, CCXXI-CCXXII.

Bernáldez, Andrés, *Historia de los Reyes Católicos,* BAE, LXX.

Calderón de la Barca, Pedro, *Comedias,* BAE, VII, IX, XII, XIV.

Camos, Marco Antonio, *Microcosmia y gouierno vniversal del hombre christiano,* Madrid, 1595.

Casas, Fray Bartolomé de las, *Historia de las Indias,* BAE, XCV-XCVI.

Castiglione, Baltasar, *El Cortesano,* traducción de Juan Boscán, Madrid, Espasa Calpe, col. Austral, 1980.

Castillo de Bovadilla, Jerónimo, *Política para corregidores y señores de vassallos, en tiempo de paz y de gverra,* Madrid, 1597, 2 vols.

Castro, Guillén de, *La fuerza de la costumbre,* BAE, XLIII.

Catalina García, J., y Pérez Villamil, M., *Relaciones topográficas de España. Relaciones de pueblos que pertenecen hoy a la provincia de Guadalajara,* MHE, Madrid, 1903-1905, vols. XLI, XLII, XLIII, XLV, XLVI.

Caxa de Leruela, Miguel, *Restauración de la abundancia de España,* Madrid, Instituto de Estudios Fiscales, 1975.

Cervantes Saavedra, Miguel de, *Don Quijote de la Mancha,* ed. de Francisco Rodríguez Marín, Madrid, CC, 1967, 8 vols.

—, *Obras,* ed. de Buenaventura Carlos Aribau, BAE, I.

—, *Obras dramáticas,* ed. de Francisco Ynduráin, BAE, CLVI.

Consulta del Consejo Supremo de Castilla (1 de febrero de 1619), BAE, XXV, páginas 450-56.

Contreras, Alonso, *Discurso de mi vida,* BAE, XC.

Correas, Gonzalo, *Vocabulario de refranes y frases proverbiales,* ed. de Louis Combet, Burdeos, Institut d'Études Ibériques et Ibéro-Américaines de l'Université de Bordeaux, 1967.

Cortés, Hernán, *Cartas de relación,* BAE, XXII.

Cortés de Tolosa, Juan, *Lazarillo de Manzanares, con otras cinco novelas,* ed. de Giuseppe E. Sansone, Madrid, CC, 1974, 2 vols.

Covarrubias, Sebastián de, *Emblemas morales,* ed. facsímil de Carmen Bravo Villasante, Madrid, Fundación Universitaria Española, 1978.

—, *Tesoro de la lengua castellana o española,* Madrid, Turner, 1979.

Crotalón, El, ed. de Augusto Cortina, Madrid, Espasa Calpe, col. Austral, 1973.

Cruz, Jerómino, *Defensa de los estatvtos y noblezas españolas,* Zaragoza, 1637.

Chevalier, Maxime, *Cuentecillos tradicionales en la España del Siglo de Oro,* Madrid, Edit. Gredos, 1975.

Deza, Lope, *Gouierno polýtico de la agricultura,* Madrid, 1618.

Díaz del Castillo, Bernal, *Historia verdadera de la conquista de Nueva España,* BAE, XXVI.

Duque de Estrada, Diego, *Memorias del desengañado de sí mesmo,* BAE, XC.

Enríquez de Guzmán, Alonso, *Libro de la vida y costumbres de don Alonso...,* BAE, CXXVI.

Escalante, Bernardino, *Diálogos del Arte Militar,* Sevilla, 1583.

Espinel, Vicente, *Vida del escudero Marcos de Obregón,* ed. de Samuel Gili Gaya, Madrid, CC, 1970, 2 vols.

Fernández de Navarrete, Pedro, *Conservación de monarquías y discursos políticos,* BAE, XXV.

Furió Ceriol, Fadrique, *El Concejo y consejeros del Príncipe,* BAE, XXXVI.

Galíndez de Carvajal, Lorenzo, *Informe que ... dio al Emperador Carlos V sobre los que componían el Consejo Real de S. M., CDI,* I, 1842, págs. 122-127.

García Mercadal, José, *Viajes de extranjeros por España y Portugal,* Madrid, Editorial Aguilar, 1952, 3 vols.

Gil Ayuso, Faustino, *Noticia bibliográfica de textos y disposiciones legales de los Reinos de Castilla impresos en los siglos XVI y XVII,* Madrid, Patronato de la Biblioteca Nacional, 1935.

González, Estebanillo, *La vida y hechos de Estebanillo González,* ed. de Juan Millé y Giménez, Madrid, CC, 1956, 2 vols.

González de Cellorigo, Martín, *Memorial de la política necessaria y vtil restauración a la república de España,* Valladolid, 1600.

Gracián, Baltasar, *El Criticón,* ed. de Evaristo Correa Calderón, Madrid, CC, 1971, 3 vols.

Guardiola, Fray Juan Benito, *Tratado de nobleza y de los títulos y ditados que oy tienen los varones claros y grandes de España,* Madrid, 1595.

Guevara, Fray Antonio, *Menosprecio de corte y alabanza de aldea,* ed. de Matías Martínez Burgos, Madrid, CC, 1975.

Gutiérrez de los Ríos, Gaspar, *Noticia general para la estimación de las artes y de la manera en que se conocen las liberales de las que son mecánicas,* Madrid, 1600.

Huarte de San Juan, Juan, *Examen de ingenios para las ciencias,* ed. de Esteban Torres, Madrid, Editora Nacional, 1977.

Jiménez de Urrea, Jerónimo, *Diálogo de la verdadera honrra militar,* Venecia, 1566.

Juan Manuel, don, *Libro del caballero et del escudero,* BAE, LI.

León, Pedro, *Grandeza y miseria en Andalucía. Testimonio de una encrucijada histórica (1578-1616),* ed. de Pedro Herrera Puga, Granada, Biblioteca Teológica Granadina, 1981.

Libros de caballerías, BAE, XL.

Liñán y Verdugo, Antonio, *Guía y avisos de forasteros que vienen a la Corte,* edición de Edisons Simons, Madrid, Editora Nacional, 1980.

Londoño, Sancho, *Discvrso sobre la forma de redvzir la disciplina militar a mejor y antigvo estado,* Bruselas, 1590.

López Bravo, Mateo, *Del rey y de la raçón de gobernar,* ed. de Henry Méchoulan, Madrid, Editora Nacional, 1977.

López de Gómara, Francisco, *Segunda Parte de la crónica general de las Indias, que trata de la conquista de México,* BAE, XXII.

López de Úbeda, Francisco, *La Pícara Justina,* BAE, XXXIII.

López de Vega, Antonio, *Heráclito i Demócrito de nvestro siglo. Diálogos morales sobre la Nobleza, la Riqueza y las Letras,* Madrid, 1641.

—, *Paradoxas racionales,* ed. de Erasmo Buceta, Madrid, anejos de la *RFE,* 1935.

Loyola, Ignacio de, *Obras completas,* ed. del P. Victoriano Larrañaga, Madrid, BAC, 1947.

Llull, Ramon, *Obres essencials,* Barcelona, Edit. Selecta, 1957.

Mal Lara, Juan de, *Filosofía vulgar,* Barcelona, Selecciones bibliófilas, 1958, 4 vols.

Malón de Chaide, Pedro, *La conversión de la Magdalena,* ed. del P. Félix García, Madrid, CC, 1959, 3 vols.

Manrique, Jorge, *Poesía,* ed. de Jesús Manuel Alda Tesán, Madrid, Cátedra, 1977.

Mariana, Juan de, *Obras,* BAE, XXX-XXXI.

Marineo Sículo, Lucio, *De las cosas memorables de España,* Alcalá de Henares, 1530.

Martínez de Mata, Francisco, *Memoriales y discursos,* ed. de Gonzalo Anes, Madrid, Edit. Moneda y Crédito, 1971.

Matute, Fernando, *El trivmpho del desengaño,* Nápoles, 1682, 2 vols.

Medina, Pedro, *Libro de las grandezas y cosas memorables de España,* ed. de Ángel González Palencia, Madrid, C.S.I.C., 1944.

Melo, Francisco Manuel, *Historia de los movimientos, separación y guerra de Cataluña,* Madrid, Real Academia Española, 1912.

Méndez Silva, Rodrigo, *Engaños y desengaños del mvndo,* 1655.

Mercado, Fray Tomás, *Suma de tratos y contratos,* ed. de Restituto Sierra Bravo, Madrid, Editora Nacional, 1975.

Moncada, Sancho, *Restauración política de España,* ed. de Jean Vilar, Madrid, Instituto de Estudios Fiscales, 1974.

Moreno de Vargas, Bernabé, *Discvrsos de la nobleza de España,* Madrid, 1621.

Navarra, Pedro de, *Diálogos muy subtiles y notables,* Zaragoza, 1567.

Nieremberg, Juan Eusebio, *Epistolario,* ed. de Narciso Alonso Cortés, Madrid, CC, 1957.

Núñez de Alba, Diego, *Diálogos de la vida del soldado,* Cuenca, 1589.

Ortiz, Luis, *El memorial de Luis Ortiz,* ed. por M. Fernández Álvarez, *Economía, sociedad, Corona,* Madrid, Cultura Hispánica, 1963, págs. 375-464.

Palacios Rubios, Juan López, *Tratado del esfuerzo bélico heroico,* ed. de José Tudela, Madrid, Revista de Occidente, 1941.

Peñalosa, Fray Benito de, *Libro de las cinco excelencias del español qve despveblan España para su mayor potencia y dilatación,* Pamplona, 1629.

Pérez de Herrera, Cristóbal, *Amparo de pobres,* ed. de Michel Cavillac, Madrid, CC, 1975.

Pérez de Hita, Ginés, *Guerras civiles de Granada,* París, Colección de los Mejores Autores Españoles, 1847.

Porras de la Cámara, «Memorial del Licenciado Porras de la Cámara al Arzobispo de Sevilla sobre el mal gobierno y corrupción de costumbres en aquella ciudad», *RABM,* IV, 1900, págs. 550-554.

Pulgar, Hernando del, *Claros varones de Castilla,* ed. de Jesús Domínguez Bordona, Madrid, CC, 1969.

Quevedo, Francisco de, *Poesía original completa,* ed. de José Manuel Blecua, Barcelona, Planeta, 1981.

—, *Los Sueños,* ed. de Julio Cejador y Frauca, Madrid, CC, 1953, 2 vols.

—, *La vida del Buscón llamado don Pablos,* ed. de Domingo Ynduráin, Madrid, Cátedra, 1980.

Real cédula de Carlos V... en que se conceden varios privilegios a los labradores que de estos reinos pasen a América, CDI, II, 1843, págs. 204-208.

Relatos diversos de cartas de jesuitas (1634-1648), selección de José M.ª de Cossío, Madrid, Espasa Calpe, col. Austral, 1953.

Remón, Alonso, *Entretenimientos y jvegos honestos y recreaciones christianas,* Madrid, 1623.

Rodríguez Marín, Francisco, *Nuevos documentos cervantinos hasta ahora inéditos,* Madrid, Real Academia Española, 1914.

Rojas, Fernando de, *La Celestina,* ed. de Bruno Mario Damiani, Madrid, Cátedra, 1981.

Rojas Villandrando, Agustín de, *El viaje entretenido,* ed. de Jean Ressot, Madrid, Editorial Castalia, 1972.

Rufo, Juan, *Las seiscientas apotegmas y otras obras en verso,* ed. de Alberto Blecua, Madrid, CC, 1972.

Saavedra Fajardo, Diego, *Idea de un Príncipe político cristiano representado en cien empresas,* BAE, XXV.

Sabuco, Oliva, *Coloquio del conocimiento de sí mismo,* BAE, LXV.

—, *Coloquio de las cosas que mejoran este mundo y sus repúblicas,* BAE, LXV.

Salazar, Ambrosio de, *Expexo general de la gramática en diálogos,* Rouen, 1614.

Sigüenza, Fray José de, *Historia de la Orden de San Jerónimo,* NBAE, vols. VIII y XII.

Suárez de Figueroa, Cristóbal, *El Pasagero. Advertencias utilísimas a la vida humana,* ed. de Francisco Rodríguez Marín, Madrid, Edit. Renacimiento, 1913.

Teresa de Jesús, *Obras completas,* ed. del P. Efrén de la Madre de Dios, Madrid, BAC, 1951, 3 vols.

Tirso de Molina, *Comedias,* BAE, V.

Valdés, Alfonso de, *Diálogo de Mercurio y Carón,* ed. de José F. Montesinos, Madrid, CC, 1971.

Valdés, Francisco, *Espejo y deceplina militar,* Bruselas, 1589.

Valdés, Juan de, *Diálogo de la lengua,* ed. de Juan M.ª López Blanch, Madrid, Editorial Castalia, 1969.

Valera, Diego, *Espejo de verdadera nobleza,* BAE, CXVI.

Vega, Lope de, *Comedias escogidas,* BAE, XXIV, XXXIV, XLI, LII, CXC, CCXIII, CCXV, CCXXXIII.

Vélez de Guevara, Luis, *El diablo cojuelo,* ed. de F. Rodríguez Marín, Madrid, CC, 1969.

Vida de Lazarillo de Tormes, ed. de Julio Cejador y Frauca, Madrid, CC, 1972.

Viñas Mey, C., y Paz, R., *Relaciones histórico-geográfico-estadísticas de los pueblos de España, ordenadas por Felipe II,* Madrid, C.S.I.C, 1949-1971, 5 vols.

Vives, Luis, *Introducción a la sabiduría,* BAE, LXV.

Yelgo de Bázquez, Miguel, *Estilo de servir a príncipes,* Madrid, 1614.

Zabaleta, Juan, *El día de fiesta por la tarde,* ed. de José M.ª Díez Borque, Madrid, Hispánicos Planeta, 1977.

—, *Errores celebrados,* ed. de David Hershberg, Madrid, CC, 1972.

Zarco Bacas y Cuevas, E. J., *Relaciones de los pueblos del obispado de Cuenca hechas por orden de Felipe II,* Biblioteca Diocesana Conquense, vols. I y II, Cuenca, 1927.

Zubiaur, Mateo, *Peso y fiel contraste de la Vida y de la Muerte. Avisos y desengaños exemplares, morales y políticos,* Madrid, 1650.

II. OTRAS OBRAS CONSULTADAS

Aguirre, M., *La obra narrativa de Cervantes,* La Habana, Instituto Cubano del Libro, 1971.

Alonso, D., *Del Siglo de Oro a este siglo de siglas,* Madrid, Edit. Gredos, 1968.

Anes, G., *Las crisis agrarias en la España moderna,* Madrid, Taurus, 1970.

Arco y Garay, R., *La sociedad española en las obras de Cervantes,* Madrid, 1951.

Asensio, E., *Itinerario del entremés. Desde Lope de Rueda a Quiñones de Benavente,* Madrid, Edit. Gredos, 1965.

Asensio, M. J., «La intención religiosa del *Lazarillo de Tormes* y Juan de Valdés», *HR,* XXVII, 1959, págs. 78-102.

Astrana Marín, L., *Vida ejemplar y heroica de Miguel de Cervantes,* Madrid, Edit. Reus, 1948-1958, 7 vols.

Aubrun, Ch., *La comedia española (1600-1680),* Madrid, Taurus, 1968.

—, «Los desgarrados y la picaresca», *Beiträge zur Romanischen Philologie,* Berlín, 1967, págs. 201-206.

—, «Sancho Panza, paysan pour de rire, paysan pour de vrai», *RCEH,* I, 1976, páginas 16-29.

Barallat y Falguera, C., «Nyerros y Cadells», *MRABL,* V, 1891, págs. 255-276.

Barrick, M. E., «The form and function of folktales in *Don Quijote»,* *JMRS,* VI, 1976, págs. 101-138.

Barriga Casalini, G., *Los dos mundos del «Quijote»: realidad y ficción,* Madrid, Editorial Porrúa, 1983.

Bataillon, M., *Pícaros y picaresca,* Madrid, Taurus, 1982.

—, *Varia lección de clásicos españoles,* Madrid, Edit. Gredos, 1964.

Bennassar, B., *La España del Siglo de Oro,* Barcelona, Edit. Crítica, 1983.

—, *Los españoles. Actitudes y mentalidad,* Barcelona, Edit. Argos Vergara, 1978.

—, «Etre noble de Espagne. Contribution à l'étude des comportements de longue durée», *Histoire économique du monde mediterranéen. Mélanges en l'honneur de F. Braudel,* Toulouse, 1973, págs. 95-106.

—, *Valladolid en el Siglo de Oro. Una ciudad de Castilla y su entorno agrario en el siglo XVI,* Valladolid, Fundación Municipal de Cultura, 1983.

—, *Recherches sur les grandes épidémies dans le Nord de l'Espagne à la fin du XVIᵉ siècle,* París, 1969.

Beysterveldt, A., *Répercusions du souci de la «pureté de sang» sur la conception de l'honneur dans la «comedia nueva» espagnole,* Leiden, 1966.

Bonilla y San Martín, A., *Cervantes, y su obra,* Madrid, 1916.

Boronat y Barrachina, P., *Los moriscos españoles y su expulsión,* Valencia, 1901, 2 vols.

Braudel, F., *El Mediterráneo y el mundo mediterráneo en la época de Felipe II,* México, FCE, 1976, 2 vols.

Braudel, F., y Spooner, F., «Prices in Europe from 1450 to 1750», *The Cambridge Economic History of Europe,* Cambridge University Press, 1967, vol. IV, páginas 375-486.

Brumont, F., *Campos y campesinos de Castilla la Vieja en tiempos de Felipe II,* Madrid, Siglo XXI, 1984.

Caro Baroja, J., *Los judíos en la España Moderna y Contemporánea,* Madrid, Editorial Istmo, 1978, 3 vols.

—, *Los moriscos del Reino de Granada,* Madrid, Edit. Istmo, 1976.

Casalduero, J., *Sentido y forma del Quijote (1605-1515),* Madrid, Edit. Ínsula, 1949.

Casas Pedrerol, R., «Breve estudio sobre el estado social que refleja el *Quijote*», *Nuestro Tiempo,* I, 1906, págs. 240-265.

Castro, A., «Algunas observaciones acerca del concepto del honor en los siglos XVI y XVII», *RFE,* III, 1916, págs. 1-50 y 357-385.

—, *Cervantes y los casticismos españoles,* Madrid, Alianza, 1974.

—, *De la edad conflictiva,* Madrid, Taurus, 1972.

—, *Hacia Cervantes,* Madrid, Taurus, 1957.

—, *El pensamiento de Cervantes,* Barcelona, Edit. Noguer, 1972.

—, *La realidad histórica de España,* México, Porrúa, 1962.

Cavillac, M., «Mateo Alemán et la modernité», *BHi,* LXXXII, 1980, págs. 380-401.

Clavero, B., *Mayorazgo. Propiedad feudal en Castilla (1369-1836),* Madrid, Siglo XXI, 1974.

Corts Grau, J., «La doctrina social de Juan Luis Vives», *Estudios de Historia social de España,* dirigidos por C. Viñas Mey, Madrid, C.S.I.C., 1952, vol, II, páginas 63-89.

Cruz Coronado, G., «Alonso Quijano, el hidalgo de aldea», *Letras* (Brasil), I, número 3 (1955) y 7-8 (1957).

Chauchadis, C., *Honneur, morale et société dans l'Espagne de Philippe II,* París, Editions du CNRS, 1984.

Chaunu, P., «La société en Castille au tournant du Siècle d'Or. Structures sociales et représentations littéraires», *RHES,* XLV, 1967, págs. 153-174.

Chaunu, P. y H., *Seville et l'Atlantique,* París, 1955-1959, 9 vols.

Chevalier, M., «La *Diana* de Montemayor y su público en la España del siglo XVI», en *Creación y público en la literatura española,* Madrid, Castalia, 1974.

—, *Folklore y literatura: el cuento oral en el Siglo de Oro,* Barcelona, Crítica, 1978.

—, *Lectura y lectores en la España de los siglos XVI y XVII,* Madrid, Turner, 1976.

—, «Literatura oral y ficción cervantina», *Prohemio,* V, n.º 2-3, sept.-dic., 1974, páginas 161-196.

Defourneaux, M., *La vie quotidienne en Espagne au Siècle d'Or,* París, Hachette, 1964. Hay traducción española: Barcelona, Argos Vergara, 1983.

Deleito y Piñuela, J., *El rey se divierte. Recuerdos de hace tres siglos,* Madrid, Editorial Espasa Calpe, 1964.

—, *También se divierte el pueblo,* Madrid, Espasa Calpe, 1968. .

Descouzis, *Cervantes a nueva luz,* Madrid, Ed. Iberoamericanas, 1973.

Díez Borque, J. M., *Sociología de la comedia española del siglo XVII,* Madrid, Cátedra, 1976.

Dobb, M., *Estudios sobre el desarrollo del capitalismo,* Buenos Aires, Siglo XXI, 1972.

Domínguez Ortiz, A., *El Antiguo Régimen. Los Reyes Católicos y los Austrias,* Madrid, Alianza Universidad, 1973.

—, *La clase social de los conversos en Castilla en la Edad Moderna,* Madrid, C.S.I.C., 1955.

—, *Las clases privilegiadas en la España del Antiguo Régimen,* Madrid, Istmo, 1973.

—, *Crisis y decadencia en la España de los Austrias,* Barcelona, Edit. Ariel, 1971.

—, *Los judeoconversos en España y América,* Madrid, Edit. Istmo, 1971.

—, *Orto y ocaso de Sevilla,* Sevilla, Publicaciones de la Universidad de Sevilla, 3.ª ed., 1981.

—, *La sociedad española del siglo XVII,* Madrid, C.S.I.C., 1963, 2 vols.

Domínguez Ortiz, A., y Vicent, B., *Historia de los moriscos. Vida y tragedia de una minoría,* Madrid, Revista de Occidente, 1978.

Eisenberg, D., «Who read the Romances of Chivalry?», *KRQ,* XX, 1973, páginas 209-233.

Elliott, J. H., *La España imperial (1469-1716),* Barcelona, Edit. Vicens Vives, 1973.

—, «A provincial aristocracy. The catalan ruling class in the sixteenth and seventeenth centuries», *Homenaje a J. Vicens Vives,* Barcelona, Universidad de Barcelona, 1967, vol. II, págs. 125-141.

—, *La rebelión de los catalanes. Un estudio sobre la decadencia de España (1598-1640),* Madrid, Siglo XXI, 1977.

Elliott. J. H. (ed.), *Poder y sociedad en la España de los Austrias,* Barcelona, Editorial Crítica, 1982.

Entwistle, W. J., *Cervantes,* Oxford University Press, 1965.

Espadas, M., y Peset, J. L., «Contrastes alimentarios en la España de los Austrias. Estudio de un ámbito nobiliario: La mesa del Arzobispo Juan de Ribera, virrey de Valencia (1568-1611)», en *La Picaresca. Orígenes, textos y estructuras,* dirigida por Manuel Criado de Val, Madrid, Fundación Universitaria Española, 1979, páginas 149-165.

Francis, A., *Picaresca, decadencia, historia,* Madrid, Edit. Gredos, 1978.

Fernández Álvarez, M., *La sociedad española en la época del Renacimiento,* Salamanca, Anaya, 1970.

Ferreras, J. I., *La estructura paródica del «Quijote»,* Madrid, Taurus, 1982.

—, *Fundamentos de sociología de la literatura,* Madrid, Cátedra, 1980.

Fredén, G., *Tres ensayos cervantinos,* Madrid, Edit. Ínsula-Instituto Iberoamericano de Gotemburgo, 1964.

García de Enterría, M. C., *Sociedad y poesía de cordel en el Barroco,* Madrid, Taurus, 1973.

García de Valdeavellano, L., *Historia de España. De los orígenes a la Baja Edad Media,* Madrid, Revista de Occidente, 1952.

Garci-Gómez, M., «La tradición del león reverente: glosas para los episodios en *Mío Cid, Palmerín de Oliva, Don Quijote* y otros», *KRQ,* XIX, 1972, páginas 255-284.

Garrone, M. A., «El *Orlando Furioso* considerado como fuente del *Quijote»,* *EMod,* CCLXVII, 1911, págs. 111-144.

Garrote Pérez, F., *La naturaleza en el pensamiento de Cervantes,* Salamanca, Publicaciones de la Universidad de Salamanca, 1979.

Garzón Pareja, M., *La industria sedera en España. El arte de la seda en Granada,* Granada, 1972.

Giner, F., «Cervantes y los moriscos valencianos», *Anales del Centro de Cultura Valenciana,* XXIII, 1962, págs. 131-149.

Glaser, E., «Referencias antisemitas en la literatura peninsular de la Edad de Oro», *NRFH,* VIII, 1954, págs. 39-62.

Goldmann, L., *Investigaciones dialécticas,* Caracas, Universidad Central de Venezuela, 1967.

González Olmedo, F., *El Amadís y el Quijote,* Madrid, 1947.

González Palencia, A., «Cervantes y los moriscos», *BRAE,* XXVII, 1947-1948, páginas 107-122.

Guilarte, A., *El régimen señorial en el siglo XVI,* Madrid, Instituto de Estudios Políticos, 1962.

Guillamón Álvarez, J., *Honor y honra en la España del siglo XVIII,* Madrid, Publicaciones de la Universidad Complutense, 1981.

Gutiérrez Nieto, J. I., *Las Comunidades como movimiento antiseñorial,* Barcelona, Editorial Planeta, 1973.

—, «La estructura castizo-estamental de la sociedad castellana del siglo XVI», *Hispania,* XXXIV, 1973, págs. 519-563.

Hamilton, E. J., *El florecimiento del capitalismo y otros ensayos de historia económica,* Madrid, Revista de Occidente, 1948.

Hendrix, W. S., «Sancho Panza and the comic types of the sixteenth century», *Homenaje a Ramón Menéndez Pidal,* Madrid, 1925, vol. II, págs. 485-494.

Herdman Marianella, C., *«Dueñas» and «Doncellas». A study of Doña Rodríguez episode in «Don Quijote»,* University of North Carolina, 1979.

Herrera Puga, P., *Sociedad y delincuencia en el Siglo de Oro,* Granada, Publicaciones de la Universidad de Granada, 1971.

Herrero García, M., «Ideología española del siglo XVII: la nobleza», *RFE,* XIV, 1927, págs. 33-58 y 161-175.

Hoffman, E. L., «Cloth and clothing in the *Quijote*», *KFLQ,* X, 1963, págs. 82-98.

Huizinga, J., *El otoño de la Edad Media,* Madrid, Revista de Occidente, 1967.

—, *Homo ludens,* Madrid, Alianza Edit., 1972.

Jones, C. A., «*Honor* in spanish Golden-Age drama: its relation to real life and to morals», *BHS,* XXXV, 1958, págs. 199-210.

Jouanna, A., *Ordre social. Mythes et hiérarchies dans la France du XVIe siècle,* París, Hachette, 1977.

Kagan, R. L., *Students and Society in Early Modern Spain,* Baltimore, The John Hopkins University Press, 1974. Hay también traducción española, Madrid, 1981.

Kamen, H., *La Inquisición española,* Madrid, Alianza Edit., 1973.

—, *El Siglo de Hierro. Cambio social en Europa (1550-1660),* Madrid, Alianza Universidad, 1977.

Kany, Ch. E., *Sintaxis hispanoamericana,* Madrid, Edit. Gredos, 1969.

Klein, J., *La Mesta (1273-1836),* Madrid, Revista de Occidente, 1936.

Köhler, E., «Les Romans de Chrétien de Troyes», *Revue de l'Institut de Sociologie,* Université Libre de Bruxelles, n.° 2, 1963.

Larraz, J., *La época del mercantilismo en Castilla,* Madrid, Edit. Atlas, 1943.

Lasso de la Vega, M., «La nobleza española en el siglo XVIII», *RABM,* LX, 1954, páginas 417-449.

Leonard, I. A., *Los libros del conquistador,* México, FCE, 1979.

Lerner, I., «Notas para el *Entremés del retablo de las maravillas*», *Estudios de literatura española ofrecidos a Marcos A. Morínigo,* Madrid, Edit. Ínsula, 1971, páginas 37-55.

López Estrada, F., *Los libros de pastores en la literatura española,* Madrid, Editorial Gredos, 1974.

López Navío, J., «Duelos y quebrantos los sábados», *ACerv,* VI, 1957, págs. 169-191.

Loupias, B., «En marge d'un recensement des morisques de la "Villa del Toboso" (1594), *BHi,* LXXVIII, 1976, págs. 74-96.

Llorens, V., *Aspectos sociales de la literatura española,* Madrid, Edit. Castalia, 1974.

Manegat, L., *La Barcelona de Cervantes,* Barcelona, Plaza y Janés, 1964.

Maravall, J. A., *Antiguos y modernos. La idea del progreso en el desarrollo inicial de una sociedad,* Madrid, Sociedad de Estudios y Publicaciones, 1966.

—, *La Cultura del Barroco,* Barcelona, Edit. Ariel, 1975.

—, *Estado moderno y mentalidad social,* Madrid, Revista de Occidente, 1972, 2 vols.

—, *El humanismo de las armas en Don Quijote,* Madrid, 1948.

—, *El mundo social de «La Celestina»,* Madrid, Edit. Gredos, 3.ª ed. 1973.

—, «Pobres y pobreza del medievo a la primera modernidad», *CHA,* 367-368, enero-febrero 1981, págs. 189-242.

—, *Poder, honor y élites en el siglo XVII,* Madrid, Siglo XXI, 1979.

—, «Relaciones de dependencia e integración social: criados, graciosos y pícaros», *Idéologies & Littérature,* n.º 4, sept.-oct., 1977, págs. 3-32.

—, *Teatro y literatura en la sociedad barroca,* Madrid, Seminarios y Ediciones, S. A., 1972.

—, *Utopía y contrautopía en el «Quijote»,* Santiago de Compostela, Edit. Pico Sacro, 1976.

—, *Utopía y reformismo en la España de los Austrias,* Madrid, Siglo XXI, 1982.

Marcos Martín, A., *Auge y declive de un núcleo mercantil y financiero de Castilla la Vieja. Evolución demográfica de Medina del Campo durante los siglos XVI y XVII,* Valladolid, Universidad de Valladolid, 1978.

Marcos Villanueva, B., *La ascética de los jesuitas en los autos sacramentales de Calderón,* Madrid, Universidad de Deusto, Edit. Castalia, 1973.

Marichal, J., «Unamuno, Ortega y Américo Castro: tres grandes náufragos del siglo xx», *Sistema,* n.º 1, enero, 1973, págs. 59-67.

Márquez Villanueva, F., *Fuentes literarias cervantinas,* Madrid, Edit. Gredos, 1973.

—, *Personajes y temas del «Quijote»,* Madrid, Taurus, 1975.

Martín, A., *Sociología del Renacimiento,* México, FCE, 1970.

Martínez Olmedilla, A., «Estado social que refleja el *Quijote»*, *EMod,* CCXI, 1906, páginas 123-146.

Martz, L., Porres, J., *Toledo y los toledanos en 1561,* Toledo, C.S.I.C., 1974.

Mèchoulan, H., *El honor de Dios. Indios, judíos y moriscos en el Siglo de Oro,* Barcelona, Argos Vergara, 1981.

Menéndez y Pelayo, M., «Cultura literaria de Miguel de Cervantes y elaboración del *Quijote»*, en *San Isidoro, Cervantes y otros estudios,* Madrid, Espasa Calpe, 1959, págs. 83-126.

—, *Orígenes de la novela,* Santander, C.S.I.C., 1943, 4 vols.

Menéndez Pidal, R., «Cervantes y el ideal caballeresco», en *Miscelánea histórico-literaria,* Madrid, Espasa Calpe, 1952, págs. 9-34.

—, *De Cervantes y Lope de Vega,* Madrid, Espasa Calpe, 1973.

—, «Sobre un arcaísmo léxico en la poesía tradicional», en *De primitiva lírica española y antigua épica,* Madrid, Espasa Calpe, 1977, págs. 129-133.

Mercado Egea, J., *La muy ilustre Villa de Santisteban del Puerto,* Madrid, 1973.

Molho, M., *Cervantes: raíces folklóricas,* Madrid, Edit. Gredos, 1976.

Morel-Fatio, A., «Le don Quichotte envisagé comme peinture et critique de la société espagnole du XVIe et XVIIe siècle», *Études sur l'Espagne,* 1.ª serie, París, 1895, págs. 297-382. Hay traducción española de Eduardo Juliá Martínez, Castellón, 1920.

Mousnier, R., *Los siglos XVI y XVII*, vol. IV de la *Historia General de las Civilizaciones*, dir. por Maurice Crouzet, Barcelona, Edit. Destino, 1958.

Navarro, A., *El Quijote español del siglo XVII*, Madrid, Rialp, 1964.

Northup, G. T., «Cervantes' attitude towards honor», *MPhil*, XXI, 1924, páginas 397-421.

Oliver, A., «El morisco Ricote», *ACerv*, V, 1955-1956,¹ págs. 249-255.

Olmeda, M., *El ingenio de Cervantes y la locura de don Quijote*, Madrid, Edit. Ayuso, 1973.

Olmos García, F., *Cervantes en su época*, Madrid, Ricardo Aguilera, 1968.

Ortega y Gasset, J., *Meditaciones del Quijote*, Madrid, Espasa Calpe, 1964.

Osterc, L., *El pensamiento social y político del «Quijote»*, México, Edit. Andrea, 1963.

Osuna, R., «La expulsión de los moriscos en el *Persiles*», *NRFH*, XIX, 1970, páginas 388-393.

Pelorson, J. M., «Le discours des armes et des lettres et l'episode de Barataria», *LN*, LXIX, 1975, págs. 40-58.

—, *Les letrados. Juristes castillans sous Philippe III. Recherches sur leur place dans la société, la culture, et l'Etat*, Poitiers, 1980.

Peña, A., *Américo Castro y su visión de España y Cervantes*, Madrid, Edit. Gredos, 1975.

Peristiany, J. G. y otros, *El concepto del honor en la sociedad mediterránea*, Barcelona, Labor, 1968.

Peset, J. L., y Almela, M., «Mesa y clase en el Siglo de Oro español: la alimentación en el *Quijote*», *Cuadernos de Historia de la Medicina Española*, XIV, 1975, páginas 245-259.

Pfandl, L., *Cultura y costumbres del pueblo español en los siglos XVI y XVII. Introducción al estudio del Siglo de Oro*, Barcelona, 1959.

Pike, R., *Aristocrats and Traders. Sevillian Society in the Sixteenth Century*, Ithaca, Cornell University Press, 1972. Hay traducción española: Barcelona, Ariel, 1978.

Puddu, R., *El soldado gentilhombre*, Barcelona, Edit. Argos Vergara, 1984.

Puyol Alonso, J., *Estado social que refleja el «Quijote»*, Madrid, 1905.

Ravillard, M., «Los moriscos en Berbería», *NRFH*, XXX, 1981, págs. 617-629.

Redondo, A., «Historia y literatura: El personaje del escudero en el *Lazarillo*», *La Picaresca. Orígenes, textos y estructuras*, dir. por Manuel Criado de Val, Madrid, Fundación Universitaria Española, 1979, págs. 421-435.

—, «El personaje de don Quijote: tradiciones folklórico-literarias, contexto histórico y elaboración cervantina», *NRFH*, XXIX, 1980, págs. 36-59.

—, «Tradición carnavalesca y creación literaria. Del personaje de Sancho Panza al episodio de la ínsula Barataria en el *Quijote*», *BHi*, LXXX, 1978, págs. 39-70.

Reglà, J., *El bandolerisme català del Barroc*, Barcelona, Ed. 62, 1966.

—, *Estudios sobre los moriscos*, Barcelona, Ariel, 1974.

—, *Felip II i Catalunya,* Barcelona, Edit. Aedos, 1956.

—, *Historia de Cataluña,* Madrid, Alianza, 1974.

Riber, L., «Al margen de un capítulo de *Don Quijote* (El LX de la segunda parte)», *BRAE,* XXVII, 1947-1948, págs. 79-90.

Río, Á del, «El equívoco del *Quijote», HR,* XXVII, 1959, págs. 200-221.

Riquer, M. de, *Caballeros andantes españoles,* Madrid, Espasa Calpe, 1967.

Rodríguez Marín, F., *Estudios cervantinos,* Madrid, Edit. Atlas, 1947.

Rogers, P. P., «The forms of adress in the *Novelas Ejemplares», RR,* XIV, 1924, páginas 105-120.

Rosenblat, Á., *La lengua del «Quijote»,* Madrid, Edit. Gredos, 1971.

Roth, C., *A history of the marranos,* New York, 1960.

Rovira i Virgili, A., y Sobreques, J., *Història de Catalunya,* Bilbao, Edit. La Gran Eciclopedia Vasca, 1979, 9 vols.

Rozenblat, W., «Cervantes y los conversos. Algunas reflexiones acerca del *Retablo de las maravillas», ACerv,* XVII, 1978, págs. 99-110.

Salcedo Ruiz, A., *Estado social que refleja el «Quijote»,* Madrid, 1905.

Salomon, N., *Recherches sur le thème paysan dans la «comedia» au temps de Lope de Vega,* Burdeos, 1965. Hay traducción española: Madrid, Castalia, 1985.

—, «Sobre el tipo del labrador rico en el *Quijote», Beiträge zur Romanischen Philologie,* Berlín, 1967, págs. 105-113.

—, «Sur les représentations theâtrales dans les *pueblos* des provinces de Madrid et de Tolède (1589-1640)», *BHi,* LXII, 1960, págs. 398-427.

—, *La vida rural castellana en tiempos de Felipe II,* Barcelona, Edit. Planeta, 1973.

Salrach, J. M., y Duran, E., *Història dels Països Catalans. Dels orígens a 1714,* Barcelona, EDHASA, 1982, 2 vols.

Sánchez Albornoz, C., *España, un enigma histórico,* Buenos Aires, 1956, 2 vols.

—, *Estudios sobre las instituciones medievales españolas,* México, Universidad Nacional Autónoma, 1965.

Sánchez Escribano, F., «Sancho Panza y su cultura popular», *Asomante,* n.º 3, 1948, págs. 33-40.

Shaw Fairman, P., *España vista por los ingleses del siglo XVII,* Madrid, SGEL, 1981.

Sicroff, A., *Les controverses des statuts de pureté de sang en Espagne du XVIᵉ au XVIIᵉ siècle,* París, Didier, 1960. Hay traducción española: Madrid, Taurus, 1985.

Silvermann, J. H., «Los "hidalgos cansados" de Lope de Vega», *Homenaje a William L. Fichter,* Madrid, 1971, págs. 725-733.

Sloan, A. S. C., «The pronouns of adress in *Don Quijote», RR,* XIII, 1922, páginas 65-76.

Soldevila, F., *Història de Catalunya,* Barcelona, Edit. Alpha, 1962, 3 vols.

Soler y Terol, L., *Perot Roca Guinarda. Història d'aquest bandoler. Ilustració als capítols LX y LXI, segona part, del «Quixot»,* Manresa, 1909.

Spooner, F. C., «The Economy of Europe (1559-1609)», *The New Cambridge Modern History,* Cambridge University Press, 1968, vol. III, págs. 14-43.

Stone, L., *La crisis de la aristocracia (1558-1641),* Madrid, Revista de Occidente, 1976.

Sureda Carrión, J. L., *La Hacienda castellana y los economistas del siglo XVII,* Madrid, C.S.I.C., 1949.

Surtz, R. E., «Sobre hidalguía y limpieza de sangre de la Virgen María en el siglo XVII», *CHA,,* 372, 1981, págs. 605-611.

Templin, E. H., «Labradores in the *Quijote*», *HR,* XXX, 1962, págs. 21-51.

Terterian, I., «Sobre algunas interpretaciones del *Quijote* en la España del siglo XX», *Beiträge zur Romanischen Philologie,* Berlín, 1967, págs. 169-173.

Togeby, K., *La estructura del «Quijote»,* Sevilla, Publicaciones de la Universidad de Sevilla, 1977.

Torres, X., «Els bàndols de *nyerros* i *cadells* a la Catalunya moderna», *L'Avenç,* n.º 49, 1982, págs. 33-38.

Ulloa, M., *La Hacienda Real de Castilla en el reinado de Felipe II,* Madrid, Fundación Universitaria Española, 1977.

Ullman, P. L., «Limpieza de barbas y de sangre», *Hispa,* XLIII, 1971, págs. 1-7.

Urbina, E., «Sancho Panza a nueva luz: ¿tipo folklórico o personaje literario?», *ACerv,* XX, 1982, págs. 93-101.

Valbuena Prat, Á., *La vida española en la Edad de Oro según sus fuentes literarias,* Madrid, 1943.

Vicens Vives, J., *Coyuntura económica y reformismo burgués,* Barcelona, Edit. Ariel, 1971.

—, *Historia económica de España,* Barcelona, Vicens Vives, 1972.

Vilar, P., *Catalunya dins l'Espanya moderna,* Barcelona, Ed. 62, 1964, 4 vols.

—, «El tiempo del *Quijote*», en *Crecimiento y desarrollo,* Barcelona, Ariel, 1976, págs. 332-346.

Viñas Mey, C., «Notas sobre la estructura social-demográfica del Madrid de los Austrias», *RUM,* IV, 1955, págs. 461-496.

—, *El problema de la tierra en la España de los siglos XVI y XVII,* Madrid, C.S.I.C., 1941.

ÍNDICE GENERAL